ANGLAIS
GUIDE DE CONVERSATION

responsable éditoriale

Dominique Le Fur

rédaction

Catherine Baudry

avec

Serena Murdoch Stern

informatique

Baptiste Ranty

Simon Deliège

lecture - correction

Méryem Puill-Châtillon

conception graphique et mise en pages

Maud Dubourg

Nadine Noyelle

25, avenue Pierre-de-Coubertin, 75013 Paris
www.lerobert.com

ISBN 978-2-32100-760-9

PRÉFACE

"To travel is to discover that everyone is wrong about other countries."

Voyager, c'est découvrir que tout le monde se trompe sur les autres pays.

A. Huxley

(1894-1963), poète, journaliste et romancier britannique

Vous partez en voyage en Angleterre ou dans un autre pays anglophone ? En tant que touriste ou dans le cadre de votre travail ? Vous avez besoin d'un peu d'aide pour vous exprimer de façon claire et efficace en toute situation ? Ce *Guide de conversation*, riche de milliers de mots et de centaines d'expressions utiles, est fait pour vous !

Compact mais très complet, pratique à utiliser grâce à des onglets de couleur, il vous accompagnera dans tous vos déplacements et facilitera vos échanges.

La partie Généralités vous fournit les formules élémentaires d'une conversation (salutations, remerciements, demande d'aide, expression d'émotions...) ainsi que quelques rappels de vocabulaire de base (chiffres et nombres, dates, couleurs...) et de grammaire (pronoms, auxiliaires...).

Chacune des huit grandes sections thématiques aborde l'un des domaines propres à un voyage aussi bien touristique que professionnel : transports, boissons et nourriture, hébergement, achats, sports et loisirs, services et informations pratiques, santé et sécurité, travail.

Ces sections se déclinent en chapitres de quatre pages : une page de vocabulaire spécifique au thème abordé, deux pages de phrases types inspirées de situations réelles, enfin une page dévolue aux différences entre l'anglais britannique et l'anglais américain ainsi qu'à des expressions imagées, des citations et des dictons commentés.
Tous les mots et les exemples sont accompagnés d'une transcription phonétique utilisant les lettres de notre alphabet pour vous aider à prononcer au mieux l'anglais, langue où graphie et prononciation sont parfois très différentes.

En dix minutes, vous serez prêt à comprendre vos interlocuteurs et à vous exprimer sur le sujet traité, vous connaîtrez les pièges à éviter (notamment les faux amis) et vous vous serez immergé dans la culture anglo-saxonne.

Enfin, un mini dictionnaire d'environ 7 000 mots classés par ordre alphabétique complète utilement les pages thématiques : il vous sera précieux pour traduire ou tout simplement enrichir votre vocabulaire.

Bon séjour !

ABRÉVIATIONS

adj adjectif
adv adverbe
conj conjonction
interj interjection
interr interrogatif
loc locution
nf nom féminin
nm nom masculin
nmf nom masculin et féminin
nm,f nom masculin, féminin
nfpl nom féminin pluriel
nmpl nom masculin pluriel
prép préposition
pron pronom
pers personnel
rel relatif
vb verbe

QUELQUES BASES

formules de politesse et salutations

polite phrases and greetings

bonjour !
(le matin)
good morning!
*goude **mo:r**ninng*
(l'après-midi)
good afternoon!
*goude afteu**noune***

bonsoir !
good evening!
*goude **i:v**ninng*

bonne nuit !
good night
goude naïte

salut !
bonjour
hello *ou* hi!
*hè**leou** haï*
au revoir
bye!
baï
see you!
si: iou

bienvenue !
welcome!
***ouèl**keume*

enchanté(e)
pleased to meet you
pli:zde tou mi:te iou
how do you do?
haou diou dou

bonne journée !
have a good day!
Have e goude deï

au revoir !
goodbye
*goude**baï***

à plus tard !
see you later!
*si: iou **leï**teu*

à bientôt !
see you soon!
si: iou soune

à demain !
see you tomorrow!
*si: iou teu**mo:**reou*

Ça va ?
How's it going?
*Haouzite **gueou**inng*

Comment allez-vous *ou* vas-tu ?
How are you?
Haou a:re iou

Bien, merci.
I'm fine, thank you.
aïme faïne Fannke iou

s'il vous *ou* te plaît
please
pli:ze

merci
thanks
Fannkse

de rien
you're welcome
*ioure **ouèl**keume*

Excusez-moi.
Excuse me.
*iks**kiouze** mi:*

demander son chemin, s'orienter

asking for directions

- Comment va-t-on au musée ?
  Could you please tell me the way to the museum?
  *koude iou pli:ze tèle mi: Ve oueï tou Ve miou**zi**eume*

- Comment se rend-on à la gare ?
  How can we get to the station?
  *Haou kane oui guète tou Ve **steï**cheune*
- Comment puis-je m'y rendre ?
  How can I get there?
  Haou kane aï guète Vère
- Pouvez-vous me le montrer sur la carte ?
  Can you show me on the map?
  kane iou cheou mi: one Ve mape
- Où se trouve la station de métro la plus proche ?
  Where is the nearest tube station?
  *ouère ize Ve **ni:**rèste tioube **steï**cheune*
- Je suis perdu.
  I'm lost.
  aïme loste
- Nous sommes complètement perdus.
  We're completely lost.
  *ouire keum**pli:**tli loste*
- Pouvez-vous m'aider ?
  Can you help me?
  kane iou hèlpe mi:
- C'est loin ?
  Is it far?
  izite fa:re
- C'est à combien d'ici ?
  How far is it from here?
  Haou fa:re izite frome Hire
- à droite
  on the right
  one Ve raïte
- à gauche
  on the left
  one Ve lèfte
- tout droit
  straight ahead
  *streïte eu**Hède***

- Prenez la première rue à droite/gauche.
  Take the first street on the right/left.
  teïke Ve feurste stri:te one Ve raïte/lèfte
- Tournez à droite/gauche.
  Turn right/left.
  teurne raïte/lèfte
- Allez tout droit.
  Go straight on.
  gueou streïte one
- Vous devez faire demi-tour.
  You have to turn round.
  iou Have tou teurne raounde
- C'est la première (rue) à droite.
  It's the first street on the right.
  itse Ve feurste stri:te one Ve raïte
- Tournez à droite au coin de la rue.
  Turn right at the corner of the street.
  *teurne raïte ate Ve **ko:r**neu ove Ve stri:te*
- C'est à trois rues d'ici ou trois rues plus loin.
  It's three streets from here.
  itse Fri: stri:tse frome Hire
- derrière
  behind
  *bi:**haïnde***
- devant
  in front of
  ine fronnte ove
- en face de
  opposite
  ***o**peuzite*
- l'ouest
  the west
  Ve ouèste
- l'est
  the east
  Vi i:ste

GÉNÉRALITÉS

- le sud
  the south
  Ve saouFe
- le nord
  the north
  Ve no:rfe

comprendre une adresse

address abbreviations

Quelques abréviations courantes peuvent rendre une adresse illisible :

St
street
stri:te
rue

Ave
avenue
***a**veuniou*
avenue

Sq
square
skouère
place

Blvd
boulevard
***bou**leuva:re*
boulevard

Rd
road
reoude
route

Dr
drive
draïve
allée privée

Ln
lane
leïne
ruelle

Cres
crescent
***krè**sseunte*
rue en arc de cercle

Ct
court
ko:rte
cour

Bsmt
basement
***beïss**meunte*
sous-sol

Flt
flat
flate
appartement

Notez qu'en anglais américain c'est l'abréviation Apt (apartment) qu'il faut utiliser au lieu de Flt (flat).

difficultés de compréhension

help requested

Je ne comprends pas.
I don't understand.
*aï donnte eundeu**stannde***

Je parle mal anglais.
My English is poor.
*maï **inn**gliche ize poure*

Je suis désolé(e), je ne parle pas anglais.
I'm sorry, I don't speak English.
*aïme **so:**ri aï donnte spi:ke **inn**gliche*

Parlez-vous français ?
Can you speak French?
kane iou spi:ke frènnche

Pourriez-vous parler plus lentement s'il vous plaît ?
Could you speak more slowly please?
*koude iou spi:ke mo:re **sleou**li pli:ze*

Pourriez-vous répéter s'il vous plaît ?
Could you repeat please?
*koude iou ri**pi:**te pli:ze*

Pourriez-vous écrire le prix ?
Could you write down the price?
koude iou raïte daoune Ve praïsse

Pourriez-vous épeler le nom de la rue ?
Could you spell the name of the street?
koude iou spèle Ve neïme ove Ve stri:te

Comment est-ce que ça s'écrit ?
How do you spell it?
Haou diou spèle ite

Je ne suis pas sûr(e) d'avoir bien compris.
I'm afraid I didn't get it.
*aïme eu**frède** aï dideunte guète ite.*

les jours de la semaine et les moments de la journée

days of the week and times of day

Quel jour sommes-nous ?
What day is it today?
*ouate deï ize ite tou**deï***

lundi
Monday
***monn**dè*

mardi
Tuesday
***tiouz**dè*

mercredi
Wednesday
*ou**ènn**zdè*

jeudi
Thursday
***Feurz**dè*

vendredi
Friday
***fraï**dè*

samedi
Saturday
***sat**eudè*

dimanche
Sunday
***seun**dè*

la fin de semaine
the end of the week
*Vi ènnde ove Ve **oui:**ke*

le week-end
the weekend
*Ve **oui:**kènnde*

note

Tous les noms de jour prennent une majuscule en anglais, contrairement au français.

quand ?
when?
ouène

aujourd'hui
today
*tou**deï***

demain
tomorrow
*teu**mo:**reou*

après-demain
the day after tomorrow
*Ve deï a:fteu teu**mo:**reou*

la semaine prochaine
next week
nèkste wi:ke

hier
yesterday
***iès**teudè*

hier soir
last night
la:ste naïte

avant-hier
the day before yesterday
*Ve deï bi**fo:re iès**teudè*

le matin
the morning
*Ve **mo:**rninng*

l'après-midi
the afternoon
*Vi a:fteu**noune***

le soir
the evening
*Vi **i:**vninng*

la nuit
at night
at naïte

ce matin
this morning
*Visse **mo:**rninng*

demain matin
tomorrow morning
*teu**mo:**reou **mo:**rninng*

hier après-midi
yesterday afternoon
iès**teudè a:fteu**noune

samedi soir
Saturday night
***sat**eudè naïte*

dans une heure
in an hour
in eune aoueure

aujourd'hui, c'est mardi
today is Tuesday
***tou**dè ize **tiouz**dè*

la veille
the day before
*Ve deï bi**fo:re***

la veille au soir
the night before
*Veu naïte bi**fo:re***

le lendemain
the day after
*Ve deï **a:**fteu*

c'était la veille
it was the day before
*ite oueuze Ve deï bi**fo:re***

c'est dans trois jours/deux semaines
it's in three days/two weeks
itse in Fri: deïz/tou wi:kse

il y a quatre jours/mois
four days/months ago
*fo:re deïz/monnFse eu**gueou***

tous les jours/mois
every day/month
èvri deï/monnFe

Expression

Le proverbe 'Tomorrow is another day', qui signifie *demain est un autre jour*, est la célèbre conclusion du roman ***Gone with the Wind***

(*Autant en emporte le vent*) de Margaret Mitchell. C'est l'héroïne du roman, Scarlett O'Hara, qui prononce cette dernière réplique. Bien que rejetée par le personnage de Rhett, elle refuse de s'admettre vaincue et laisse ainsi entendre que tout est encore possible.

note

Les mots evening et night présentent quelques spécificités qu'il est utile de connaître. Good evening et good night peuvent tous deux se traduire par *bonsoir*. Good evening est une façon polie de dire *bonjour* après 17 ou 18 heures. Good night a, en revanche, le sens d'*au revoir*. Bien entendu, good night s'utilise également au moment du coucher.

L'édition du soir, qui est publiée après 12 heures, se dit evening paper. Dans certains cas, night signifie *soirée*. *Ce soir* se traduit aussi bien par this evening que par tonight.

La première d'un spectacle se dit the first night ou the opening night of a show et *la dernière représentation* est the last night of a show. A late-night show at the cinema est *une séance qui a lieu tard dans la soirée*, a late-night TV programme est *une émission de deuxième partie de soirée*.

A night out est une soirée, une sortie nocturne, a party night est *une fête en soirée*.

les mois de l'année et les saisons

the months of the year and the seasons

un mois
a month
e monnFe

janvier
January
***dja**nioueuri*

février
February
***fè**broueuri*

mars
March
***ma:**rtche*

avril
April
***eï**preule*

mai
May
meï

juin
June
djoune

juillet
July
***djou**laï*

août
August
*o:**gueuste***

septembre
September
*sè**ptèmm**beu*

octobre
October
*ok**teou**beu*

novembre
November
*neu**vèmm**beu*

décembre
December
*di**ssèmm**beu*

note

Tous les noms de mois prennent une majuscule en anglais, contrairement au français.

les saisons
the seasons
*Ve **si:**zeunz*

le printemps
spring
sprinng

l'été
summer
***seu**meu*

l'automne
autumn
***o:**teume*

l'hiver
winter
***ouin**teu*

C'est l'été.
It's summer.
*itse **seu**meu*

Nous sommes au printemps.
We're in spring.
ouire ine sprinng

note

Il existe deux mots pour désigner l'automne : autumn et fall. Si ces deux mots sont tous deux apparus en Angleterre au Moyen Âge, c'est autumn qui est généralement utilisé en Grande-Bretagne et en Australie aujourd'hui. Les Américains et les Canadiens, quant à eux, donnent la préférence à fall. Fall est le raccourci de l'expression *'Fall of the leaf'* (*la tombée des feuilles*) tandis que le mot autumn vient du français.

le temps qu'il fait

the weather

le temps
the weather
*Ve **ouè**Veu*

le climat
the climate
*Ve **klaï**mète*

tropical
tropical
***tro**pikeule*

continental
continental
*konnti**nènn**teule*

méditerranéen
mediterranean
*mèditeu**reï**nieune*

les prévisions météorologiques
the weather forecast
*Ve **ouè**Veu **fo:re**kaste*

le soleil
the sun
Ve seune

ensoleillé
sunny
***seu**ni*

la chaleur
the heat
Ve Hi:te

un nuage
a cloud
e klaoude

nuageux
cloudy
***klaou**di*

la pluie
the rain
Ve reïne

pluvieux
rainy
***reï**ni*

une averse
a shower
*e **cha**oueure*

froid
cold
ko:lde

frais
chilly
***tchi**li*

le brouillard
the fog
Ve fogue

un orage
a storm
*e **sto:**rme*

le vent
the wind
Ve ouinnde

variable
changeable
***tcheïnn**jebeule*

note

Le mot « temps » se traduit de différentes façons. Si vous parlez du temps qu'il fait, de la météo, c'est le mot weather que vous devez utiliser. Si vous faites référence au temps qui s'écoule ou encore à une période historique, optez pour time. Enfin, pour parler de conjugaison, c'est du mot tense dont vous avez besoin.

Expression

To be under the weather (mot à mot « être sous le temps ») signifie « être malade » ou « ne pas être dans son assiette ». Le premier sens de cette tournure d'origine maritime était « avoir le mal de mer » ou « souffrir du mauvais temps ». Lorsqu'un marin se sentait mal, il se réfugiait sous le pont (under the deck) à l'abri du mauvais temps (away from the bad weather).

- Quel temps fait-il ?
  What's the weather like?
  *ouatse Ve **ouè**Veu laïke*
- It's windy/sunny.
  *itse **ouinn**di/**seu**nni*
  Il y a du vent/du soleil.

- It's scorching/freezing.
  *itse **sko:r**tchinng/**fri:**zinng*
  Il fait très chaud/très froid.
- Qu'est-ce qu'il fait chaud !
  It's so hot!
  itse seou Hote
- The fog is lifting.
  *Ve fogue ize **lif**tinng*
  Le brouillard se lève.
- It's clearing up.
  *itse **kli:**rinng eupe*
  Il y a une éclaircie.
- Est-ce qu'il pleut beaucoup à cette période de l'année ?
  Does it rain a lot at this time of year?
  *doze ite **reï**ne e lote ate Visse taïme ove yi:re*
- It's pouring (with rain).
  *itse **po:**rinng ouiVe reïne*
  Il pleut à verse.
- Il n'arrête pas de pleuvoir/neiger.
  It keeps raining/snowing.
  *ite ki:pse **reï**ninng/**sneou**inng*
- It's been raining since this morning/for two days.
  *itse bi:ne **reï**ninng sinnse Visse **mo:r**ninng/fo:re tou deïze*
  Il pleut depuis ce matin/depuis deux jours.
- Quel temps fera-t-il demain ?
  What will the weather be like tomorrow?
  *ouate ouile Ve **ouè**Veu bi laïke teu**mo:**reou*
- It should be sunny tomorrow.
  *ite choude bi **seu**ni teu**mo:**reou*
  Il devrait y avoir du soleil demain.
- Quelles sont les prévisions météo pour la fin de la semaine ?
  What's the weather forecast for the end of the week?
  *ouatse Ve **ouè**Veu fo:re**kaste** fo:re Vi ènnde ove Ve oui:ke*
- It will be too cold to go for a swim.
  ite ouile bi tou kolde tou gueou fo:re e souime
  Il fera trop froid pour aller nager.

- Quelles températures annonce-t-on pour demain ?
  What temperatures are expected tomorrow?
  *ouate **tèmm**pritcheuz a:re èks**pèk**tide teu**mo:**reou*
- It should be a little bit chilly.
  *it choude bi e **li**teule bite **tchi**li*
  Il ne devrait pas faire très chaud.
- Il fait trop chaud pour sortir avec le bébé.
  It's too hot to take the baby out.
  *itse tou hote tou teïke Ve **beï**bi aoute*
- The sky is overcast. Take an umbrella with you.
  *Ve skaï ize eouveu**kaste** teïke eune eum**brè**leu ouiVe iou*
  Le ciel est couvert. Prenez un parapluie.
- Il y a trop de vent pour aller à la plage.
  It's too windy to go to the beach.
  *itse tou **ouinn**di tou gueou tou Ve bi:tche*

les chiffres et les nombres

numbers

0
zero
***zi**reou*
nought *Brit*
no:te

1
one
ouane

2
two
tou

3
three
Fri:

4
four
fo:re

5
five
faïve

6
six
sikse

7
seven
***sè**veune*

8
eight
eïte

9
nine
naïne

10
ten
tène

11
eleven
***ilè**veune*

12
twelve
***touè**lve*

13
thirteen
*Feur**ti:ne***

14
fourteen
*fo:r**ti:ne***

15
fifteen
*fif**ti:ne***

16
sixteen
*siks**ti:ne***

GÉNÉRALITÉS

17
seventeen
*sèveun**ti:ne***

18
eighteen
*eï**ti:ne***

19
nineteen
*naïnn**ti:ne***

20
twenty
***touènn**ti*

21
twenty-one
***touènn**ti ouane*

22
twenty-two
***touènn**ti tou*

23
twenty-three
***touènn**ti Fri:*

24
twenty-four
***touènn**ti fo:re*

25
twenty-five
***touènn**ti faïve*

26
twenty-six
***touènn**ti sikse*

27
twenty-seven
***touènn**ti sèveune*

28
twenty-eight
***touènn**ti eïte*

29
twenty-nine
***touènn**ti naïne*

30
thirty
***Feur**ti*

31
thirty-one
***Feur**ti ouane*

32
thirty-two
***Feur**ti tou*

40
forty
***fo:r**ti*

43
forty-three
***fo:r**ti Fri:*

50
fifty
***fif**ti*

60
sixty
***siks**ti*

70
seventy
***sè**veunti*

80
eighty
***eï**ti*

90
ninety
***naï**nnti*

note

- Attention, *zéro* se traduit de différentes façons en fonction des situations et certaines différences sont à noter entre l'anglais britannique et l'anglais américain.

Zero est utilisé pour parler des impôts, des taux d'intérêt, des graduations et des températures : *il fait zéro aujourd'hui* se traduit par it's zero degrees celsius today.

Dans le cas des nombres décimaux, *zéro* se dit, en règle générale, nought. 0,25 se dit nought point two five et 0,5 % nought point five percent. Il est également possible d'utiliser le terme zero, c'est d'ailleurs ce que font les Américains.

Zéro se dit oh si l'on parle d'un numéro de téléphone, du numéro d'un vol, de celui d'une carte de crédit ou encore d'une chambre d'hôtel. Par exemple, *votre chambre est la 302* se traduit par your room number is three oh two.

• Notez que l'on donne les chiffres séparément pour un numéro de téléphone et que si un chiffre est doublé on dit double. 029 3305 ... se prononce de la façon suivante : oh two nine double three oh five. Les numéros figurant sur les billets d'avion se donnent en deux parties ou chiffre par chiffre. 220 se dit two twenty ou two two oh.

• Il est d'usage de donner les dates en deux parties, mais plusieurs solutions sont parfois possibles.
1067 = ten sixty seven
1707 = seventeen oh seven, seventeen hundred and seven
2000 = two thousand
2016 = twenty sixteen, two thousand and sixteen

• Dernier point, des termes spécifiques sont utilisés en sport. *Quatre buts à zéro* se dit four nil en anglais britannique tandis que trois solutions sont possibles en anglais américain : four nothing, four zero ou encore four zip. Au tennis, *trente-zéro* se dit thirty love.

Expression

To be dressed up to the nines a pour équivalent *être tiré à quatre épingles*. Il existe plusieurs hypothèses pour expliquer le choix de nines mais aucune d'entre elles n'est avérée. Nine yards serait, par exemple, la longueur de tissu nécessaire à la confection d'un costume. C'est un fait, en revanche, que to the nines est employé depuis le XVIIIe siècle pour parler de quelque chose de parfait. Le chiffre *neuf* apparaît dans nombre d'autres expressions telles que cloud nine (*septième ciel*) qui est le titre du neuvième album de George Harrison ou encore a nine days' wonder qui se traduit par *une merveille d'un jour*.

100
one hundred
*ouane **Heun**dride*

101
one hundred and one
*ouane **Heun**dride eunde ouane*

120
one hundred and twenty
*ouane **Heun**dride eunde **touènn**ti*

200
two hundred
*tou **Heun**dride*

300
three hundred
*Fri: **Heun**dride*

400
four hundred
*fo:re **Heun**dride*

500
five hundred
*faïve **Heun**dride*

600
six hundred
*sikse **Heun**dride*

700
seven hundred
***sè**veune **Heun**dride*

800
eight hundred
*eïte **Heun**dride*

900
nine hundred
*naïne **Heun**dride*

1 000
one thousand
*ouane **Faou**zeunde*

1 010
one thousand and ten
*ouane **Faou**zeunde eunde tène*

2 000
two thousand
*tou **Faou**zeunde*

2 015
two thousand and fifteen
*tou **Faou**zeunde eunde fif**ti:ne***
twenty fifteen
touènn**ti fif**ti:ne

1 000 000
one million
*ouane **mi**lieune*

1 000 000 000
one billion
*ouane **bi**lieune*

attention aux confusions

En anglais le point est l'équivalent de notre virgule et la virgule l'équivalent de l'espace. Ainsi 3.054 (three point nought five four) équivaut à *3,054* tandis que 3,054 (three thousand and fifty four) équivaut à *3 054*.

la date et l'heure

date and time

la date - the date

- C'est le 2 juillet 2016.
  It's 2nd July 2016.
  It's the second of July two thousand and sixteen.
  *itse Ve sè**keunde** of **djou**laï tou **Faou**zeunde eunde siks**ti:ne***

- Aujourd'hui, nous sommes le 15 août 2016.
  Today it's the fifteenth of August, twenty sixteen ou two thousand and sixteen.
  tou**deï itse Ve fif**ti:nFe** of o:**gueuste touènn**ti siks**ti:ne** - tou **Faou**zeunde eunde siks**ti:ne

manières de dire

Il existe différentes façons d'écrire les dates en anglais et les pratiques ne sont pas les mêmes aux États-Unis. Contrairement aux Britanniques, les Américains font figurer le jour après le mois. Ainsi, *le 4 juillet* se dit the fourth of July en Grande Bretagne mais July fourth aux États-Unis. Le *15 août 2016* peut s'écrire 15th August 2016 ou 15/8 en Grande-Bretagne et August 15th 2016 ou 8/15 de l'autre côté de l'Atlantique d'où l'expression 9/11 (nine eleven) qui fait référence aux attentats du 11 septembre.

l'heure - the time

Quelle heure est-il ?
What's the time?
ouatse Ve taïme

Il est une heure.
It's one o'clock.
*itse ouane **okleuke***

Il est deux heures du matin/ de l'après-midi.
It's two am/pm.
itse tou eï ème/pi: ème

Il est deux heures et quart.
It's a quarter past two.
*itse e **kouo:**teu pa:ste tou*

Il est deux heures et demie.
It's half past two.
itse Ha:fe pa:ste tou

Il est trois heures moins cinq.
It's five to three.
itse faïve tou Fri:

une heure
an hour
eune aoueu

une minute
a minute
*e **mi**nnite*

une seconde
a second
*e sè**keunde***

un quart d'heure
a quarter of an hour
*e **kouo:**teu ove eune aoueu*

une demi-heure
half an hour
Ha:fe eune aoueu

En anglais, l'horloge de 24 h est utilisée pour les horaires officiels comme par exemple sur les billets d'avion ou dans les cinémas. Dans les autres cas de figure, la journée est divisée en deux périodes de 12 heures chacune. On a alors recours aux abréviations am et pm (AM et PM en anglais américain) pour éviter toute confusion.
Ante meridiem (am) est une expression latine qui signifie « avant midi ». Il s'agit, plus précisément, de la période allant de minuit à midi. Post meridiem (pm), qui signifie « après midi », est la période allant de midi à minuit. 12 pm s'utilise pour noon (*midi*) et 12 am pour midnight (*minuit*).

Notez qu'en anglais américain past est remplacé par after, It's a quarter past six (*Il est six heures et quart*) se dit It's a quarter after six. De la même façon les Américains utilisent of au lieu de to dans It's ten of four. (*Il est quatre heures moins dix.*)

Notez également que 7:05 peut se dire seven oh five.

les couleurs

colours

blanc
white
ouaïte

noir
black
blake

rouge
red
rède

rose
pink
pinnke

orange
orange
***o:**rinndje*

jaune
yellow
***yè**leou*

vert
green
gri:ne

bleu
blue
blou

violet
purple
***peur**peule*

marron
brown
braoune

gris
grey
greï

beige
beige
bèje

attention

Maroon ne signifie pas « marron » mais « bordeaux ». *Brun* et *marron* se traduisent tous deux par brown qui peut également être utilisé pour parler de cheveux *châtains* ou dire de quelqu'un qu'il est *bronzé*.
Baby blue et navy blue sont les équivalents respectifs de *bleu ciel* et *bleu marine*. The greens sont *les légumes verts*. Pink est aussi une fleur, *l'œillet*.

To be yellow signifie *être lâche* et yellow journalism est *la presse à sensation.*

Enfin, les Britanniques emploient l'expression white goods pour faire référence à *l'électroménager* tandis qu'il s'agit du *linge de lit* pour les Américains.

exprimer des sensations

saying how you feel

- How are you feeling?
  *Haou a:re you **fi:**linng*
  Comment te sens-tu ou vous sentez-vous ?
- Je ne me sens pas bien.
  I don't feel well.
  aï donnte fi:le ouèle
- Je suis fatigué.
  I'm tired.
  *aïme **taï**eude*
- Je suis (un peu) nerveux.
  I'm (a little) anxious.
  *aïme e **li**teule **ènn**kchieusse*
- Je suis stressé.
  I'm stressed.
  *aïme **strè**ste*
- Je suis (très) content(e).
  I'm (really) glad.
  *aïme **ri:**li glade*
- J'ai (très) chaud.
  I'm (really) hot.
  *aïm (**ri:**li) hote*
- Il a (très) froid.
  He's (very) cold.
  *hize **vè**ri ko:lde*
- J'ai faim.
  I'm hungry.
  *aïme **Heunn**gri*

- J'ai très faim.
  I'm starving.
  *aïme **sta:r**vinng*
- J'ai (très) soif.
  I'm (very) thirsty.
  *aïme **vèri Feur**sti*

exprimer sa joie, son accord

being glad, agreeing

- Super, c'est génial !
  This is great!
  Visse ize greïte
- Je suis (super) content !
  I'm (more than) happy!
  *aïme (mo:re Vane) **Ha**pi*
- Nous sommes enchantés.
  We're delighted.
  *ouire di**laï**tide*
- C'est fantastique.
  This is fantastic.
  *Visse ize feun**ta:s**tike*
- C'est merveilleux !
  How wonderful!
  *Haou **ouonn**deufoule*
- Parfait !
  Perfect!
  ***peur**fèkte*
- Quelle charmante idée !
  What a lovely idea!
  *ouate e **lo**vli aï**di**re*
- Nous avons beaucoup de chance, n'est-ce pas ?
  We're very lucky, aren't we?
  *ouire **vè**ri **leu**ki a:nte oui*
- Tu ne trouves pas que c'est génial ?
  Don't you think this is smashing?
  *donnte iou Finnke Visse ize **sma**chinng*

- Oui, je suis d'accord.
  Yes, it is. I agree with you.
  *ièsse ite ize aï eu**gri:** ouiVe iou*
- Tout à fait vrai !
  Quite true!
  kouaïte trou
- Tu as tout à fait raison.
  You're absolutely right.
  *ioure **a**bseuloutli raïte*
- Quelle magnifique vue!
  What a splendid view!
  *ouate e **splènn**dide viou*
- Qu'est-ce que ça sent bon !
  It smells so good!
  ite smèlze seou goude

exprimer son mécontentement

expressing discontent

- Cette chambre ne me convient pas.
  I'm not pleased with this room.
  aïme note pli:zde ouiVe Visse roume
- Nous sommes déçus.
  We're disappointed.
  *ouire dizeu**poïnn**tide*
- Je suis furieux(-euse).
  I'm more than angry.
  *aïme mo:re Vane **ann**gri*
- Les draps sont sales, c'est honteux !
  The sheets are dirty. What a disgrace!
  *Veu chi:tse a:re **deur**ti ouate e dis**greïsse***
- Que c'est dégoûtant !
  How disgusting!
  *Haou dis**gueus**tinng*
- Je ne suis pas d'accord.
  I don't agree.
  *aï donnte eu**gri:***

- Nous avons un problème.
  We have a problem.
  *oui Have e **pro**bleume*
- Il y a un problème avec la salle de bain.
  Something is wrong with the bathroom.
  ***some**Finng ize ronng ouiVe Ve **ba:**Froume*
- Je veux me plaindre au directeur.
  I want to complain to the manager.
  *aï ouannte tou keum**pleïne** tou Ve **ma**nadjeu*
- La nourriture/Le service est lamentable.
  The food/service is awful.
  *Ve foude/**seur**visse ize **aou**foule*
- C'est mauvais (au goût).
  It tastes awful.
  *ite teïstse **aou**foule*
- Qu'est-ce que ça sent mauvais !
  It smells awful!
  *ite smèlze **aou**foule*
- La télévision ne marche pas.
  The TV isn't working.
  *Ve tivi izeunte **oueu:r**kinng*
- Ce n'est pas la bonne clé.
  This is the wrong key.
  Visse ize Ve ronng ki:

les pronoms personnels

personal pronouns

je
I
aï

tu
you
iou

il
(personne)
he
Hi
(animal, chose)
it
ite

elle
(personne)
she
chi
(animal, chose)
it
ite

nous	vous	ils *ou* elles
we	you	they
oui	*iou*	*Veï*

note

En anglais, on utilise le pronom personnel neutre it pour désigner une chose ou un animal.

Le pronom you correspond à la deuxième forme du singulier et du pluriel. Il n'existe pas de pronom spécifique au vouvoiement en anglais.

Les verbes et auxiliaires be et have

Attention à l'utilisation de be et have, qui sont des verbes mais aussi des auxiliaires : elle diffère souvent de celle de *être* et de *avoir* en français.

BE signifie généralement « être » mais s'emploie aussi pour :

- donner une dimension ou une distance

- I'm six feet tall.
  aïme sikse fi:te tole
  Je mesure 1,82 mètres.
- The building is ten metres high.
  *Ve **bil**dinng ize tène **mi**teuze Haï*
  Le bâtiment fait dix mètres de haut.
- The swimming pool is three metres deep.
  *Ve **soui**mminng poule ize Fri: **mi**teuze di:pe*
  La piscine fait trois mètres de profondeur.
- The balcony is two metres wide.
  *Ve **bal**keuni ize tou **mi**teuze ouaïde*
  Le balcon fait deux mètres de large.
- The trail is five miles long.
  Ve treïle ize faïve maïlze lonngue
  Le sentier fait cinq kilomètres de long.

- donner son âge

▪ I'm thirty years old.
*aïme **Feur**ti ieure eoulde*
J'ai trente ans.

- situer un événement dans le temps ou dans l'espace

▪ The concert is tomorrow.
*Ve **konn**seurte ize teu**mo:**reou*
Le concert a lieu demain.

▪ The show will be in London.
*Ve cheou ouile bi: in **lonn**done*
Le spectacle aura lieu à Londres.

- décrire un état, parler de santé

▪ I'm hungry/thirsty.
*aïme **Heunn**gri/**Feur**sti*
J'ai faim/soif.

▪ I'm cold/hot.
aïme kolde/Hote
J'ai froid/chaud.

▪ I'm sleepy.
*aïme **sli:**pi*
J'ai sommeil.

▪ I'm seasick/homesick.
*aïme **si:**ssike/**Home**ssike*
J'ai le mal de mer/le mal du pays.

▪ I'm afraid/lucky.
*aïme eu**frède**/**leu**ki*
J'ai peur /de la chance.

▪ I'm right/wrong.
aïme raïte/ronngue
J'ai raison/tort.

- parler du temps

▪ It is daylight.
*ite ize **deï**laïte*
Il fait jour.

- It's hot.
  its Hote
  Il fait chaud.

HAVE signifie généralement « avoir » mais s'emploie aussi pour :

- parler des repas
  - to have breakfast/lunch/dinner
    *tou Have **breïk**feuste/leunche/**din**eu*
    prendre le petit-déjeuner/le déjeuner/le dîner
  - to have a drink/a glass of water
    *to Have e drinnke/e glasse ov **ouo**teu*
    prendre un verre/un verre d'eau
  - to have cereals for breakfast
    *tou Have **si**rieulze fo:re **breïk**feuste*
    manger des céréales au petit-déjeuner
  - I'll have the roast chicken.
    *aïle have Ve reouste **tchi**keune*
    Je prendrai le poulet rôti.

- évoquer certaines activités du quotidien
  - to have a bath/a shower
    *tou Have e ba:Fe/e **cha**oueu*
    prendre un bain/une douche
  - to have a nap
    tou Have e nape
    faire une sieste
  - to have a walk
    tou Have e ouo:ke
    aller se promener
  - to have a great time
    tou Have e greïte taïme
    bien s'amuser
  - to have a dream/a nightmare
    *tou Have e dri:me/e **naïtt**mère*
    faire un rêve/un cauchemar

L'alphabet

a	*eï*	**h**	*eïtche*	**n**	*ène*	**u**	*iou*
b	*bi:*	**i**	*aï*	**o**	*o*	**v**	*vi:*
c	*si:*	**j**	*djeï*	**p**	*pi:*	**w**	*dabeuliou*
d	*di:*	**k**	*keï*	**q**	*kiou*	**x**	*èkse*
e	*i:*	**l**	*èle*	**r**	*a:r*	**y**	*ouaï*
f	*èfe*	**m**	*ème*	**s**	*èsse*	**z**	*zède*
g	*dji:*			**t**	*ti:*		

La prononciation

Certaines **voyelles** sont dites « courtes », d'autres « longues » ; ces dernières sont suivies d'un double point dans la transcription. Ainsi le 'i', qui est 'long' dans le mot scene, est transcrit i: *(/si:ne/)*.

a se prononce *a* (bagpack), *eï* (plane) ou *a:* (last)
e se prononce *è* (bed) ou *i:* (scene)
i se prononce *i* (trip) ou *aï* (flight)
o se prononce comme un *o* ouvert (lot), *o:* (morning), ou *eou* (no)
u se prononce *ou* (push), *eu* (bus), ou *iou* (use)

La plupart des **consonnes** se prononcent pratiquement comme en français. Mais :

g peut se prononcer *g* (good), *dj* (giant) ou *j* (genre) mais ne se prononce pas toujours (sign, bought)
gh se prononce *f* (enough)
j se prononce *dj* (jacket)
k ne se prononce pas devant un n (know)
h aspiré est noté *H* (home)
s peut se prononcer *s* (list), *z* (please), ou *j* (treasure)
ch se prononce *ch* (chef), *tch* (chat), ou *k* (chorus)
th se prononce avec la langue entre les dents, proche soit d'un v noté *V* (the), soit d'un f noté *F* (tooth)
r n'est pratiquement pas prononcé, sauf en anglais américain

L'anglais n'a pas de voyelles nasales. Les 'n' et 'm' se prononcent (bank, think). Les mots anglais comportent des accents qu'il est important de bien marquer. Ces accents sont indiqués par des caractères gras (ex : ***trav**leu* traveller).

TRANSPORTS

Survol de la City de Londres

À L'AÉROPORT

at the airport

Les mots pour le dire

des bagages	baggage, luggage	***ba****guidje,* ***leu****guidje*
une valise	a suitcase	*e* ***soutt****keïsse*
un sac à dos	a backpack	*e* ***bak****pake*
les bagages à main	hand luggage	*Hannde* ***leu****guidje*
le comptoir d'enregistrement	the check-in desk	*Ve* ***tchèk****ine dèske*
le numéro de vol	the flight number	*Ve flaïte* ***neum****beu*
un agent d'escale	an airport station agent	*eune* ***èr****po:rte* ***steï****cheune* ***eïd****jeunte*
une carte d'embarquement	a boarding pass	*e* ***bo:rd****inng pa:sse*
un siège côté couloir/hublot	an aisle/a window seat	*eune eïle/e* ***ouinn****deou si:te*
une correspondance	a connection	*e keu****nèk****cheune*
un panneau d'information	an information board	*eune innfo:r****meï****cheune bo:rde*
les arrivées	arrivals	*e****raï****veulz*
les départs	departures	*di****pa:r****tcheuz*
à l'heure	on time	*one taïme*
retardé	delayed	*di****leï****de*
annulé	cancelled	***kènn****seulde*
une salle d'embarquement	a departure lounge	*e di****pa:r****tcheu* ***laounn****dje*
une porte d'embarquement	a boarding gate	*e* ***bo:rd****inng gueïte*
embarquer	to get on board	*tou guète one bo:rde*
un chariot à bagages	a luggage trolley	*e* ***leu****guidje* ***tro****li*
assurance annulation	cancellation insurance	*kannseu****leï****cheune inn****chou****reunse*
surclasser	to upgrade	*tou eup****greïde***
prévu	expected	*èks****pèkt****ide*

➤ S'exprimer ⮜ Comprendre

➤ Excusez-moi, où se trouve le comptoir d'enregistrement de British Airways ?
Excuse me, where's the British Airways check-in desk?
*ik**skiou**ze mi ouèrze Ve **bri**tiche **è**roueïze **tchèk**in dèske*

⮜ It's in terminal three, on the first floor.
*itse ine **teur**mineule Fri: one Ve feurste flo:re*
Il se trouve au terminal trois, au premier étage.

⮜ May I have your passport and ticket, please?
*meï aï Have ioure **pa:ss**po:rte eunde **ti**kite pli:ze*
Votre passeport et votre billet s'il vous plaît.

➤ J'ai acheté un billet électronique, voici la référence de ma réservation.
I bought an e-ticket, here is my booking reference.
*aï bo:te eune i:**ti**kite Hire ize maï **bou**kinng **rè**freunse*

⮜ Would you like a window or an aisle seat?
*oudiou laïke e **ouinn**deou ore eune eïle si:te*
Voulez-vous un siège côté hublot ou côté couloir ?

➤ Je voudrais un siège côté fenêtre s'il vous plaît.
I'd like an aisle seat please.
aïde laïke eune aïle si:te pli:ze

➤ Est-ce que le vol est à l'heure ?
Is the flight on time?
iz Ve flaïte one taïme

⮜ No, it isn't. It's been delayed.
*neou ite izeunte itse bi:ne di**leï**de*
Non, il a été retardé.

⮜ Your flight leaves from gate B5 and boarding begins at 2 pm.
*ioure flaïte li:vze frome gueïte bi: faïve eunde **bo:rd**inng bi**guinnz** ate tou pi: ème*
Votre vol part de la porte B5 et l'embarquement commence à 14 h 00.

≺ How many bags are you checking in?
Haou mèni bagz a:re iou ***tchèk****inng ine*
Combien de bagages souhaitez-vous enregistrer ?

➤ Est-ce qu'il faut que j'enregistre ce sac à dos ?
Do I need to check in this backpack?
dou aï ni:de tou tchèke ine Visse ***bak****pake*

≺ May I see your hand luggage?
meï aï si: ioure Hannde ***leu****guidje*
Puis-je voir votre bagage de cabine ?

≺ Please place your bags on the scales.
pli:ze pleïsse ioure bagz one Ve skeïlz
Posez vos sacs sur la balance s'il vous plaît.

≺ There's excess baggage.
Vèrze ***èk****sèsse* ***ba****guidje*
Il y a un excédent de bagage.

➤ Quels sont les frais à payer?
How much is the fee?
Haou meutche ize Ve fi:

➤ J'ai raté ma correspondance, il faut que j'achète un autre billet.
I've missed my connection, I need to buy another ticket.
*aïve miste maï keu****nèk****cheune aï ni:de tou baï eunoVeu* ***ti****kite*

➤ J'ai perdu ma carte d'embarquement.
I've lost my boarding pass.
aïve lo:ste maï ***bo:rd****inng pa:sse*

≺ This is the final boarding call for British Airways flight to London!
Visse ize Ve ***faï****neule* ***bo:rd****inng ko:le fore* ***bri****tiche* ***è****roueïze flaïte tou* ***lonn****deune*
Dernier appel pour le vol de British Airways à destination de Londres !

L'ANGLAIS dans tous ses ÉTATS

Manières de dire

• Ne soyez pas dérouté(e) si vous lisez le terme **domestic** sur les panneaux d'information. **A domestic flight** est tout simplement *un vol intérieur* par opposition à un **international flight**.

• Vous transportez deux sacs et une énorme valise ? Repérez vite le panneau **luggage trolley** (GB) ou **luggage cart** (US) : *un chariot à bagages* vous sera utile ! Sachez que **luggage** et son synonyme **baggage** sont indénombrables. *Un bagage* se dit **a piece of luggage**. D'autre part, **a security tag** n'est pas une inscription mais *une étiquette* à fixer sur votre valise.

• Notez qu'*une escale* se dit **a stopover** en Grande-Bretagne et **a layover** aux États-Unis.

Expression

L'expression *bag and baggage*, qui signifie *avec toutes ses possessions*, peut se traduire par *avec armes et bagages*. C'est à l'origine une expression militaire que Shakespeare a rendue célèbre dans la pièce de théâtre *As you like it* : *"Let vs make an honorable retreit, though not with bagge and baggage, yet with scrip and scrippage."* **A scrip** est un terme archaïque qui désigne un petit sac ou une sorte de portefeuille dont le contenu se dit **scrippage**. **Baggage** doit être ici compris comme étant le contenu de **bag**.

QUESTIONS DE SÉCURITÉ

airport security

Les mots pour le dire

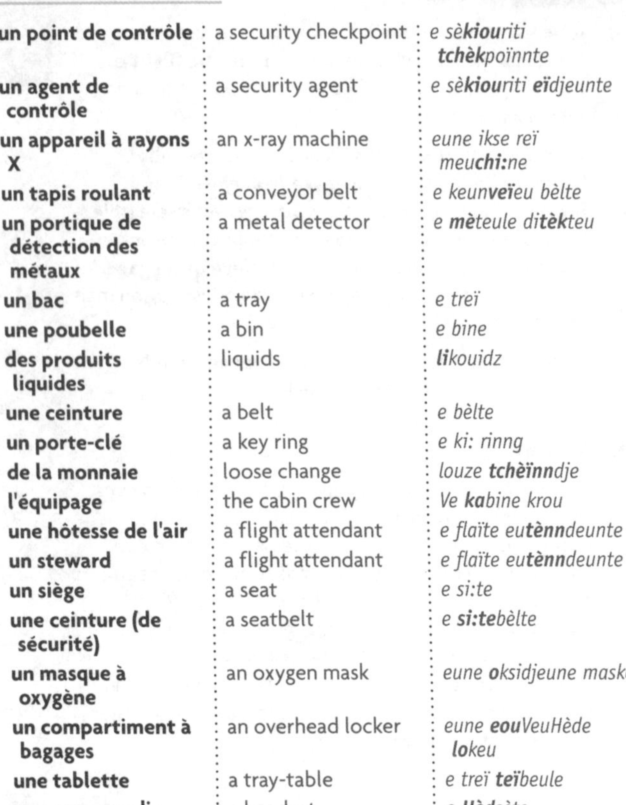

un point de contrôle	a security checkpoint	*e sè**kiou**riti **tchèk**poïnnte*
un agent de contrôle	a security agent	*e sè**kiou**riti **eï**djeunte*
un appareil à rayons X	an x-ray machine	*eune ikse reï meu**chi:**ne*
un tapis roulant	a conveyor belt	*e keun**veï**eu bèlte*
un portique de détection des métaux	a metal detector	*e **mè**teule di**tèk**teu*
un bac	a tray	*e treï*
une poubelle	a bin	*e bine*
des produits liquides	liquids	***li**kouidz*
une ceinture	a belt	*e bèlte*
un porte-clé	a key ring	*e ki: rinng*
de la monnaie	loose change	*louze **tchèïnn**dje*
l'équipage	the cabin crew	*Ve **ka**bine krou*
une hôtesse de l'air	a flight attendant	*e flaïte eu**tènn**deunte*
un steward	a flight attendant	*e flaïte eu**tènn**deunte*
un siège	a seat	*e si:te*
une ceinture (de sécurité)	a seatbelt	*e **si:te**bèlte*
un masque à oxygène	an oxygen mask	*eune **o**ksidjeune maske*
un compartiment à bagages	an overhead locker	*eune **eou**VeuHède **lo**keu*
une tablette	a tray-table	*e treï **teï**beule*
un casque audio	a headset	*e **Hèd**sète*
une couverture	a blanket	*e **blann**kite*

⊳ S'exprimer ⊲ Comprendre

< Did you pack your bags yourself?
dide iou pake ioure bagz iourse̊lfe
Avez-vous fait vos bagages vous-même ?

< Did you leave your bags unattended?
*dide iou li:ve ioure bagz euna**tènn**dide*
Avez-vous laissé vos bagages sans surveillance ?

< Has anyone given you anything to carry on the flight?
*Haze **è**niouane **gui**veune iou **è**niFinng tou **ka**ri one Ve flaïte*
Est-ce que quelqu'un vous a donné quelque chose à transporter à bord de l'avion ?

< You can't take any food or beverages beyond this gate.
*iou kannte teïke èni foude ore **bè**vridjize biyonnd Visse gueïte*
Il est interdit de passer ce point avec de la nourriture ou une boisson.

< Please empty your pockets and put all small objects in the tray.
*pli:ze **èmmp**ti ioure **po**kitse eunde poute o:le smo:le **ob**djèktse ine Ve treï*
Merci de vider vos poches et de placer tous les petits objets dans le bac.

< Put your laptop on a tray.
*poute ioure **lap**tope one e treï*
Placez votre ordinateur portable dans un bac.

< Liquids must be stored in transparent plastic bags.
***li**kouidz meuste bi sto:rde ine trann**spa**reunte **plas**tik bagz*
Les produits liquides doivent être rangés dans des sacs en plastique transparents.

< Each container can't exceed 100 ml.
*itche konn**teï**neu kannte ik**si:**de ouane **Heun**dride **mi**liliteuz*
Aucun récipient ne doit excéder 100 ml.

< Take off your hat and shoes.
teïke ofe ioure Hate eunde chouze
Retirez votre chapeau et vos chaussures.

- ≺ You must remove your belt.
  *iou meuste ri**mou**ve ioure bèlte*
  Vous devez retirer votre ceinture.

- ≺ Please raise your hands.
  pli:ze reïze ioure Hanndz
  Levez les mains s'il vous plaît.

- ≺ You're cleared to go!
  *ioure **kli:r**de tou gueou*
  Tout est en règle !

- ≺ Fasten your seatbelt please!
  ***fa:ss**eune ioure **si:tt**bèlte pli:ze*
  Bouclez votre ceinture s'il vous plaît !

- ≺ Would you like something to drink?
  *woude iou laïke **some**Finng tou drinnke*
  Est-ce que je vous sers quelque chose à boire ?

- ≻ Pourrais-je avoir un oreiller/une serviette/des écouteurs ?
  Could I have a pillow/a napkin/headphones?
  *koude aï Have e **pi**leou/e **nap**kine/**Hèd**feounz*

- ≺ You have to fill in this Customs and Immigration form.
  *iou Have tou file ine Visse **keus**teumz eunde imi**greï**cheune fo:rme*
  Vous devez remplir ce formulaire pour la douane.

- ≺ We'll be landing soon.
  *ouile bi **lannd**inng soune*
  Nous allons bientôt atterrir.

- ≺ Where have you travelled from?
  *ouère Have iou **tra**veulde frome*
  D'où venez-vous ?

- ≺ What is the purpose of your flight?
  *ouate ize Ve **peur**peusse ove iour flaïte*
  Dans quel but effectuez-vous ce voyage ?

- ≻ Je suis en vacances/en voyage d'affaires.
  I'm on holiday/on a business trip.
  *aïme one **Ho**lideï/one e **biz**nèsse tripe*

L'ANGLAIS dans tous ses ÉTATS

Manières de dire

• Nombre d'objets sont interdits à bord des avions pour des raisons de sécurité. Notez que les formes verbales **forbidden**, **prohibited** et **not allowed** indiquent toutes trois une interdiction.

• Aux États-Unis, on applique la **3-1-1 rule** (« règle 3-1-1 ») pour les produits liquides. Le chiffre **3** fait référence à la quantité maximale de liquide autorisée soit **3.4 ounces** (100 ml), le premier chiffre **1** signifie **1 quart-sized clear plastic bag** (« un sachet en plastique d'un litre ») et le second chiffre **1** indique que seul un sachet par voyageur est autorisé.

• Attention, le terme **offence** (orthographié **offense** aux États-Unis) ne signifie pas « une offense » mais « un délit », « une infraction ». La phrase '**It is an offence to carry a toy or replica gun**' signifie, par exemple, que transporter un pistolet d'enfant ou un faux pistolet est un délit.

Expression

Dans son recueil d'essais intitulé *Virginibus Puerisque* l'écrivain écossais Robert Louis Stevenson, le célèbre auteur de *Treasure Island* (*L'Île au trésor*), explique notamment que nos espoirs et nos attentes sont bien souvent une plus grande source de joie que la réalité lorsqu'il écrit : *'To travel hopefully is a better thing than to arrive'* (« On prend davantage de plaisir dans le voyage porteur d'espoir que dans le fait d'arriver à destination. »). Cette expression n'est pas sans rappeler un proverbe taoïste selon lequel '**The journey is the reward**' (« La récompense est dans le voyage. »).

SE RENDRE À L'HÔTEL

on the way to the hotel

Les mots pour le dire

la sortie	the exit	*Vi* ***èk****site*
la douane	customs	***keus****teumz*
rien à déclarer	nothing to declare	***no****Finng tou di****klère***
retrait des bagages	baggage reclaim	***ba****guidje ri****kleïme***
un tapis roulant	a carousel	*e karou****ssèle***
un guichet	a ticket office	*e* ***ti****kite* ***o****fisse*
un distributeur automatique	a ticket machine	*e* ***ti****kite meu****chi:****ne*
un aller simple	a single ticket	*e* ***sinn****gueule* ***ti****kite*
un aller-retour	a return ticket	*e ri****teurne ti****kite*
une carte de transport	a travel card	*e* ***tra****veule ka:rde*
les horaires	the timetable	*Ve* ***taïmm****teïbeule*
la gare (ferroviaire)	the train station	*Ve treïne* ***steï****cheune*
le métro	the underground	*Vi* ***eun****deugraounnde*
un plan du métro	a map of the underground	*e mape ove Vi* ***eun****deugraounnde*
un quai	a platform	*e* ***platt****fo:rme*
une ligne	a line	*e laïne*
un arrêt	a stop	*e stope*
un siège	a seat	*e si:te*
un taxi	a taxi	*e* ***tak****si*
le compteur	the meter	*Ve* ***mi:****teu*
une agence de location de voitures	a car hire agency	*e kare* ***Haï****eu* ***eid****jeunsi*
la gare routière	the bus station	*Ve beusse* ***steï****cheune*

attention aux faux amis

Après avoir acheté votre ticket de métro, on vous dirigera peut-être vers une platform. Il s'agit tout simplement du « quai » où s'arrête votre train !

⮞ S'exprimer ⮜ Comprendre

➤ Je n'ai rien à déclarer.
I don't have anything to declare.
*aï donnte Have èniFinng tou di**klè**re*

➤ You have to pay duty on these items.
*iou have tou peï **diou**ti one Vize **aï**teumz*
Vous devez payer des frais de douane sur ces articles.

➤ Je cherche l'espace de retrait des bagages.
I'm looking for baggage reclaim.
*aïme **louk**inng fore **ba**guidje ri**kleï**me*

➤ Il me manque une valise, je souhaite faire une réclamation.
One of my suitcases is missing, I'd like to file a claim.
*ouane ove maï **soutt**keïzize ize **miss**inng aïde laïke tou faïle e kleïme*

➤ Où se trouve le point d'accueil ?
Where is the information desk?
*ouère ize Vi innfo:r**meï**cheune dèske*

➤ Où peut-on trouver un taxi/louer une voiture ?
Where can we get a taxi/hire a car?
*ouère kane oui guète e **tak**si/**Haï**eu e kare*

➤ Où peut-on acheter un billet de train?
Where can we buy a train ticket?
*ouère kane oui baï e treïne **ti**kite*

➤ Je voudrais un plan du métro s'il vous plaît.
I'd like a map of the underground please.
*aïde laïke e mape ove Vi **eun**deugraounde pli:ze*

➤ Combien coûte une carte de transport à la journée ?
How much is a day travel card?
*haou meutche ize e deï **tra**veule ka:rde*

➤ Où faut-il oblitérer son billet ?
Where do I have to stamp my ticket?
*ouère dou aï Have tou stammpe maï **ti**kite*

➤ Quelle ligne va à Enfield ?
Which line goes to Enfield?
*ouitche laïne gueouze tou **èn**filde*

➤ Excusez-moi, est-ce le bon quai pour aller à Ealing ?
Excuse me, is this the right platform for Ealing?
*ik**skiou**ze mi ize Visse Ve raïte **platt**fo:rme fo:r **i:**linng*

⮜ This is the northbound platform, you should stand on the other one.
*Visse ize Ve **no:rF**baounnde **platt**fo:rme iou choude stannde one Vi oVeu ouane*
C'est le quai pour les trains en direction du nord, vous devez aller sur l'autre quai.

⮜ Stand clear of the doors!
stannde kli:re ove Ve do:rz
Ne bloquez pas la fermeture des portes !

⮜ Mind the gap!
maïnnde Ve gape
Attention à l'espace entre le train et le quai !

➤ Est-ce que ce bus va à Time Square ?
Is this bus going to Time Square?
*isse Visse beusse **gueou**inng tou taïme skouère*

⮜ No, it isn't. You should take the next one.
neou ite izeunte iou choude teïke Ve nèkste ouane
Non, vous devriez prendre le suivant.

➤ Combien y a-t-il d'arrêts jusqu'à Leicester Square ?
How many stops are there to Leicester Square?
*Haou mèni stopse a:re Vère tou **lèss**teu skouère*

➤ Pourriez-vous m'indiquer quand je dois descendre ?
Could you tell me when to get off?
koude iou tèle mi ouène tou guète ofe

➤ Est-ce que ce siège est occupé ?
Is this seat taken?
*iz Visse si:te **teï**keune*

L'ANGLAIS dans tous ses ÉTATS

Manières de dire

• Le panneau '**Baggage reclaim**' n'est pas relatif aux réclamations en cas de bagage perdu, il vous indique où retirer vos bagages. Si votre valise manque à l'appel, présentez-vous au **baggage claim area**. Notez que le tapis roulant sur lequel défilent les bagages se dit **luggage carousel** (du français *carrousel*). Ce mot désigne également un manège.

• Si vous prenez le métro à New York (**the subway**), c'est **a subway station** que vous devez chercher. Pour les Anglais, **a subway** est un passage souterrain pour piétons. En Angleterre, le métro se dit aussi bien **the tube** que **the underground**. Sachez également qu'un *aller simple* se dit **one-way ticket** aux États-Unis.

• L'annonce *We should be back on the move shortly* n'a rien à voir avec un quelconque déhanché, elle indique que le train ne va pas tarder à redémarrer.

Le saviez-vous ?

Le terme **customs** (« la douane ») a pour origine le mot latin *consuetudo* (un costume, un habit). Au Moyen Âge, les **customs** étaient des impôts versés de façon 'régulière' ou 'coutumière' (*customary*) au Roi ou à un seigneur avant de désigner les taxes prélevées sur les produits vendus sur les marchés.

Expression

L'expression *an armchair traveller* fait référence à une personne qui voyage depuis son fauteuil, qui parcourt le monde uniquement au travers de lectures ou de reportages télévisés.

LES MOYENS DE TRANSPORT

means of transport

Les mots pour le dire

un avion	a plane	*e pleïne*
un bateau	a ship	*e chipe*
un paquebot	a liner	*e **laï**neu*
un pont	a deck	*e dèke*
un port	a harbour	*e **Ha:r**beu*
une traversée	a crossing	*e **kross**inng*
un train	a train	*e treïne*
le wagon-restaurant	the dining car	*Ve **daï**ninng ka:re*
un wagon-lit	a sleeper	*e **sli:**peu*
un wagon, une voiture	a carriage	*e **ka**ridje*
un horodateur	a parking meter	*e **pa:rk**inng **mi**teu*
une calèche	a horse-drawn carriage	*e Ho:rse dro:ne **ka**ridje*
un train direct/ express	a through/fast train	*e Frou/fa:ste treïne*
un bus	a bus	*e beusse*
un arrêt de bus	a bus stop	*e beusse stope*
un tramway	a tram car	*e trame ka:re*
le prix du ticket	the fare	*Ve fère*
demi-tarif	half-fare	*Ha:fe fère*
un billet	a ticket	*e **ti**kite*
un vélo	a bicycle	*e **baï**ssikeule*
une moto	a motorbike	*e **meou**teubaïke*
un pousse-pousse	a rickshaw	*e **rik**cho*
à pied	on foot	*one foute*
monter dans	to get on	*tou guète one*
descendre	to get off	*tou guète ofe*

attention aux faux amis

Dans le bus, le conductor n'est pas le conducteur, qui se dit driver, mais le *contrôleur de billets* !

➤ S'exprimer ◄ Comprendre

➤ À quelle distance se trouve le musée des Beaux-Arts ?
How far is the Museum of Fine Arts?
*Haou fa:re iz Ve miou**zi**eume ofe faïne a:rtse*

◄ It's quite close./It's far away from here.
*itse kouaïte klosse/itse fa:re **eu**oueï frome Hire*
Ce n'est pas très loin./C'est loin d'ici.

➤ Peut-on s'y rendre à pied ?
Can we walk there?
kanne oui ouoke Vère

◄ It's a long way to walk, you should take the bus.
itse e lonng oueï tou ouoke iou choude teïke Ve beusse
C'est un long trajet à pied, vous devriez prendre le bus.

➤ Excusez-moi, pourriez-vous me dire comment aller au centre commercial ?
Excuse me, could you tell me how to get to the shopping centre?
*iks**kiou**ze mi: koude iou tèle mi: Haou tou guète tou Ve **chop**innq **sènn**teu*

◄ I'm sorry I can't help you.
*aïme **so:**ri aï kannte Hèlpe iou*
Je suis désolé(e), je ne peux pas vous aider.

➤ Quel est le chemin le plus court pour aller au centre ville ?
What's the shortest way to the city centre?
*ouatse Ve **cho:rt**èste oueï tou Ve **si**ti **sènn**teu*

◄ Take the underground to West Street.
*teïke Vi **eun**deugraounde tou ouèste stri:te*
Prenez le métro jusqu'à la station West Street.

◄ You have to change line at Woodgreen.
*iou Have tou **tcheïn**dje laïne ate **oude**gri:ne*
Vous devez changer de ligne à Woodgreen.

◄ The bus stop is on the other side of the street.
Ve beusse stope ize one Vi oVeu saïde ove Ve stri:te
L'arrêt de bus est de l'autre côté de la rue.

➤ Je voudrais un ticket pour Brighton.
I'd like a ticket to Brighton.
*aïde laïke e **ti**kite tou **braï**teune*

➤ Quel est l'arrêt suivant ?
What's the next stop?
ouatse Ve nèkste stope

◄ You're getting off here!
*ioure **guèt**inng ofe Hire*
C'est ici que vous descendez !

➤ À quelle heure est le dernier ferry pour Liberty Island ?
What time is the last ferry for Liberty Island?
*ouate taïme ize Ve las:te **fè**ri fo:r **li**beuti **aï**leunde*

◄ The last ferry leaves at 5 pm.
*Ve las:te **fè**ri li:vze ate faïve pi: ème*
Le dernier ferry part à 17 heures.

➤ À quelle heure est le premier train ?
What time is the first train?
ouate taïme ize Ve feurste treïne

◄ The first train leaves at 5 am from platform 4.
*Ve feurste treïne li:vze ate faïve eï ème frome **platt**fo:rme fo:re*
Le premier train part à 5 h de la voie 4.

➤ Combien coûte un aller-retour pour un enfant ?
How much is a child return?
*Haou meutche ize e tchaïlde ri**teurne***

➤ Combien coûte un aller simple pour un sénior ?
How much is a senior single?
*Haou meutche ize e **si**nieu **sinn**gueule*

◄ That makes 30 pounds.
*Vate meïkse **Feur**ti paoundz*
Cela fait 30 livres.

L'ANGLAIS dans tous ses ÉTATS

Manières de dire

- Aux États-Unis, **tramcar** (tramway) se dit **street car** ou **trolley car** et **car park** (parking) se dit **parking lot**.
- Si vous souhaitez visiter plusieurs monuments et musées en Angleterre, vous pouvez acheter un **hop on hop off pass**. Ce titre de transport vendu à la journée vous permet de monter et descendre à votre guise de certains bus touristiques.

? Le saviez-vous ?

A double-decker désigne à la fois un bus à impériale et un sandwich composé de trois tranches de pain et deux garnitures différentes !

Le premier bus à impériale a été inventé à Paris au milieu du XIXe siècle. À l'origine, ces omnibus étaient très lourds, tirés par trois chevaux. L'accès au niveau supérieur se faisait par un escalier bien moins pratique que de nos jours. Les places à l'étage, aujourd'hui les plus prisées par les touristes, coûtaient moins cher à l'époque car les bus n'avaient pas de toit.

“ Citation

'We may all have come on different ships, but we're in the same boat now.'

Nous avons beau être tous venus sur des navires différents, nous sommes à présent dans le même bateau.

Martin Luther King

(1929-1968), pasteur noir américain,
prix Nobel de la paix 1964

EN VOITURE

on the road

Les mots pour le dire

une autoroute	a motorway	*e **meou**teoueï*
la chaussée	the road	*Ve reoude*
une voie	a lane	*e leïne*
un rond-point	a roundabout	*e **raound**eubaoute*
un carrefour	a crossroads	*e **kross**reoudz*
une rue à sens unique	a one-way street	*e ouane oueï stri:te*
une déviation	a diversion	*a daï**veur**cheune*
une priorité	a right of way	*e raïte ove oueï*
les feux tricolores	the traffic lights	*Ve **tra**fike laïtse*
un panneau indicateur ou **de signalisation**	a road sign	*e reoude saïne*
le conducteur	the driver	*Ve **draï**veu*
doubler	to overtake	*tou eouveu**teïke***
une amende	a fine	*e faïne*
excès de vitesse	speeding	***spi:**dinng*
le clignotant	the indicator	*Vi indi**keï**teu*
les feux de croisement	the headlights	*Ve **Hèd**laïtse*
les feux anti-brouillard	the fog lights	*Ve fogue laïtse*
une carte routière	a road map	*e reoude mape*
un parking	a car park	*e kare pa:rke*
une panne	a breakdown	*e **breïk**daoune*
une dépanneuse	a breakdown truck	*e **breïk**daoune treuke*
un garage	a garage	*e **ga**ra:je*

attention aux faux amis

Notez que bonnet n'est pas un « chapeau » mais un « coffre » et qu'engine n'est pas un « engin » mais, selon le contexte, un « moteur », un « camion de pompiers » ou une « locomotive ». Quant au mot detour, il ne signifie pas « détour » mais « déviation » en anglais américain.

⮞ S'exprimer ⮜ Comprendre

➤ Sommes-nous sur la bonne route pour aller à Leeds ?
Are we on the right road to go to Leeds?
a:re oui one Ve raïte reoude tou gueou tou li:dz

⮜ No, you're not, you're heading in the wrong direction.
*neou ioure note ioure **Hèd**inng ine Ve ronng di**rèk**cheune*
Non, vous allez dans la mauvaise direction.

⮜ You should take the main street.
iou choude teïke Ve meïne stri:te
Vous devriez prendre l'avenue principale.

⮜ Drive past the town hall.
draïve pas:te Ve taoune Ho:le
Passez devant la mairie.

⮜ Turn left at the crossroads.
*teurne lèfte ate Ve **kross**reoudz*
Tournez à gauche au carrefour.

⮜ Take the third exit at the roundabout.
*teïke Ve Feurde **èk**site ate Ve **raound**eubaoute*
Au rond-point, prenez la troisième sortie.

➤ Où se trouve le parking le plus proche/la station-essence la plus proche ?
Where is the nearest car park/petrol station?
*ouère ize Ve **ni:**rèste kare pa:rke/**pè**treule **steï**cheune*

➤ Je cherche les horodateurs.
I'm looking for the parking meters.
*aïme **louk**inng fo:re Ve **pa:rk**inng **mi:**teuz*

⮜ Don't drive too fast, there's a speed limit.
*donnte draïve tou fa:ste Vèrze e spi:de **li**mite*
Ne roulez pas trop vite, il y a une limitation de vitesse.

⮜ No overtaking./No right turn.
*neou eouveu**teïk**inng/neou raïte teurne*
Dépassement interdit./Interdiction de tourner à droite.

< Slow down, there are roadworks.
*sleou daoune Vère a:re **reoud**oueurkse*
Ralentissez, il y a des travaux.

< I need to call a garage.
*aï ni:de tou ko:le e **ga**ra:je*
Il faut que j'appelle un garage.

> Nous avons eu un accident de voiture.
We've had a car accident.
*ouive Hade e kare **ak**sideunte*

> J'avais la priorité.
I had the right of way.
aï Hade Ve raïte ove oueï

> L'autre voiture allait très vite.
The other car was driving very fast.
*Vi oVeu kare oueuze **draï**vinng **vè**ri fa:ste*

> Pourriez-vous nous envoyer une dépanneuse ?
Could you send us a breakdown truck?
*koude ioui sènnde eusse e **breïk**daoune treuke*

> Les feux de détresse ne fonctionnent pas.
The hazard lights aren't working.
*Ve **Ha**zeud laïtse a:nte **oueurk**inng*

> J'ai un pneu crevé.
I have a flat tyre.
*aï Have e flate **taï**eu*

> Il y a une fuite d'huile.
The car is losing oil.
*Ve kare ize **louz**inng oïle*

> Nous sommes en panne d'essence.
We've run out of petrol.
*ouive reune aoute ove **pè**treule*

< Could you tell us exactly where you are?
*koude iou tèle eusse èg**zak**tli ouère iou a:re*
Pourriez-vous nous indiquer précisément où vous vous trouvez ?

Manières de dire

• Si vous prenez la route aux États-Unis, gardez à l'esprit que gendarme couché se traduit par **speed bump**, « rondpoint » par **traffic circle**, et « camion » par **truck**. **Gas** (abréviation de **gasoline**) désigne aussi bien le gaz que l'essence et une « station-essence » se dit **a gas station**.

• En Angleterre, les autoroutes sont gratuites et désignées par la lettre **M** pour **motorway** tandis que les routes désignées par les lettres A ou B correspondent à nos routes nationales et départementales. Aux États-Unis, il faut faire la distinction entre **a freeway** (« une autoroute ») qui est parfois payante (le terme **toll-free** indique qu'il n'y a pas de péage), **a highway** (« une grande route » ou « une route nationale ») et **an interstate** qui traverse plusieurs états. Le panneau **HOV lanes (High Occupancy Vehicle lanes)** signale des voies réservées à certains véhicules comptant au minimum deux passagers dont le conducteur.

• **A drive** est « un trajet en voiture ». **Journey** se traduit également par « trajet » ou « voyage » et non par « journée ». **A trip** fait référence à un déplacement court (**a school trip, a business trip,...**). **Travel** s'utilise pour parler des voyages en général *(All travel has its advantages)*. Quant au terme **voyage**, il s'utilise, en règle générale, comme synonyme de **crossing** (une traversée, un voyage en bateau).

BOISSONS & NOURRITURE

Le marché de Pike Place à Seattle

LE PETIT-DÉJEUNER

breakfast time

Les mots pour le dire

du café	coffee	***ko**fi*
du café décaféiné	decaffeinated coffee	*di:**ka**fineïtide **kofi***
une tasse de thé	a cup of tea	*e keupe ove ti:*
du chocolat chaud	hot chocolate	*Hote **tchok**lite*
un verre de lait	a glass of milk	*e gla:sse ove milke*
du jus d'orange frais	fresh orange juice	*frèche **o**rinndje djousse*
du sucre	sugar	***chou**gueu*
un petit-déjeuner continental	a continental breakfast	*e konnti**neun**teule **brèk**feuste*
une tranche de pain blanc/bis	a slice of white/ brown bread	*e slaïsse ove ouaïte/ braoune brède*
un toast	a piece of toast	*e pi:sse ove teouste*
une tranche de brioche	a slice of brioche	*e slaïsse ofe bri**oche***
un petit pain au lait	a milk roll	*e milke reoule*
du beurre	butter	***beu**teu*
de la margarine	margarine	*ma:rdjeu**ri:**ne*
de la confiture	jam	*djame*
un bol de céréales	a bowl of cereal	*e bo:le ofe **si:**rieule*
un petit-déjeuner anglais complet	a full English breakfast	*e foule **inn**gliche **brèk**feuste*
un œuf	an egg	*eune ègue*
un œuf sur le plat	a fried egg	*e fraïde ègue*
des œufs brouillés	scrambled eggs	***skramm**beulde ègz*
un œuf à la coque	a soft-boiled egg	*e softe boïlde ègue*
des haricots à la sauce tomate	baked beans	*beïkte bi:nze*
des saucisses	sausages	***so**ssidjize*
du bacon	bacon	***beï**keune*
chaud	hot	*Hote*
froid	cold	*ko:lde*

⮞ S'exprimer ⮜ Comprendre

➤ À quelle heure servez-vous le petit-déjeuner ?
What time do you serve breakfast?
*ouate taïme diou seurve **brèk**feuste*

⮜ Breakfast is served from half past seven to ten am.
***brèk**feuste ize **seurv**de frome Ha:fe pa:ste **sè**veune tou tène eï ème*
Le petit-déjeuner est servi de 7h30 à 10h00.

➤ Pourrais-je prendre le petit-déjeuner dans ma chambre ?
Could I have breakfast served in my room?
*koude aï Have **brèk**feuste **seurv**de ine maï roume*

⮜ Certainly, what will you have?
***seu**teunli ouate ouile iou Have*
Bien sûr, que prendrez-vous ?

➤ Je voudrais un petit-déjeuner continental/un petit-déjeuner anglais complet.
I'd like a continental breakfast/a full English breakfast.
*aïde laïke e konnti**neun**teule **brèk**feuste/e foule **inn**gliche **brèk**feuste*

⮜ What would you like to drink?
ouate woude iou laïke tou drinnke
Que voulez-vous boire ?

➤ Je prendrai un café noir s'il vous plaît, sans crème et sans sucre.
I'll have a black coffee please. No cream, no sugar.
*aïle Have e blake **ko**fi pli:ze neou kri:me neou **chou**gueu*

⮜ Would you like a glass of freshly squeezed orange juice?
*woude iou laïke e glasse ofe **frèch**li **skoui:z**de **o**rinndje djousse*
Voudriez-vous un verre de jus d'orange fraîchement pressée ?

➤ Que nous proposez-vous d'autre à boire ?
What other drinks can we choose from?
ouate oVeu drinnkse kane oui tchouze frome

➤ Would you like another cup of tea?
woude iou laïke anoVeu keupe ove ti:
Voulez-vous une autre tasse de thé ?

➤ Je prendrai des toasts avec du beurre et de la confiture.
I'll have some toast with butter and jam.
*aïle Have some teouste ouiVe **beu**teu eunde djame*

➤ Pourrais-je avoir de la confiture de fraise au lieu de celle de framboise ?
Could I have strawberry jam instead of raspberry jam?
*koude aï Have **stro:**beuri djame instède ove **raz**beuri djame*

➤ Would you like some more bread?
woude iou laïke some mo:re brède
Voulez-vous plus de pain ?

➤ Est-ce que vous servez du sirop d'érable avec les crêpes ?
Do you serve maple syrup with the pancakes?
*diou seurve **meï**peule **si**reupe ouiVe Ve **pann**keïkse*

➤ How would you like your eggs?
Haou woude iou laïke ioure ègz
Comment voulez-vous vos œufs ?

➤ Je voudrais un œuf à la coque avec des mouillettes.
I'd like a boiled egg with soldiers.
*aïde laïke e **boïl**de ègue ouiVe **so:l**dieuz*

➤ Pourrais-je avoir des œufs brouillés au lieu d'œufs sur le plat ?
Could I have scrambled eggs instead of fried eggs?
*koude aï Have **scramm**beulde ègz instède of fraïde ègz*

➤ Of course you can! Would you like some rashers of bacon?
*of ko:sse iou kane woude iou laïke some **ra**cheuz ove **beï**keune*
Bien sûr ! Voulez-vous des tranches de bacon ?

➤ Excusez-moi, mon thé est froid et nous n'avons pas de sucre.
Excuse me, my tea is cold and we don't have any sugar.
*iks**kiou**ze mi: maï ti: ize co:lde eunde oui donnte Have èni **chou**gueu*

➤ Le café est délicieux, pourriez-vous nous resservir ?
The coffee is delicious, could we get a refill?
*Ve **ko**fi iz dè**li**cheusse koude oui guète e ri**file***

Manières de dire

- Comment buvez-vous votre café ? **Black or white?** (« noir ou avec du lait ? »), **with or without?** (« avec ou sans sucre ? »)

- Aux États-Unis, optez pour l'expression **coffee with cream** si vous souhaitez commander un café crème. Envie de **porridge** ? C'est le mot **oatmeal** que vous devez utiliser aux États-Unis ! Si vous souhaitez commander des œufs sur le plat demandez-les **sunny side up. Sunny side down** signifie qu'ils sont cuits des deux côtés.

- Le mot **spread** est à la fois un verbe (« étaler ») et un nom qui désigne toutes sortes de « pâtes à tartiner ». Faites votre choix entre **jam** (« confiture »), **marmelade, fruit butter** (« beurre de fruits »), **chocolate spread** (« pâte à tartiner au chocolat ») et **cheese spread** (« fromage à tartiner »)..

Expressions

Le célèbre euphémisme ***'This is not my cup of tea'.*** (« Ce n'est pas ma tasse de thé. ») signifie que l'on n'apprécie guère quelqu'un ou quelque chose. Le mot **tea** a pour origine le mandarin *ch'a'* devenu *tea*. La première référence écrite à ce terme remonte au XVIe siècle et il a depuis fait l'objet de nombreuses expressions telles que ***not for all the tea in China*** (« Pas pour tout l'or du monde ») ou ***a storm in a teacup*** (« Une tempête dans un verre d'eau »). Les Australiens, quant à eux, disent ***this is not my bowl of rice*** (mot à mot : « Ce n'est pas mon bol de riz. ») !

AU RESTAURANT

at the restaurant

Les mots pour le dire

un restaurant	a restaurant	_e **rès**treunte_
à l'intérieur	inside	_inn**saïde**_
en terrasse	outside	_**aout**saïde_
au bar	at the bar	_ate Ve ba:re_
le menu	the menu	_Ve **mè**niou_
le plat du jour	the daily special	_Ve **deï**li **spè**cheule_
une entrée	a starter	_e **sta:r**teu_
le plat de résistance	the main course	_Ve meïne ko:rse_
la carte des desserts	the dessert menu	_Ve di**zeur**te **mè**niou_
la carte des vins	the wine list	_Ve ouaïne liste_
prendre	to have	_to Have_
commander	to order	_tou **o:r**deu_
choisir	to choose	_tou tchouze_
manger	to eat	_tou i:te_
boire	to drink	_tou drinnke_
une carafe d'eau du robinet	a jug of tap water	_e djeugue ove tape **ouo**teu_
une bouteille d'eau minérale	a bottle of mineral water	_e **bo**teule ove **mi**neureule **ouo**teu_
de l'eau plate	still water	_stile **ouo**teu_
de l'eau pétillante	sparkling water	_**spa:rk**linng **ouo**teu_
du vin rouge/blanc	red/white wine	_rède/ouaïte ouaïne_
du rosé	rosé	_**reou**zeï_
l'addition	the bill	_Ve bile_
un pourboire	a tip	_e tipe_
un serveur	a waiter	_e **oueï**teu_
une serveuse	a waitress	_e **oueï**trèsse_

attention aux faux amis

Certains termes figurant sur les menus pourraient vous surprendre : a course est *un plat*, the refreshments désignent parfois *les entrées*, claret est du *bordeaux*. Par ailleurs, a diner désigne *un petit restaurant* aux États-Unis.

⮞ S'exprimer ⮜ Comprendre

➤ Avez-vous des tables libres en terrasse ?
Do you have any free tables outside?
*diou Have èni fri: **teï**beulz **aout**saïde*

⮜ Yes, we do. Will you please follow me?
*ièsse oui dou ouile iou pli:ze **fo**leou mi:*
Oui, si vous voulez bien me suivre.

➤ Nous voudrions une table pour cinq personnes.
We'd like a table for five.
*ouide laïke e **teï**beule fo:re faïve*

⮜ Have you made a booking ou a reservation?
*Have iou meïde e **bouk**inng/e riseur**veï**cheune*
Avez-vous réservé ?

➤ Pourrions-nous avoir une table loin des toilettes ?
Could we have a table away from the toilets?
*koude oui Have e **teï**beule euoueï frome Ve **toï**lètse*

⮜ I suggest this table by the window.
*eï seu**djèste** Visse **teï**beule baï Ve **ouinn**deou*
Je vous propose cette table près de la fenêtre.

➤ Pourrions-nous voir le menu/la carte des vins ?
Could we see the menu/the wine list?
*koude oui si: Ve **mè**niou/Ve ouaïne liste*

⮜ Are you ready to order?
*a:re iou **rè**di tou **o:r**deu*
Souhaitez-vous commander ?

➤ Y a-t-il des plats du jour ?
Are there any specials?
*a:re Vère èni **spè**cheulz*

⮜ I recommend the chicken and mushroom pie.
*aï rikeu**mènnde** Ve **tchi**keune eunde **meu**chroumz paï*
Je vous recommande la tourte aux champignons et au poulet.

➤ Avez-vous un menu enfant ?
Do you have a children's menu?
*diou Have e **tchil**dreunz **mè**niou*

⮜ What will you have as a starter?
*ouate ouile iou Have aze e **sta:rt**eu*
Que prendrez-vous comme entrée ?

➤ Je prendrai la soupe du jour faite maison.
I'll have the homemade soup of the day.
*aïle Have Ve **Hom**meïde soupe ove Ve deï*

⮜ What side dishes will you have with the chicken?
*ouate saïde **di**chize ouile iou Have ouiVe Ve **tchi**keune*
Que voulez-vous pour accompagner votre poulet ?

➤ Servez-vous du vin au verre?
Do you serve wine by the glass?
diou seurve ouaïne baï Ve gla:sse

⮜ Would you like to taste the wine?
woude iou laïke tou teïste Ve ouaïne
Voulez-vous goûter le vin?

➤ C'est parfait, merci.
It's just fine, thanks.
itse djeuste faïne Fènnkse

➤ De quoi ce plat est-il composé ?
What does this dish consist of?
*ouate doze Visse diche keun**siste** ofe*

➤ Pourrions-nous avoir l'addition, s'il vous plaît ?
Could we have the bill, please?
koude oui have Ve bile pli:ze

⮜ Would you like to pay in cash or by credit card?
*woude iou laïke tou peï ine ka:che ore baï **krè**dite ka:rde*
Souhaitez-vous payer en espèces ou par carte bancaire ?

➤ Est-ce que le service est inclus ?
Is service included?
*ize **seur**visse in**klou**dide*

Manières de dire

Une petite envie de frites ? Attention, si vous commandez des **chips** aux États-Unis, on vous apportera un bol de « chips ». « Frites » se dit **(French) Fries** de l'autre côté de l'Atlantique tandis que les Britanniques disent **crisps** et non **chips** pour les « chips ». Sur les menus américains, vous lirez **appetizers** au lieu de **starters** (« entrées ») et **desserts** au lieu de **puddings** ou **afters** (« desserts »). Si vous ne souhaitez pas consommer votre repas sur place, cherchez un **take-away** en Grande-Bretagne et un **take-out** aux États-Unis. Enfin, l'addition se dit **check** aux États-Unis et non **bill** qui signifie « billet de banque » pour les Américains.

Le saviez-vous ?

La lettre **V** pour **veggie** ou **vegetarian** indique qu'un plat est « végétarien ».

Expressions

Beef and reef signifie littéralement « le bœuf et le récif ». Cette expression désigne non seulement un plat composé de viande et de produits de la mer (« terre et mer ») mais aussi les restaurants qui proposent ce type de cuisine. *Beef and reef*, apparu pour la première fois dans un magazine culinaire des années 1960, est principalement utilisé en Australie tandis que *Surf and turf* (« les vagues et le gazon ») est plus courant aux États-Unis.

AU RESTAURANT : cas particuliers

special cases at the restaurant

Les mots pour le dire

une assiette	a plate	*e pleïte*
un couteau	a knife	*e naïfe*
une fourchette	a fork	*e fo:rke*
une cuillère	a spoon	*e spoune*
un verre	a glass	*e gla:sse*
une serviette	a napkin	*e **napp**kine*
une nappe	a tablecloth	*e **teï**beulkloFe*
sale	dirty	***deur**ti*
fêlé	cracked	*krakte*
cassé	broken	***breou**keune*
trop cuit	overcooked	*eouveu**koukte***
pas assez cuit	underdone	*eundeu**done***
salé	salty	***so:l**ti*
sucré	sweet	*soui:te*
épicé	spicy	***spaï**ssi*
amer	bitter	***bit**eu*
avoir besoin de	to need	*tou ni:de*
avec	with	*ouiVe*
sans	without	*oui**Vaoute***
une chaise haute	a high chair	*e Haï tchère*
allergique à	allergic to	*eu**leur**djike tou*
au régime	on a diet	*one e **daï**eute*
sans sel	salt free	*so:lte fri:*
attendre	to wait	*tou oueïte*
trop long	too long	*tou lonng*
un courant d'air	a draught	*e dra:fte*

note

Knives (*naïvz*) est le pluriel de knife (couteau).

➤ S'exprimer ◄ Comprendre

➤ Je suis désolé(e) mais ce n'est pas ce que nous avons commandé.
I'm sorry, this is not what we ordered.
*aïme **so**ri Visse ize note ouate oui **o:r**deude*

◄ I'm sorry, we've made a mistake.
*aïme **so**ri ouive meïde e mis**teïke***
Je suis désolé, nous nous sommes trompés.

➤ J'ai commandé de la purée de pommes de terre et non des frites.
I ordered mashed potatoes and not chips.
*aï **o:r**deude machte peu**teï**teouz eunde note tchipse*

➤ Excusez-moi, ma viande est froide.
Excuse me, my meat is cold.
*iks**kiouze** mi: maï mi:te ize ko:lde*

➤ Les légumes sont trop salés.
The vegetables are too salty.
*Ve **vè**djiteubeulz a:re tou **so:l**ti*

➤ Mon steak est trop cuit.
My steak is overdone.
*maï steïke ize eouveu**done***

➤ Est-ce que ce curry est très épicé ?
Is this a very spicy curry?
*isse Visse e vèri **spaï**ssi **keu**ri*

◄ Yes, it is. You should order another dish for the children.
*ièsse ite ize iou choude **o:r**deu eunoVeu diche fo:re Ve **tchil**dreune*
Oui, vous devriez commander autre chose pour les enfants.

➤ Nous sommes pressés, combien de temps cela prendra-t-il ?
We're in a hurry, how long will it take?
*ouire ine e **Heu**ri Haou lonng ouile ite teïke*

BOISSONS & NOURRITURE

➤ Avez-vous une chaise haute pour ma fille ?
Do you have a high chair for my daughter?
*diou Have e Haï tchère fo:re maï **do:**teu*

➤ Où puis-je réchauffer un biberon ?
Where can I heat up a baby's bottle?
*ouère kane aï Hi:te eupe e **beï**biz **bo**teule*

⮜ You can have green beans instead of peas.
iou kane Have gri:ne bi:nze innstède ove pi:ze
Vous pouvez avoir des haricots verts au lieu des petits pois.

➤ Nous voudrions plus de pain/de vinaigrette/de sauce.
We'd like more bread/dressing/sauce.
*ouide laïke mo:re brède/**drèss**inng/so:sse*

➤ Pourrais-je avoir un autre verre, celui-ci est ébréché.
Could I have another glass, this one is chipped.
koude aï Have eunoVeu gla:sse Visse ouane ize tchipte

⮜ Would you like extra napkins?
*woude iou laïke **èk**streu **napp**kinnz*
Voulez-vous des serviettes supplémentaires ?

➤ Je suis allergique aux produits laitiers/au gluten.
I'm allergic to dairy products/to gluten.
*aïme eu**leur**djike tou **dèr**i **pro**deuktse/tou **glou**teune*

➤ Je suis végétarien, quel plat me recommandez-vous ?
I'm vegetarian, what dish do you recommend?
*aïme veudji**tè**rieune ouate diche diou rikeu**mènnde***

➤ J'ai un régime sans sel.
I'm on a salt-free diet.
*aïme one e so:lte fri: **daï**eute*

➤ Je ne mange pas de porc.
I can't have any pork.
aï kannte Have èni po:rke

➤ Est-ce que c'est casher/halal ?
Is this kosher/halal?
*is Visse **ko:**cheu/Ha**lale***

L'ANGLAIS dans tous ses ÉTATS

Manières de dire

• Ne vous laissez pas effrayer par les noms de plats en Grande-Bretagne : **toad in the hole** (littéralement « le crapaud dans le trou ») est un plat à base de saucisses cuites dans une sorte de pâte à crêpes, **Welsh rabbit** ou **rarebit** (« lapin gallois ») est un toast au fromage, **bubble and squeak** (« bulles et couinements ») est un plat composé de pommes de terre et de légumes frits dans une poêle.

• Attention, le mot **pie** ne désigne pas nécessairement une tarte ou une tourte. **Sheperd's pie** (« la tourte du berger ») et **cottage pie** (« la tourte du cottage ») sont en réalité des sortes de hachis parmentier faits respectivement avec de la viande d'agneau et de la viande de bœuf.

BOISSONS & NOURRITURE

Citation

'To eat well in England you should have breakfast three times a day.'

La seule façon de bien manger en Angleterre, c'est de prendre trois petits déjeuners par jour.

Ceci n'est pas le commentaire d'un Français de retour d'un voyage en Angleterre mais une citation du romancier et dramaturge britannique W. Somerset Maugham (1874 – 1965) célèbre pour son roman *Of Humane Bondage (La Servitude humaine)*. Certes, celui-ci avait passé la plus grande partie de sa vie en France...

AU BAR

at the pub/at the bar

Les mots pour le dire

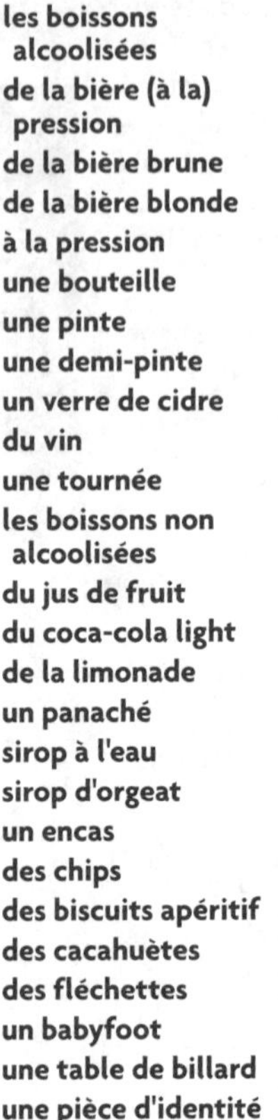

les boissons alcoolisées	alcoholic drinks	*alkeu**Ho**like drinnkse*
de la bière (à la) pression	draught beer	*dra:fte bi:re*
de la bière brune	brown ale, bitter	*braoune eïle, biteu*
de la bière blonde	light ale, lager	*laïte eïle, lagueu*
à la pression	on tap	*one tape*
une bouteille	a bottle	*e **bo**teule*
une pinte	a pint	*e païnnte*
une demi-pinte	half a pint	*Ha:fe e païnnte*
un verre de cidre	a glass of cider	*e gla:sse ofe **saï**deu*
du vin	wine	*ouaïne*
une tournée	a round of drinks	*e raounde ove drinnkse*
les boissons non alcoolisées	soft drinks	*softe drinnkse*
du jus de fruit	fruit juice	*froute djousse*
du coca-cola light	diet coke	*daïeute keouke*
de la limonade	lemonade	*lèmeu**neïde***
un panaché	a shandy	*e **chann**di*
sirop à l'eau	fruit squash	*frout skouache*
sirop d'orgeat	barley water	***ba:**li **ouo**teu*
un encas	a snack	*e snake*
des chips	crisps	*krispse*
des biscuits apéritif	crackers	***kra**keuz*
des cacahuètes	peanuts	***pi:**neutse*
des fléchettes	darts	*da:rtse*
un babyfoot	a football table	*a **foutt**beule **teï**beule*
une table de billard	a snooker table	*e **snou**keu teïbeule*
une pièce d'identité avec photo	a photo ID	*e **feou**teou aï di:*

➤ S'exprimer ◄ Comprendre

➤ Où passe-t-on commande : à table ou au comptoir ?
Is it table service or shall I order at the counter?
ize ite ***teï****beule* ***seur****visse or chale aï* ***o:r****deu ate Ve* ***kaoun****teu*

◄ What would you like to drink?
ouate woude iou laïke tou drinnke
Que voulez-vous boire ?

➤ Je prendrai un demi de bière blonde pression et un verre de bordeaux.
I'll have half a pint of lager on tap and a glass of claret.
aïle Have Ha:fe e païnte ove ***la:****gueu one tape eunde e glasse of* ***kla****rète*

◄ Would you like a small or large coke?
woude iou laïke e smo:le or la:rdje keouke
Voulez-vous un petit ou un grand coca ?

➤ Pourrais-je avoir des glaçons avec ma boisson ?
Could I have some ice with my drink?
koude aï Have some aïsse ouiVe maï drinnke

◄ Who's next?
ouze nèkste
C'est à qui le tour ?

➤ Cette bière est trop forte.
This beer is too strong.
Visse bi:re ize tou stronng

➤ Qu'avez-vous comme bière (à la) pression ?
What kind of beer do you have on tap?
ouate kaïnde ofe bi:re diou Have one tape

◄ Would you care for a snack?
woude iou kère fo:re e snake
Voudriez-vous un encas ?

➤ Est-il possible de commander à manger ?
Can we order some food?
kanne oui ***o:r****deu some foude*

< What would you like?
ouate woude iou laïke
Que voulez-vous ?

> Je voudrais un hamburger et des frites.
I'd like a hamburger and chips.
*aïde laïke e **Hamm**beurgeu eunde tchipse*

< Here is your number ticket.
*Hire ize ioure **neum**beu **ti**kite*
Voici le ticket avec le numéro de votre commande.

< We will call you when your food is ready.
*oui ouile ko:le iou ouène ioure foude ize **rè**di*
On vous appellera quand votre commande sera prête.

> Je voudrais un paquet de chips et un sandwich au jambon.
I'd like a packet of crisps and a ham sandwich.
*aïde laïke e **pak**kite of krispse eunde e Hame **sann**ouidje*

< I'm sorry, the kitchen is closed.
*aïme **so**ri Ve **ki**tcheune ize kleouzde*
Je suis désolé(e), la cuisine est fermée.

> Combien est-ce que je vous dois ?
How much is it?
Haou meutche ize ite

< That will be five pounds.
Vate ouile bi: faïve paoundz
Cela fait cinq livres.

> Pouvons-nous jouer aux fléchettes ?
Can we play a game of darts?
kanne oui pleï e gueïme ove da:rtse

< Last orders!
*la:st **o:r**deuze*
Dernières commandes !

> À quelle heure fermez-vous ?
What time does the pub close?
ouate taïme doze Ve peube kleousse

L'ANGLAIS dans tous ses ÉTATS

Manières de dire

• Si vous commandez du cidre (**cider**) aux États-Unis, on vous servira du jus de pommes (**apple juice** dans les pubs anglais). La boisson alcoolisée se dit **hard cider**. **Cider** est devenu synonyme de simple jus de pommes au moment de la prohibition aux États-Unis.

• Dans les bars australiens, **amber fluid** désigne la bière, **a boozer** est un pub, **a roadie** une bière « à emporter », **tucker** la nourriture et **a technicolor yawn** (« bâillement technicolore ») une façon pour le moins imagée de décrire des vomissements...

Le saviez-vous ?

Les pubs (abréviation de **public houses**) anglais sont célèbres pour leurs noms parfois insolites tels que **'The Dog and Duck'** (« le chien et le canard »), **'The Flying Spoon'** (« la cuillère volante »), **'The Lamb and Flag'** (« l'agneau et le drapeau »)... Au XIVe siècle, le roi Richard II exigea que tous les pubs soient dotés d'une enseigne ornée d'un symbole pour qu'ils soient faciles à identifier par des voyageurs dont bon nombre ne savaient pas lire. Les noms des pubs pouvaient faire référence au Roi (**The White Hart** pour Richard II, **The Crown Inn**), à un sport (**the Bowling Green, the Old Ball**) ou au métier de ses habitués (**the Boot, the Anchor**).

Expression

Life's not all beer and skittles (mot à mot « La vie n'est pas faite que de verres de bière et de jeux de quilles ») signifie que la vie ne se résume pas à de bons moments passés au pub.

AU MARCHÉ

at the market

Les mots pour le dire

le marché	the market	*Ve* ***ma:r****kite*
un marché couvert	a covered market	*e* ***ko****veude* ***ma:r****kète*
un marché en plein air	an open-air market	*eune* ***eou****peune ère* ***ma:r****kète*
une allée	an aisle	*eune eïle*
un étal	a stall	*e sto:le*
un étal de fruits	a fruit stand	*e froute stannde*
la poissonnerie	the fishmonger's	*Ve* ***fiche****monngueuz*
la boulangerie	the baker's	*Ve* ***beï****keuz*
la boucherie	the butcher's	*Ve* ***beu****tcheuz*
la charcuterie	the pork butcher's	*Ve po:rke* ***beu****tcheuz*
la fromagerie	the cheese seller's	*Ve tchi:ze* ***sè****leu*
une balance	weighing scales	***oueï****inng skeïlz*
un kilo	a kilo	*e* ***ki:****leou*
un demi-kilo	half a kilo	*Ha:fe e* ***ki:****leou*
une livre	a pound	*e paounde*
200 g	two hundred grams	*tou* ***Heun****dride grammz*
une douzaine	a dozen	*e* ***do****zeune*
moins	less	*lèsse*
plus	more	*mo:re*
un sac en plastique	a plastic bag	*e* ***plas****tike bague*
un cageot	a crate	*e kreïte*
une barquette	a punnet	*e* ***peu****nite*
une poignée	a handful	*e* ***Hannd****foule*
cher	expensive	*iks****pènn****sive*
bon marché	cheap	*tchi:pe*
une promotion	a special offer	*e* ***spè****cheule* ***o****feu*
une affaire	a bargain	*e* ***ba:r****guine*
de la monnaie	change	***tcheïnn****dje*

➤ S'exprimer ⮜ Comprendre

➤ Où la file d'attente commence-t-elle ?
Where does the line start?
ouère doze Ve laïne sta:rte

⮜ Are you being served?
*a:re iou **bi:**inng seurvde*
Est-ce que l'on s'occupe de vous ?

⮜ What can I do for you?
ouate kane aï dou fo:r iou
Que puis-je faire pour vous ?

➤ Est-ce que vous avez des concombres ?
Do you have any cucumbers?
*diou Have èni **kiou**keumbeuz*

⮜ I'm sorry, we don't have any, the season is over.
*aïme **so**ri oui donnte Have **è**ni Ve **si:**zeune iz eouVeu*
Je suis désolé(e), nous n'en avons pas. Ce n'est plus la saison.

⮜ What about some carrots instead?
*ouate e**baoute** some **ka**reutse in**stède***
Que diriez-vous de prendre des carottes à la place?

➤ Donnez-moi un demi-kilo s'il vous plaît.
Give me half a kilo please.
*guive mi: Ha:fe e **ki**leou pli:ze*

➤ Je prendrai une douzaine d'œufs.
I'll have a dozen eggs.
*aïle Have e **do**zeune ègz*

➤ Pourriez-vous en ajouter un peu ?
Could you add some more?
koude iou ade some mo:re

➤ Pourriez-vous m'en mettre un peu moins ?
Could you give me a bit less?
koude iou give mi: e bite lèsse

< Would you like to taste the grapes?
woude iou laïke tou teïste Ve greïpse
Voulez-vous goûter le raisin ?

> Quelle est la provenance des pommes ? Sont-elles bio ?
Where do the apples come from? Are they organic?
*ouère dou Vi **a**peulz kome frome a:re Veï o:r**ga**nike*

< This is local produce.
*Visse ize **leou**keule **pro**diousse*
Ce sont des produits locaux.

> Comment peut-on cuisiner ces légumes ?
How can I cook these vegetables?
*Hoau kane aï kouke Vize **vè**djiteubeulz*

< Do you need anything else?
diou ni:de èniFinng èlze
Avez-vous besoin d'autre chose ?

> Non, ce sera tout. J'ai juste besoin d'un sac.
No, that will be all. All I need is a bag.
neou Vate ouile bi: o:le o:le aï ni:de ize e bague

> Combien cela fait-il en tout ?
How much is everything?
*Haou meutche ize **è**vriFinng*

< Do you have any change?
diou Have èni tcheïnndje
Avez-vous de la monnaie ?

> Pourriez-vous me dire où l'on peut acheter du pain ?
Could you tell me where I can buy some bread?
koude iou tèle mi: ouère aï kanne baï some brède

< There's a baker's shop at the end of this aisle.
*Vèrze e **beïk**euz chope ate Vi ènnde ofe Visse eïle*
Il y a une boulangerie au bout de cette allée.

> Quels sont les jours et les heures d'ouverture du marché ?
What are the market opening hours and days?
*ouate a:re Ve **ma:rk**ète **eou**peninng Haourz eunde deïz*

L'ANGLAIS dans tous ses ÉTATS

Manières de dire

Le terme **farmers' markets**, très répandu aux États-Unis, désigne des marchés en plein air dans lesquels les producteurs vendent eux-mêmes leurs produits (contrairement aux **public markets**). Un *marché à ciel ouvert* se dit également **street market**. Notez que a **corner market** (US) est une *épicerie de quartier* et non le *marché du coin* qui se traduit par **local market**.

? Le saviez-vous ?

• L'anglais compte de nombreux mots empruntés à d'autres langues. Au XVIe siècle déjà, on utilisait des termes issus de quelque cinquante langues différentes. Ces emprunts sont la marque linguistique laissée par l'histoire de l'empire britannique, du peuplement des États-Unis, des vagues d'immigration... Le lexique de l'alimentation est remarquable de ce point de vue. Le mot **ketchup** vient de Chine, **potato** (pomme de terre) d'Haïti, **cookie** est d'origine hollandaise, **cauliflower** (chou-fleur) et **coffee** (café) sont empruntés à l'italien. Parmi les termes hispaniques, on compte **avocado**, **vanilla**, **chorizo**, **sherry**, **banana**... L'arabe a apporté des termes tels que **candy** (sucrerie), **lemon** (citron), **soda** ou encore **sherbet** (sorbet)...

• **Avoirdupois system** est le nom de ce système selon lequel *une once*, **one ounce (oz)**, équivaut à environ 30 g, *une livre*, **one pound (lb)**, à 450 g, et **one stone (st)** à 6,3 kg.

FRUITS

fruit

Les mots pour le dire

un marchand de fruits et légumes	a greengrocer	*e **gri:nn**greousseu*
une pomme	an apple	*eune **a**peule*
une poire	a pear	*e père*
du raisin	grapes	*greïpse*
une cerise	a cherry	*e **tchè**ri*
une fraise	a strawberry	*e **stro:**beuri*
une framboise	a raspberry	*e **raz**beuri*
des groseilles	red currants	*rède **keu**reunts*
des mûres	blackberries	***blak**beurize*
des myrtilles	blueberries	***blou**beurize*
une pêche	a peach	*e pi:tche*
un abricot	an apricot	*eune **eï**prikote*
une banane	a banana	*e beu**na**neu*
un ananas	a pineapple	*e **païn**apeule*
un pamplemousse	a grapefruit	*e **greïp**froute*
une orange	an orange	*eune **o**rinndje*
une clémentine	a clementine	*e **klè**meuntaïne*
un citron	a lemon	*e **lè**meune*
une pastèque	a watermelon	*e **ouo**teumèleune*
un melon	a melon	*e **mè**leune*
une tomate	a tomato	*e teu**ma:**teou*
un avocat	an avocado	*eune aveu**ka:**deou*
mûr(e)	ripe	*raïpe*
trop mûr(e)	overripe	*eouveu**raï**pe*
vert(e)	green	*gri:ne*
pas mûr(e)	unripe	*eun**raï**pe*

note

En anglais, le mot fruit est indénombrable : *un fruit* se dit a piece of fruit. En anglais américain tomato se prononce *teu**meï**teu*.

⮞ S'exprimer ⮜ Comprendre

< Would you like some fruit salad?
*woude iou laïke some froute **sa**leude*
Voulez-vous de la salade de fruits ?

< We have a large choice of fruit pies.
oui Have e la:rdje tchoïsse ofe froute païze
Nous avons un grand choix de tartes aux fruits.

> Pourrais-je avoir une tarte aux pommes sans crème ?
Could I have an apple pie without any cream?
*koude aï Have eune **a**peule paï ouiV**aoute** èni kri:me*

> Est-ce que vous avez des pots de compote pour bébés ?
Do you have baby food jars with fruit compote?
*diou Have beïbi foude dja:rze ouiVe froute **komm**peute*

< We have some frozen raspberries.
*oui Have some **freou**zeune **ras**beurize*
Nous avons des framboises surgelées.

> Est-ce qu'il vous reste des ananas ?
Do you have any pineapples left?
*diou Have èni **païn**apeulz lèfte*

< We don't sell any exotic fruit.
oui donnte sèle èni igzotik froute
Nous ne vendons pas de fruits exotiques.

> Je voudrais acheter...
I'd like to buy...
aïde laïke tou baï

> ... des pommes croquantes et des oranges bien juteuses.
... some crunchy apples and juicy oranges.
*some **kreun**chi **a**peulz eunde **djou**ssi **o**rinndjize*

> ...un melon bien mûr.
...a fully ripe melon.
*e **fou**li raïpe **mè**leune*

➤ ...un avocat pour aujourd'hui.
...an avocado for today.
*eune aveu**ka:**deou fore **tou**deï*

➤ ...une barquette de fruits rouges.
...a punnet of red berries.
*a **peu**nite ove rède **bè**rize*

➤ ...un cageot de pêches.
...a crate of peaches.
*e kreïte ove **pi:**tchize*

➤ ...du raisin bien sucré et sans pépins.
...sweet and seedless grapes.
*souite eunde **si:**dlèsse greïpse*

➤ Je voudrais cuisiner des tomates farcies, que me conseillez-vous ?
I'd like to make stuffed tomatoes, what do you suggest?
*aïde laïke tou meïke steufte teu**ma:**teouze ouate diou seu**djèste***

➤ Est-ce que ces citrons sont bio/sans pesticides ?
Are these lemons organic/pesticide-free?
*a:re Vize **lè**meunz o:r**ga**nik/**pès**tissaïde fri:*

➤ Ces abricots sont trop mûrs/pas assez mûrs.
These apricots are too ripe/not ripe enough.
*Vize **eï**prikotse a:re tou raïpe/note raïpe i**neufe***

➤ Would you like some dried fruit?
woude iou laïke some draïde froute
Voulez-vous des fruits secs ?

➤ Combien coûte un kilo d'avocats ?
How much is a kilo of avocados?
*Haou meutche ize e **ki**leou ove aveu**ka:**deouze*

➤ You can have four avocados for the price of three.
*iou kane Have fo:re aveu**ka:**deouze fo:r Ve praïsse ofe Fri:*
Vous pouvez avoir quatre avocats pour le prix de trois.

L'ANGLAIS dans tous ses ÉTATS

Manières de dire

• Attention aux malentendus : le terme **raisins** signifie raisins secs, du *raisin* se dit **grapes. Nuts** est un terme générique qui désigne aussi bien les noix (**walnuts**) que les noisettes (**hazelnuts**) ou encore les amandes (**almonds**).

• Quelques différences sont à noter d'un pays à l'autre. **Blackberry** (« mûre ») se dit **bramble** (« ronce ») en Écosse. En américain, **a stone** (« un noyau ») se dit **a pit**, **apple crumble** se dit **apple crisp** tandis que **a lemon squeezer** (un presse-citron) est appelé **a reamer**.

• **A fruit machine** n'est pas un *distributeur de fruits* mais une *machine à sous* !

BOISSONS & NOURRITURE

Le saviez-vous ?

Introduite aux États-Unis au XVIIe siècle, fruit fétiche des Américains au XIXe siècle, la pomme devient dans les années 1920 synonyme de réussite dans le milieu des courses de chevaux. La ville de New York est alors décrite comme étant **The Big Apple**, c'est-à-dire le lieu des plus grandes courses hippiques. Ce sont ensuite les musiciens de jazz qui comparent l'obtention d'un contrat pour se produire à New York à la cueillette de la plus grosse pomme sur un arbre : *'There are many apples on the tree, but when you pick New York City, you pick the Big Apple'.* Après être tombé en désuétude pendant quelques décennies, ce surnom refait surface au début des années 1970 dans le cadre d'une campagne pour promouvoir le tourisme à New York. T-shirts, affiches et autres gadgets arborent alors une belle pomme rouge qui est encore aujourd'hui le symbole de New York partout dans le monde.

LÉGUMES
vegetables

Les mots pour le dire

une pomme de terre	a potato	*e peu**teï**teou*
une carotte	a carrot	*e **ka**reute*
un navet	a turnip	*e **teur**nipe*
un poireau	a leek	*e li:ke*
une courgette	a courgette	*e koueu**jète***
un concombre	a cucumber	*e **kiou**keumbeu*
un cornichon	a gherkin	*e **ge:r**kine*
de la laitue	lettuce	***lè**tisse*
des endives	chicory	***tchi**keuri*
un radis	a raddish	*e **ra**diche*
de la betterave	beetroot	***bi:**troute*
du chou	cabbage	***ka**bidje*
un chou-fleur	a cauliflower	*e **ko**liflaoueu*
du chou rouge	red cabbage	*rède **ka**bidje*
des choux de Bruxelles	Brussels sprouts	***breu**sseulz spraoutse*
du brocoli	broccoli	***bro**keuli*
un épis de maïs	an ear of corn	*eune i:re ove ko:rne*
des haricots verts	green beans	*gri:ne bi:nz*
des haricots à rames	runner beans	***reu**neu bi:nz*
des petits pois	peas	*pi:ze*
des épinards	spinach	***spi**nidje*
des lentilles	lentils	***lènn**tilz*
des pois chiches	chickpeas	***tchik**pi:ze*
de l'ail	garlic	***ga:r**like*
une gousse d'ail	a clove of garlic	*e klove ofe **ga:r**lik*
un oignon	an onion	*eune **o**nieune*
une échalote	a shallot	*e cheu**lo**te*
des fines herbes	herbs	*heurbz*
du persil	parsley	***pa:**sli*
de la menthe	mint	*minnte*

AU MARCHÉ

➤ Quelle sorte de pommes de terre est-ce ?
What kind of potatoes is this?
*ouate kaïnnde ove peu**teï**teouz iz Visse*

⮜ These are sweet potatoes.
*Vize a:re soui:te peu**teï**teouz*
Ce sont des patates douces.

⮜ Do you want me to cut the carrot tops?
*diou ouannte mi: tou keute Ve **ka**reute topse*
Est-ce que je coupe les fanes des carottes ?

➤ Quels légumes de saison me recommandez-vous ?
What seasonal vegetables would you recommend?
*ouate **si:**zeuneule **vè**djiteubeulz woude iou rikeu**mènnde***

⮜ This kind of potatoes will do nicely for chips.
*Visse kaïnde ove peu**teï**teouze ouile dou **naïss**li fo:re tchipsee*
Cette variété de pommes de terre convient parfaitement pour des frites.

➤ Est-ce que ces concombres sont bio ?
Are these organic cucumbers?
*a:re Vize or**ga**nike **kiou**keumbeuz*

AU RESTAURANT

➤ Quel type de légumes servez-vous en accompagnement ?
What kind of vegetables can we have on the side?
*ouate kaïnde ove vèdji**teu**beulz kane oui Have one Ve saïde*

⮜ This dish comes with mashed potatoes and peas.
*Visse diche komze ouiVe ma:chte peu**teï**teouze eunde pi:ze*
Ce plat est servi avec de la purée et des petits pois.

➤ Je n'aime pas les petits pois, pourrais-je avoir des haricots verts à la place ?
I don't like peas, could I have green beans instead?
*aï donnte laïke pi:ze koude aï Have gri:ne bi:nz inn**stède***

➤ Y a-t-il de l'ail dans ce plat?
Is there any garlic in this dish?
ize Vère èni **ga:r**like ine Visse diche

⮜ Would you like some roasted or baked potatoes?
woude iou laïke some **reous**tide ore beïkte peu**teï**teouze
Voulez-vous des pommes de terre rôties ou au four ?

➤ Pourrions-nous avoir du pain à l'ail/des beignets d'oignons frits ?
Could we have some garlic bread/fried onion rings?
koude oui Have some **ga:r**like brède/fraïde **o**nieune rinngz

➤ Nous allons prendre les épinards à la crème/les choux farcis.
We'll have the cream spinach/the cabbage rolls.
ouile Have Ve kri:me **spi**nidje/Ve **ka**bidje ro:lz

➤ Quel type de vinaigrette servez-vous avec la salade ?
What dressing do you serve with the salad?
ouate **drè**ssinng diou seurve ouive Ve **sa**leude

⮜ You can have blue cheese dressing or balsamic vinaigrette.
iou kane Have blou tchi:ze **drè**ssinng ore bo:l**sa**mike vineï**grète**
Vous pouvez prendre un assaisonnement à base de bleu ou d'huile d'olive et de vinaigre balsamique.

➤ Quelles herbes aromatiques y a-t-il dans cette entrée ?
What herbs are there in this starter?
ouate Heurbz a:re Vère ine Visse **sta:r**teu

➤ Je voudrais des carottes râpées sans jus de citron.
I'd like some grated carrots without any lemon juice.
aïde laïke some **greï**tide **ka**reutse ouiV**aoute** èni **lè**meune djousse

➤ Quelles épices y a-t-il dans ce plat ?
What spices are there in this dish?
ouate **spaï**ssiz a:re Vère in Visse diche

⮜ We put some parsley in all our dishes.
oui poutte some pa:sli in o:le aoure **di**chize
Nous mettons du persil dans tous nos plats.

L'ANGLAIS dans tous ses ÉTATS

Manières de dire

Ne demandez pas des **aubergines** à un marchand de légumes américain, il penserait que vous lui parlez de la couleur mauve. C'est le terme **eggplant** qu'il faut employer aux États-Unis. D'autres légumes changent de nom en traversant l'Atlantique : **courgette** se dit **zucchini** ou encore **summer squash**, **chicory** se dit **endive**, les **French beans** (haricots verts) sont des **string beans**, **asparagus** (asperge) devient **sparrow-grass** et **mangetout** (haricots mange-tout) **snow peas**.

Le saviez-vous ?

Si les Anglais ont emprunté le mot **aubergine** à la langue française, les Américains, quant à eux, ont créé un mot de toutes pièces pour désigner ce légume. Au XVIIIe siècle, on trouve des aubergines de couleur blanche ou jaune sur le sol américain. Parce qu'elles ressemblent fort à des œufs d'oie, elles sont alors nommées **eggplant** (littéralement « plante-œuf »).

Expression

L'expression ***cool as a cucumber*** (littéralement « frais comme un concombre ») signifie « d'un calme à toute épreuve ». Si l'adjectif **cool** est sans doute lié au fait que les concombres sont frais au toucher, il doit être traduit ici par « imperturbable ». C'est dans le recueil de poèmes *New Song on New Similes* de John Gay publié en 1732 que l'expression fait sa première apparition : *'I ... cool as a cucumber could see / The rest of womankind.'*

ALIMENTS DE BASE

staple food

Les mots pour le dire

des pâtes	pasta	***pas**teu*
des spaghettis	spaghetti	*speu**guè**ti*
du riz	rice	*raïsse*
du riz complet	wholegrain rice	***Heoul**greïne raïsse*
de la semoule	semolina	*sèmeu**li:**neu*
des conserves	tinned food	*tinnde foude*
des produits surgelés	frozen food	***freou**zeune foude*
de l'huile	oil	*oïle*
de l'huile d'olive	olive oil	***o**live oïle*
huile de noix	nut oil	*neute oïle*
huile d'arachide	groundnut oil	***graoun**deneute oïle*
du vinaigre	vinegar	***vi**nigueu*
du sel et du poivre	salt and pepper	*so:lte eunde **pè**peu*
de la moutarde	mustard	***meuss**teude*
de la farine	flour	*flaoueu*
du fromage	cheese	*tchi:ze*
du fromage à tartiner	cheese spread	*tchi:ze sprède*
du fromage râpé	grated cheese	***greï**tide tchi:ze*
du fromage blanc	cottage cheese	***ko**tidje tchi:ze*
fromage à pâte dure	pressed cheese	*prèste tchi:ze*
fort	strong	*stronng*
crémeux	creamy	***kri:**mi*
un morceau de fromage	a piece of cheese	*e pi:sse ofe tchi:ze*
du pain	bread	*brède*
du pain blanc/bis	white/brown bread	*ouaïte/braoune brède*
du pain complet	wholewheat ou wholemeal bread	***Heoul**oui:te - **Heoul**mi:le brède*

⮞ S'exprimer ⮜ Comprendre

➤ Quelles sortes de fromage avez-vous ?
What kinds of cheese do you have?
ouate kaïnndz ove tchi:ze diou Have

⮜ We have a large variety of soft cheese.
*oui Have e la:rdje veu**raï**euti ofe softe tchi:ze*
Nous avons une grande variété de fromages à pâte molle.

➤ Pourrais-je avoir un morceau de brie ?
Could I have a piece of Brie cheese?
koude aï Have e pi:sse ove bri: tchi:ze

⮜ Would you like to taste a piece of smoked cheddar?
*woude iou laïke tou teïste e pi:sse of smo:kte **tchè**deu*
Voulez-vous goûter un morceau de cheddar fumé ?

⮜ This one has a nutty flavour.
*Visse ouane Haze e **neu**ti **fleï**veu*
Celui-ci a un goût de noisette.

➤ Qu'est-ce que le Stilton ?
What is Stilton?
*ouate ize **stil**teune*

⮜ It's a kind of smooth and creamy blue cheese.
*itse e kaïnnde ofe smouVe eunde **kri:**mi blou tchi:ze*
C'est un fromage bleu doux et crémeux.

➤ Pourrions-nous avoir des biscuits salés avec le fromage ?
Could we have some crackers with our cheese?
*koude oui Have some **kra**keuz ouiVe aoure tchi:ze*

➤ Ce fromage est très fort.
This cheese is very strong.
Visse tchi:ze ize vèri stronng

⮜ Do you want some cheese spread for the kids?
diou ouannte some tchi:ze sprède fore Ve kidz
Voulez-vous du fromage à tartiner pour les enfants ?

➤ Je voudrais un gratin de pâtes/de pommes de terre.
I'd like a pasta/potato gratin.
*aïde laïke e **pas**teu/peu**teï**teou **gra**teune*

➤ We also have spaghetti alla carbonara.
*oui o:lso Have speu**guè**ti aleu ka:rbeu**na**reu*
Nous avons aussi des spaghetti à la carbonara.

➤ Pourrions-nous avoir du gruyère/parmesan râpé ?
Could we have grated Swiss cheese/parmesan?
*koude oui Have **greï**tide souisse tchi:ze/pa:rmi**zane***

➤ The sauce is made with fresh tomatoes.
*Ve so:sse ize meïde ouiVe frèche teu**ma:**teouz*
La sauce est faite avec des tomates fraîches.

➤ Do you want mustard or ketchup with your hamburger?
*diou ouannte **meuss**teude ore **kèt**cheupe ouiVe ioure **Hamm**beugueu*
Voulez-vous de la moutarde ou du ketchup avec votre hamburger?

➤ Pourrions-nous avoir du sel et du poivre, s'il vous plaît ?
Could we have some salt and pepper please?
*koude oui Have some so:lte eunde **pè**peu pli:ze*

➤ Would you like some wholemeal bread or some rye bread?
*woude iou laïke some **Ho:l**mi:le brède ore some raï brède*
Voulez-vous du pain complet ou du pain de seigle ?

➤ Je voudrais un pain au seigle tranché.
I'd like a loaf of sliced rye bread.
aïde laïke e leoufe ofe slaïste raï brède

➤ I recommend our farmhouse bread.
*aï rèkeu**mènnde** aoure **fa:rm**Haouze brède*
Je vous recommande notre pain de campagne.

➤ Je prendrai une grande pizza sans olives noires.
I'll have a large pizza without any Greek olives.
*aïle Have e la:rdje pizeu ouiV**aoute** èni gri:k **o**livze*

Manières de dire

• Notez qu'aux États-Unis : **plain flour** (farine) se dit **all purpose flour**, **semolina** (semoule) se dit **cream of wheat**, **tinned** (en conserve) se dit **canned**.

• Le mot « salé » se traduit de trois façons différentes en anglais : on utilise **salty** pour parler d'un aliment qui contient du sel, **salted** pour indiquer que l'on a ajouté du sel à un aliment (**salted peanuts** des cacahuètes salées) et **savoury** (**savory** en américain) pour faire la distinction entre « salé » et « sucré » (**savoury foods/sweet foods**). **Savouries** désigne d'ailleurs des *biscuits salés*, **a savoury pie** est une *croustade* (un pâté en croûte). Notez enfin que **savoury** signifie également « appétissant ».

Expression

'To be in a pickle' (littéralement « être dans la saumure ») est l'équivalent de nos expressions familières « être dans le pétrin » ou « être dans de beaux draps ». Les premiers **pickles** (aujourd'hui de petits légumes marinés dans du vinaigre) étaient des sauces très épicées.

VIANDES ET POISSONS

meat and fish

Les mots pour le dire

une boucherie	a butcher's shop	*e **beu**tcheuz chope*
de l'agneau	lamb	*lame*
du mouton	mutton	***meu**teune*
du porc	pork	*po:rke*
du veau	veal	*vi:le*
du bœuf	beef	*bi:fe*
du poulet	chicken	***tchi**keune*
du jambon	ham	*Hame*
de la viande hâchée	minced meat	*minnste mi:te*
des boulettes	meatballs	***mi:t**bo:lz*
une côtelette	a chop	*e tchope*
un bifteck	a steak	*e steïke*
un rôti	a joint	*e djoïnte*
une cuisse de poulet	a chicken leg	*a **tchi**keune lègue*
une poissonnerie	a fishmonger's (shop)	*e **fich**monngueuz (chope)*
le poisson	fish	*fiche*
du cabillaud	(fresh) cod	*(frèche) kode*
du saumon	salmon	***sa**meune*
du thon	tuna	***tiou**neu*
du hareng	herring	***Hè**rinng*
de la sole	sole	*seoule*
du bar	bass	*ba:sse*
un filet de poisson	a fish fillet	*a fiche **fi**lite*
un bâtonnet de poisson	a fish finger	*e fiche **finn**gueu*
une arête	a fishbone	*e fiche beoune*
poisson d'eau douce	freshwater fish	***frèche**ouateu fiche*
les fruits de mer	seafood	***si:**foude*
des crevettes	shrimps	*chrimmpse*
un homard	a lobster	*e **lob**steu*
des moules	mussels	***meu**sseulz*
des huîtres	oysters	***oï**steuz*

⊳ S'exprimer ⊲ Comprendre

➤ Je voudrais une entrecôte.
I'd like a rib steak.
aïde laïke e ribe steïke

≺ How would you like your meat (to be prepared)?
*Haou woude iou laïke ioure mi:te (tou bi: pri***pèrde***)*
Quelle cuisson souhaitez-vous ?

➤ Bien cuit/à point/saignant/bleu.
Well done/medium-rare/rare/very rare.
*ouèle done/***mi***dieume rère/rère/vèri rère*

≺ Who's having the medium-rare rib steak?
Houze ***Hav****inng Ve* ***mi****dieume rère ribe steïke*
L'entrecôte à point, c'est pour qui ?

➤ Excusez-moi, cette escalope est trop cuite.
Excuse me, this escalope is overdone.
*iks***kiouze** *mi: Visse èskeu***lo***pe ize* ***eouveu****done*

➤ Comment l'agneau est-il préparé ?
How is the lamb cooked?
Haou ize Ve lame koukte

≺ It is roasted/grilled/stewed.
ite ize ***reou****stide/grilde/stioude*
Il est rôti/grillé/cuit en ragoût.

➤ Pourrais-je avoir des ailes de poulet au lieu de saucisses ?
Could I have chicken wings instead of sausages?
koude aï Have ***tchi****keune ouinngz ins***tède** *ove* ***so****ssidjize*

≺ I recommend the shrimp salad and the grilled salmon.
*aï rikeu***mènnde** *Ve chrimmpe* ***sa****leude eunde Ve grilde* ***sam****meune*
Je vous recommande la salade de crevettes et le saumon grillé.

➤ Je suis végétarien, y a-t-il de la viande dans ce plat ?
I'm vegetarian, is there any meat in this dish?
*aïme vèdji***tè***rieune ize Vère èni mi:te ine Visse diche*

< Would you like some more gravy?
*woude iou laïke some mo:re **greï**vi*
Voulez-vous plus de sauce ?

> Je préfère la viande rouge à la viande blanche.
I prefer red meat to white meat.
*aï pri**feu** rède mi:te tou ouaïte mi:te*

< There is an excellent fish and chip around here.
*Vère ize eune **èk**seuleunte fiche eunde tchipe eu**raounde** Hire*
Il y a un très bon 'fish and chip' dans le quartier.

> Où se trouve la boucherie/la poissonnerie la plus proche ?
Where is the nearest butcher's/fishmonger's (shop)?
*ouère ize Ve **ni:**reuste **beu**tcheuz/**fich**monngueuz (chope)*

< The meat section is at the far end of the shop.
*Ve mi:te **sèk**cheune ize ate Ve fa:re ènnde ove Ve chope*
Le rayon des viandes se trouve au fond du magasin.

> Je voudrais trois côtelettes de veau et quatre tranches de jambon.
I'd like three veal chops and four slices of ham.
*aïde laïke Fri: vi:le tchopse eunde fo:re **slaïs**size ofe Hame*

< We have a special offer for the roast chicken.
*oui Have e **spè**cheule **o**feu fo:re Ve reouste **tchi**keune*
Le poulet rôti est en promotion.

> Je voudrais 500 g de viande de porc hâchée.
I'd like five hundred grams of minced pork.
*aïde laïke faïve **Heun**dride grammz ove minnste po:rke*

> Je voudrais trois filets de sole et une douzaine d'huîtres.
I'd like three sole fillets and a dozen oysters.
*aïde laïke Fri: seoule **fi**litse eunde e **do**zeune **oïs**teuz*

< I can clean out the fish for you if you want.
aï kane kli:ne aoute Ve fiche fo:re iou if iou ouannte
Je peux vider les poissons si vous voulez.

Manières de dire

- Les crevettes s'appellent **prawns** sur les menus britanniques et **shrimps** sur les menus américains. Le mot anglais **shrimp** désigne de « petites crevettes ».

- Si vous souhaitez manger des *tranches de lard* ou de la *viande grillée*, commandez des **rashers** ou de la **grilled meat** dans les restaurants anglais et des **slices of bacon** ou de la **broiled meat** dans les établissements américains.

Le saviez-vous ?

Si *un mouton* se dit **a sheep**, la *viande de mouton* se dit **mutton**. L'origine de ce doublon remonte à la conquête de l'Angleterre par les Normands en 1066. Pendant trois cents ans, c'est le français que l'on parla à la cour des rois d'Angleterre et les Normands ont ainsi légué quelque 10 000 mots à la langue anglaise. Mais si les aristocrates et leur entourage parlaient français, le peuple d'Angleterre continuait de parler anglais. C'est ainsi que peut s'expliquer l'existence de nombreux doublons tels que : **a cow** (une vache)/**beef** (la viande de bœuf) ; **a pig** (un porc)/**pork** (la viande de porc) ; **a calf** (un veau)/**veal** (la viande de veau). Les paysans donnaient des noms anglais aux animaux qu'ils élevaient tandis que les viandes portaient les noms français utilisés par les aristocrates qui les consommaient.

DESSERTS

desserts

Les mots pour le dire

un gâteau	a cake	*e keïke*
un biscuit	a biscuit	*e **bis**kite*
une tarte aux fruits	a fruit tart	*e froute ta:rte*
un gâteau aux carottes	a carrot cake	*e **ka**reute keïke*
une tarte aux noix de pécan	a pecan pie	*e **pi:**keune paï*
un macaron	a macaroon	*e makeu**roune***
de la mousse au chocolat	chocolate mousse	***tcho**klite mousse*
du yaourt	yoghurt	***ieu**gueute*
du riz au lait	rice pudding	*raïsse **pou**dinng*
une tarte à la mélasse	a treacle tart	*e **tri:**keule ta:rte*
du flan au caramel	caramel-top flan	***ka**reumeule tope flane*
des cookies aux pépites de chocolat	chocolate-chip cookies	***tcho**klite tchipe **kou**kiz*
du gâteau au fromage	cheesecake	***tchi:zz**keïke*
une crêpe	a crêpe	*e kreïpe*
un beignet	a doughnut	*e **deou**neute*
une gaufre	a waffle	*e **ouo**feule*
de la glace	ice cream	*aïsse kri:me*
du sorbet	sorbet	***so:r**beï*
de la gelée	jelly	***djè**li*
du caramel	toffee	***to**fi*
du miel	honey	***Ho**ni*
de la crème anglaise	custard	***keus**teude*
de la crème chantilly	Chantilly cream	***cha:nn**tiyi kri:me*
du sirop d'érable	maple syrup	***meï**peule **si**reupe*

⮞ S'exprimer ⮜ Comprendre

➤ Pourrions-nous voir la carte des desserts ?
Could we see the dessert menu?
*koude oui si: Ve di**zeur**te **mè**niou*

≺ What will you have for dessert?
*ouate ouile iou Have fo:re di**zeur**te*
Que prenez-vous en dessert ?

➤ Je ne prendrai pas de dessert.
I won't have any dessert.
*aï ouonnte Have èni di**zeur**te*

➤ Je voudrais une tarte au citron meringuée.
I'd like a lemon meringue pie.
*aïde laïke e **lè**meune meu**ranng** paï*

≺ Would you like some raspberry coulis with your cheesecake?
*woude iou laïke some **ra:z**beuri **kou**li: ouiVe ioure **tchi:zz**keïke*
Voulez-vous du coulis de framboise avec votre cheesecake ?

➤ Quels parfums de glace avez-vous ?
What ice cream flavours do you have?
*ouate aïsse kri:me **fleï**veuz diou Have*

≺ We have vanilla, strawberry, chocolate, toffee, pistachio...
*oui Have veu**ni**leu **stro:**beuri **tcho**klite **to**fi pis**ta**chieou*
Nous avons vanille, fraise, chocolat, caramel, pistache...

➤ Je voudrais deux boules caramel s'il vous plaît.
I'd like two scoops of toffee ice cream please.
*aïde laïke tou skoupse ove **to**fi aïsse kri:me plize*

≺ We have a large range of tea brands.
oui Have e la:rdje reïnndje ove ti: branndz
Nous avons un large choix de thés.

➤ Quel thé noir/vert nous recommandez-vous ?
What black/green tea do you recommend?
*ouate blake/gri:ne ti: diou rikeu**mènnde***

➤ I suggest you taste our jasmine green tea.
*aï seu**djèste** iou teïste aoure **djaz**mine gri:ne ti:*
Je vous propose de goûter notre thé vert au jasmin.

➤ Quelles sortes de petits sandwichs avez-vous ?
What kind of finger ou tea sandwiches do you have?
*ouate kaïnde ofe **finn**gueu - ti: **sann**ouidjize diou Have*

➤ You can choose from cucumber, ham or egg mayonnaise sandwiches.
*iou kane tchouze frome **kiou**keumbeu Hame ore ègue meïyeu**neïze** **sann**ouidjize*
Vous avez le choix entre des sandwichs au concombre, au jambon ou aux œufs mayonnaise.

➤ Here is our selection of pastries.
*Hire ize aoure si**lèk**cheune ove **peïs**triz*
Voici notre assortiment de pâtisseries.

➤ Avez-vous des sablés ?
Do you have shortbreads?
*diou Have **cho:rt**brèdz*

➤ Je voudrais des scones au fromage et du beurre.
I'd like cheese scones and butter.
*aïde laïke tchi:ze skonnz eunde **beu**teu*

➤ They're fresh from the oven!
*Vère frèche frome Vi **o**veune*
Ils sortent du four !

➤ Pourriez-vous nous donner la recette de ce gâteau ?
Could we have the recipe for this cake?
koude oui Have Ve rèssipi fore Visse keïke

Manières de dire

- En Grande-Bretagne, le terme **pudding** regroupe tout type de desserts tandis qu'il désigne, aux États-Unis, des desserts à base de crème pâtissière.

- **Fairy cake** se dit **cupcake** aux États-Unis, **icing** (le glaçage) se dit **frosting** et **sorbet** (sorbet) devient **sherbet**. Une *tarte aux cerises* se dit **cherry tart** en Grande-Bretagne mais **cherry pie** aux États-Unis où vous pouvez commander sans crainte **a mud pie** (« une tourte de boue ») qui n'est autre qu'une tarte au chocolat !

- Notez la différence entre **pancakes** (sorte de crêpes épaisses servies aux États-Unis avec du sirop d'érable) et **crêpes** qui désigne des crêpes similaires à celles préparées en France.

Expression

'The proof is in the pudding' ou encore *'the proof of the pudding'* (mot à mot « la preuve est dans le dessert », « la preuve du dessert »), est le raccourci de *'The proof of the pudding is in the eating'*. Cette expression signifie qu'il est nécessaire de faire l'expérience de quelque chose pour pouvoir en juger. Ce proverbe daterait du XIVe siècle et le **pudding** du dicton serait non pas un gâteau mais une saucisse. À l'origine, **a pudding**, dérivé du mot français *boudin*, était un mets exclusivement salé.

À TABLE !

Voici quelques modes de préparation et spécialités régionales et nationales pour vous ouvrir l'appétit. Comme vous le verrez, certains mets et boissons ont déjà passé la frontière.

- **Afternoon tea** */a:fteu**noune** ti:/* Assortiment de pâtisseries, de scones et de mini sandwichs accompagné d'un thé
- **À la mode** (en français dans le texte), se dit d'un dessert servi avec une boule de glace
- **Ale** */eïle/* Bière anglaise blonde et légère
- **Apple sauce** */**a**peule so:sse/* Compote de pommes servie en dessert ou en accompagnement d'un rôti de porc
- **Apple turnover** (GB) ou **popover** (US) */**a**peule **teurne**ouveu - **pope**ouveu/* Chausson aux pommes
- **Bacon roly-poly** */**beï**keune **reou**li **peou**li/* Mélange de bacon émincé, d'oignons et de sauge dans une pâte roulée
- **Bakewell tart** */**beï**kouèle ta:rte/* Classique des desserts anglais, tarte à la crème d'amandes et à la confiture
- **Bangers and mash** */**bann**gueuz eunde ma:che/* Plat typique des pubs anglais, purée et saucisses appelées bangers car, lors de la Seconde Guerre mondiale, elles étaient gonflées d'eau et éclataient en cuisant
- **Banoffee pie** */beu**no**fi paï/* Pâtisserie mêlant rondelles de bananes, caramel et crème chantilly sur fond de spéculos écrasés
- **BBQ spare ribs** */bi: bi: kiou spère ribze/* Travers de porc grillés au menu de tous les diners américains
- **Beef wellington** */bi:f **ouè**linngteune/* Filet de bœuf enrobé de duxelles et de pâté avant d'être cuit en croûte
- **Bitter** */**bi**teu/* Bière brune à forte teneur en houblon
- **Black pudding** */blake **pou**dinng/* Boudin noir
- **Blue cheese dressing** */blu: tchi:ze **drès**sinng/* Vinaigrette ou sauce avec pour principaux ingrédients : du bleu, de la mayonnaise (ou de la crème fraîche) et du vinaigre

- **Blueberry muffin** /*bloubeuri meufine*/ Muffin aux myrtilles
- **Boston cream pie** /*bosteune kri:me paï*/ Gâteau d'origine américaine fourré à la crème et recouvert d'un glaçage au chocolat
- **Bread and butter pudding** /*brède eunde beuteu poudinng*/ Sorte de pain perdu cuit au four
- **Breadstick** /*brèdstike*/ Gressin
- **Breaded mushrooms** /*brèdide meuchroumz*/ Champignons panés
- **BTL** /*bi: ti: èle*/ Sandwich très populaire aux États-Unis qui doit son nom aux ingrédients qui le composent : B pour les tranches de bacon, T pour celles de tomates et L pour les feuilles de laitue
- **Bubble and squeak** /*beubeule eunde skouike*/ Plat à base de pommes de terre et de légumes sautés qui grésillent en cuisant
- **Buffalo wings** /*beufeuleou ouinngz*/ Ailes de poulet enrobées d'une sauce épicée, la buffalo sauce
- **Cauliflower cheese** /*koliflaoueu tchi:ze*/ Gratin de chou-fleur
- **Ceasar salad** /*si:zeu saleude*/ Salade typiquement américaine composée de laitue, de poulet, de croûtons, de parmesan et assaisonnée d'une sauce du même nom
- **Chargrilled** (GB) /*tcha:rgrilde*/ / **charbroiled** (US) /*tcha:rbroïlde*/ Grillé au feu de bois
- **Cheddar** /*tchèdeu*/ Fromage à pâte dure et au goût de noisette prononcé ; le favori des Anglais
- **Cheshire** /*tchècheu*/ Fromage dense et friable au lait de vache
- **Chocolate chip cookie** /*tchoklite tchipe kouki*/ Cookie aux pépites de chocolat
- **Chowder** /*tchaoudeu*/ Soupe d'origine américaine aux fruits de mer ou aux légumes qui doit son épaisse consistance à l'ajout de crackers écrasés
- **Chicken kiev** /*tchikeune kiève*/ Blancs de poulet farcis, panés et frits
- **Chicken nuggets** /*tchikeune neuguètse*/ Beignets de poulet
- **Chicken sikka masala** /*tchikeune sikeu meusaleu*/ Morceaux de poulet cuits dans une sauce au curry

- **Club sandwich** */kleube **sann**ouidje/* Se distingue des autres sandwichs par sa présentation en quartiers et ses deux étages de garniture maintenus par des cure-dents
- **Cobb salad** */kobe **sa**leude/* Salade typique des États-Unis composée d'endives et de cresson
- **Colcannon** */keul**ka**neune/* Plat traditionnel irlandais dont les ingrédients principaux sont de la purée de pommes de terre et des choux
- **Cornish pasty** */**ko:r**niche **pas**ti/* Sorte de friand typique des Cornouailles renfermant du bœuf haché, des pommes de terre, des oignons et du rutabaga
- **Coronation chicken** */koreu**neï**cheune **tchi**keune/* Préparation à base de poulet, de confiture d'abricot, de raisins secs, d'herbes aromatiques et de mayonnaise pouvant être utilisée en salade ou pour agrémenter des sandwichs
- **Cottage pie** */**ko**tidje paï/* Sorte de hachis parmentier de bœuf aux légumes
- **Creamed potatoes** */**kri:**mmde peu**teï**teuz/* Purée de pommes de terre à la crème
- **Crispy coated camembert** */**kris**pi **keou**tide **ka**meumbeu/* Camembert pané et frit
- **Crumble** */**kreum**beule/* Dessert cuit au four composé d'une couche de fruits coupés en petits morceaux et recouverts d'une pâte émiettée
- **Custard** */**keus**teude/* Crème anglaise
- **Custard tart** */**keus**teude ta:rte/* Non pas une tarte mais un flan
- **Diced** */daïste/* Coupé en dés
- **Double Gloucester** */**deu**beule **glos**teu/* Fromage similaire à la tomme de Savoie
- **English breakfast** */**in**gliche **breïk**feuste/* Petit-déjeuner anglais traditionnel qui réunit sur une même assiette des œufs, des tomates, des champignons, des saucisses, des haricots blancs à la sauce tomate ainsi que des toasts

- **English crumpet** */ingliche **kreum**pite/* Sorte de crêpe très épaisse servie notamment au moment de l'afternoon tea
- **Filo pastry** */**fi:**leou **peïs**tri/* Pâte filo
- **Fish and chips** */fiche eun tchipse/* Plat à emporter typiquement anglais composé de morceaux de poissons frits dans une pâte épaisse et de frites, le tout assaisonné de vinaigre et servi dans du papier
- **Gammon** */**ga**meune/* Jambon fumé
- **Garlic bread** */**ga:r**like brède/* Morceau de baguette grillé agrémenté d'aïl, de beurre ou d'huile d'olive et de fines herbes
- **Ginger ale** */**djinn**djeu eïle/* Soda au léger parfum de gingembre ; à distinguer de la ginger beer, une boisson fermentée au goût de gingembre davantage prononcé
- **Grits** (US) */gritse/* Version amérindienne du porridge, plat composé de maïs moulu servi au petit-déjeuner dans les états du Sud des États-Unis
- **Gumbo** */**gueum**beu/* Mélange à base de viande ou de crustacés, d'oignons et de légumes variés cuits en ragoût dans un bouillon épicé
- **Haggis** */**Ha**guisse/* Plat d'origine écossaise à base d'abats de viande d'agneau mélangés à de la graisse, des oignons, des herbes aromatiques et des épices ; était autrefois cuit dans une panse de brebis, d'où le nom français *panse de brebis farcie*
- **Hash brown** */**Ha**che braoune/* Galettes de pommes de terre frites
- **Hasty pudding** */**Heïs**ti **pou**dinng/* Gâteau à la cannelle cuit à la vapeur qui doit sa popularité à son mode de préparation rapide
- **Horseradish sauce** */**Ho:s**radiche so:sse/* Sauce au raifort
- **Jacket potatoes** */**dja**kite peu**teï**teuz/* Pommes de terre en robe des champs
- **Jam doughnut** */djam **deou**neute/* Beignet fourré à la confiture
- **Jelly** */**djè**li/* Dessert à base de gelée de fruits également nommé Jell-O aux États-Unis
- **Jelly beans** */**djè**li bi:nz/* Sucreries en forme de haricots et aromatisées aux fruits
- **Lager** */**la**gueu/* Bière blonde

- **Lancashire hotpot** */**lanng**keucheu **Hott**pote/* Ragoût d'agneau ou de mouton cuit au four et surmonté d'une sorte de gratin de pommes de terre
- **Lardy cake** */**la:r**di **keï**ke/* Gâteau anglais traditionnel à base de graisse de saindoux, de sucre, d'épices et de raisins secs
- **Lemon chiffon pie** */**lè**meune **chi**fone paï/* Ressemble en tout point à une tarte au citron meringuée, mais s'en distingue de part les framboises ajoutées à sa crème citronnée et la crème chantilly utilisée en guise de meringue
- **Marmite** */**ma:r**maïte/* Sorte de pâte à tartiner salée marron foncé qui sert de condiment en Angleterre
- **Mashed** */machte/* En purée
- **Meatballs** */**mi:tt**bo:lz/* Boulettes de viande
- **Melted cheese** */**mèl**tide tchi:ze/* Fromage fondu
- **Mint sauce** */minnte so:sse/* Sauce à base de feuilles de menthe qui entre dans la préparation de certains plats, notamment du rôti d'agneau
- **Mushy peas** */**meu**chi pi:z/* Sorte de purée de petits pois
- **Oven-baked** */**eou**veune beïkte/* Cuit au four
- **Pan-fried** */pane fraïde/* Sauté à la poêle
- **Pea soup** */pi: soupe/* Soupe de pois secs ; a donné son nom au brouillard londonien pea soup fog
- **Ploughman's lunch** */**plaou**meunz leunche/* Encas à base de pain, de fromage et d'une sorte de chutney ; servi dans les pubs anglais, il peut être très copieux
- **Porter** */**po:r**teu/* Bière brune
- **Pumpkin pie** */**peump**kine paï/* Tarte garnie d'une crème à la citrouille et dégustée à l'occasion des fêtes de Thanksgiving et de Noël aux États-Unis mais aussi au Canada et en Australie
- **Redcurrant jelly** */**rèd**keureunte **djè**li/* Gelée de groseilles qui accompagne les viandes d'agneau ou de gibier
- **Red Leceister** */rède **lès**teu/* Fromage à pâte pressée au goût fruité et à la couleur orangée

BOISSONS & NOURRITURE

- **Roast dinner** /reouste **di**neu/ Plat traditionnel du dimanche en Angleterre avec au menu : un rôti de viande, des légumes cuits à l'eau, des pommes de terre rôties et différentes variétés de sauce dont la gravy /**greï**vi/ (jus de viande) ou l'apple sauce /**a**peule so:sse/ (sorte de compote de pommes)
- **Roasted** /**reous**tide/ Rôti
- **Roly-poly pudding** /**reou**li **peou**li **pou**dinng/ Gâteau roulé aux fruits ou à la confiture ; c'est aussi le titre d'un livre de Beatrix Potter !
- **Russian dressing** /**reu**cheune **drè**ssinng/ Sauce au nom trompeur car typique des États-Unis ; mélange de mayonnaise et de ketchup relevé à l'aide d'épices et de fines herbes
- **Scone** /skonn/ Sorte de petit pain fréquemment servi avec le thé ; s'accompagne de clotted cream /**klo**tide kri:me/ (crème épaisse) et de confiture de fraises ou de framboises
- **Scotch broth** /skotche broFe/ Bouillon d'origine écossaise qui mêle orge, viande d'agneau ou de bœuf et légumes
- **Semolina pudding** /seumeu**li:**neu **pou**dinng/ Gâteau de semoule
- **Simnel cake** /**simm**neule keïke/ Gâteau anglais à base de poudre d'amandes, de fruits secs et d'épices ; servi à Pâques ou pour la fête des Mères
- **Shepherds' pie** /**chè**peudz païˈ/ Variante du hachis parmentier, à base de viande d'agneau émincée, de légumes et de purée
- **Sliced** /slaïste/ Émincé
- **Sticky toffee pudding** /**sti**ki **to**fi **pou**dinng/ Gâteau cuit à la vapeur composé de dattes émincées recouvertes de caramel ; s'accompagne de crème anglaise ou de glace à la vanille
- **Shortcake** /**cho:rtt**keïke/ Sablé
- **Strawberry shortcake** /**stro:**beuri **cho:rtt**keïke/ Gâteau aux fraises composé d'une pâte sablée ; c'est aussi le nom anglais du personnage de Charlotte aux fraises
- **Stuffed** /steufte/ Farci
- **Spotted dog** /**spo**tide dogue/ Gâteau en forme de cylindre, cuit à la vapeur et composé de fruits secs ; généralement servi avec de la crème anglaise
- **Steak and kidney pie** /steïke eunde **kid**ni païˈ/ Plat traditionnel anglais cuit au four ou dans un pot recouvert d'une croûte de

pâte ; mélange de morceaux de bœuf, de foie, d'oignons et de champignons dans un bouillon de bœuf

- **Stilton** /*stilteune*/ Fromage anglais à pâte persillée de texture crémeuse ; se déguste essentiellement à l'occasion des fêtes de fin d'année
- **Stout** /*staoute*/ Bière brune
- **Tea sandwiches** /*ti: sanouidjize*/ Également appelés finger sandwiches du fait de leur petite taille, ces sandwichs se dégustent à l'heure du thé et comptent toutes sortes de garnitures dont des concombres en fines rondelles, du saumon, des œufs mayonnaise...
- **Thousand island dressing** /*Faouzeunde aïleunde drèssinng*/ Sorte de vinaigrette dont l'ingrédient principal est la mayonnaise à laquelle on peut ajouter de l'huile d'olive, du jus de citron ou d'orange, du paprika, du ketchup et bien d'autres choses encore...
- **Toad in the hole** /*teoude ine Ve Heoule*/ Plat cuit au four à base de pâte à crêpe et de saucisses
- **Treacle tart** /*tri:keule ta:rte*/ Tarte à la mélasse
- **Trifle** /*traïfeule*/ Dessert consistant en la superposition de différentes couches de génoise, de crème anglaise, de crème fouettée et de fruits ou de confiture
- **Tuna melt** /*touneu mèlte*/ Pain toasté, thon et fromage fondu
- **Victoria sponge cake** /*vikto:rieu sponndje keïke*/ Génoise à la texture très aérienne, fourrée à la confiture
- **Welsh rarebit** ou **rabbit** /*ouèlche rèrbite - rabit*/ Fromage fondu servi sur des toasts
- **Worcestershire sauce** /*wousteu so:sse*/ Condiment anglais liquide comportant de la mélasse, du vinaigre de malt, des échalotes, des anchois et diverses épices ; saveur sucrée et épicée
- **Yorkshire pudding** /*io:rkcheu poudinng*/ Sorte de crêpe épaisse servie avec du jus de viande en entrée ou en accompagnement de plats

? Le saviez-vous ?

Le milkshake est l'une des boissons préférées des Américains qui lui consacrent deux journées nationales (non officielles) : le National Vanilla Milkshake Day le 20 juin et le Chocolate Milkshake Day le 12 septembre.

À la fin du XIXe siècle, le terme milkshake désignait une boisson alcoolisée à base d'œufs et de whisky que l'on utilisait comme un tonifiant.

La boisson star des drive-in dans les films des années 1930-1950 doit sa création à un employé de supermarché qui, en 1922, ajouta de la glace à la vanille à une boisson chocolatée. Dans les années 1930, les jeunes Américains se réunissaient dans des Malt shops pour déguster leur boisson fétiche.

Un hôtel à Killarney en Irlande

À L'HÔTEL/À L'AUBERGE

at the hotel/at the hostel

Les mots pour le dire

un hôtel	a hotel	*e **Heou**teule*
une auberge de jeunesse	a youth hostel	*e iouFe **Hos**teule*
la réception	reception	*ri**ssèp**cheune*
les escaliers	the stairs	*Ve stèrze*
un ascenseur	a lift	*e lifte*
un buffet	a buffet	*e **bou**feï*
un distributeur automatique	a vending machine	*a **vènn**dinng meu**chi:ne***
un formulaire	a form	*e fo:rme*
une clé	a key	*e ki:*
une clé magnétique	a key card	*e ki: karde*
une chambre individuelle	a single room	*e **sinn**gueule roume*
une chambre double	a double room	*e **deu**beule roume*
des chambres attenantes	adjoining rooms	*eu**djoï**nninng roumz*
la climatisation	air conditioning	*ère keunn**di**cheuninng*
le chauffage	heating (system)	***Hi:**tinng (**sis**teume)*
un lit	a bed	*e bède*
un lit double	a double bed	*e **deu**beule bède*
des lits superposés	bunk beds	*beunke bèdz*
un lit supplémentaire	an extra bed	*eune **èk**streu bède*
une salle de bain	a bathroom	*e **ba:**Froume*
une douche	a shower	*e **chaou**eure*
une baignoire	a bath	*e ba:F*
un lavabo	a washbasin	*e **ouoch**beïssine*
un robinet	a tap	*e tape*
un coffre-fort	a safe	*e seïfe*
un réfrigérateur	a fridge	*e fridje*

⮞ S'exprimer ⮜ Comprendre

➤ J'ai réservé une chambre par internet/par téléphone.
I booked a room on the Internet/over the phone.
*aï boukte e roume one Vi **inn**teunète/eouVeu Ve feoune*

➤ Nous avons réservé une chambre familiale au nom de Dupont.
We booked a family room under the name of Dupont.
*oui boukte e **fa**mili roume eundeu Ve neïme ove Dupont*

⮜ Will you please fill in the information form?
*ouile iou pli:ze file ine Vi info:r**meï**cheune fo:rme*
Merci de remplir le formulaire de renseignements.

⮜ Could I see your passport please?
*koude aï si: ioure **pa:ss**po:rte pli:ze*
Puis-je voir votre passeport s'il vous plaît?

➤ Serait-il possible de laisser nos bagages à la réception ?
Could we leave our bags at reception ?
*koude oui li:ve aoure bagz ate ri**ssèp**cheune*

⮜ You can leave them in the lobby.
*iou kane li:ve Veume ine Ve **lo**bi*
Vous pouvez les laisser dans le hall.

⮜ Here is your key, your room is number seventeen.
*Hire ize ioure ki: ioure roume ize **neum**beu sèveun**ti:ne***
Voici votre clé, votre numéro de chambre est le 17.

➤ Où se trouve la chambre n° 38 ?
Where is room thirty-eight?
*ouère is roume **Feur**ti eïte*

⮜ Third floor on the left.
Feurde flo:re one Ve lèfte
Au troisième étage, à gauche.

➤ Où se trouve l'ascenseur ?
Where is the lift?
ouère ize Ve lifte

< Down the corridor.
*daoune Ve **ko**rideu*
Au bout du couloir.

> Pourriez-vous nous réveiller à 7 heures ?
Could we have a wake-up call at seven am?
*koude oui Have e oueïke eupe ko:le at **sè**veune eï ème*

> Pourrions-nous prendre le petit-déjeuner dans notre chambre ?
Could we have breakfast sent to our room?
*koude oui Have **brèk**feuste sènte tou aoure roume*

> Nous partons demain, pourriez-vous préparer notre facture ?
We're leaving tomorrow, could you prepare our bill?
*ouire **li:**vinng teu**mo:**reou koude iou pri**père** aoure bile*

< You have to check out before ten am.
*iou Have tou tchèke aoute bi**fo:re** tène eï ème*
Vous devez libérer votre chambre avant dix heures du matin.

EN CAS DE PROBLÈME

> Je ne parviens pas à faire fonctionner le chauffage/l'air conditionné.
I can't start the heating/the air conditioning.
*aï kannte sta:rte Ve **Hi:**tinng/Vi ère keun**di**cheuninng*

> Nous avons besoin d'une couverture supplémentaire/de savon/de shampoing.
We need an extra blanket/some soap/some shampoo.
*oui ni:de eune **èk**streu **blanng**kite/some seoupe/some **chamm**pou*

> Il n'y a pas d'eau chaude.
There is no hot water.
*Vère ize neou Hote **ouo**teu*

> La bouilloire ne fonctionne plus.
The kettle doesn't work anymore.
*Ve **kè**teule dozeunte oueurke èni**mo:re***

> La baignoire est bouchée.
The bath is blocked.
Ve ba:F ize blokte

L'ANGLAIS dans tous ses ÉTATS

! Ne confondez pas

Attention aux faux amis, le terme **facilities** désigne les *équipements* ou *installations* dont un hôtel est doté. **Location** ne fait pas référence à une *location* mais à l'endroit où se trouve votre hôtel. **Furniture** est un mot indénombrable qui désigne les *meubles* et *un meuble* se dit **a piece of furniture**. Enfin, le panneau **vacancies** ne signifie pas que l'hôtel est fermé pour congés annuels mais qu'il reste des chambres libres !

Manières de dire

À votre arrivée dans un hôtel américain, c'est au **front desk** (« la réception ») que vous devez vous présenter. En cas de problème, contactez le **desk clerk** et non le **receptionist** (équivalent anglais). Si *l'ascenseur* est en panne, utilisez le mot **elevator**, s'il s'agit d'un problème de *robinet*, de *baignoire*, de *lavabo* ou de *placard*, parlez de **faucet**, **tub**, **bathroom sink** et **closet** (et non **wardrobe**). Votre *poubelle* n'a pas été vidée ? C'est le mot **trash can** (et non **dustbin**) dont vous avez besoin !

? Le saviez-vous ?

Les **B&B (Bed and Breakfast)**, sont un incontournable du tourisme en Grande-Bretagne. Il peut s'agir d'un hébergement chez un particulier ou dans un petit hôtel. Cette pratique remonte au Moyen Âge, époque à laquelle les voyageurs étaient logés dans des monastères ou chez l'habitant. Aux États-Unis, les pionniers ont eu aussi recours à un tel mode d'hébergement et, pendant la Grande Dépression, des **boarding houses** (pensions de famille) permirent à des dizaines de milliers d'Américains de se loger à moindre coût.

EN LOCATION

renting

Les mots pour le dire

louer	to rent	*tou rènnte*
le loyer	the rent	*Ve rènnte*
le locataire	the tenant	*Ve **tè**neunte*
le propriétaire	the owner	*Vi **eou**neu*
un dossier	a file	*e faïle*
remplir	to fill in	*tou file ine*
un appartement	a flat	*e flate*
une maison	a house	*a Haouze*
entièrement meublé(e)	fully furnished	***fou**li **feur**nichte*
la clé de la porte d'entrée	the front door key	*Ve fronnte do:re ki:*
avec accès handicapés	with disabled access	*ouiVe di**sseï**beulde **ak**sèsse*
une caution	a deposit	*e di**po**zite*
un appartement en colocation	a shared flat	*e chèrde flate*
un(e) colocataire	a flatmate	*e **flat**meïte*
le ménage	the housework	*Ve **Haouze**oueurke*
un aspirateur	a vacuum cleaner	*e **va**kioume **kli:**neu*
l'état des lieux	the inventory check	*Vi **inn**veuntri tchèke*
un chauffe-eau	a boiler	*e **boï**leu*
une alarme	an alarm	*eune eu**la:r**me*
un lave-vaisselle	a dishwasher	*e **dich**ouocheu*
un réfrigérateur	a fridge	*e fridje*
un four	an oven	*eune **o**veune*
un micro-ondes	a microwave oven	*e **maï**kreououeïve **o**veune*

attention aux faux amis

Accommodation n'a rien à voir avec un compromis, il s'agit d'un *logement* et le verbe to accommodate signifie « loger ».

⮞ S'exprimer ⮜ Comprendre

➤ Où puis-je trouver une agence immobilière ?
Where can I find an estate agency?
*ouère kane aï faïnnde eune is**teïte eï**djeunsi*

⮜ What type of flat are you looking for?
*ouate taïpe ofe flate a:re iou **louk**inng fore*
Quel type d'appartement recherchez-vous ?

⮜ How many days/weeks do you need it?
Haou mèni deïz/oui:kse diou ni:de ite
Pour combien de jours/semaines en avez-vous besoin?

➤ Je voudrais louer un appartement pour une semaine.
I'd like to rent a flat for a week.
aïde laïke tou rènnte e flate fo:re e oui:ke

⮜ In which area?
*ine ouitche **è**rieu*
Dans quel quartier ?

➤ Dans le centre-ville.
In the city centre.
*in Ve **si**ti **sènn**teu*

➤ Près d'une station de métro/de la gare.
Near an underground station/the train station.
*nieure eune eundeu**graounde steï**cheune/Ve treïne **steï**cheune*

➤ Dans une rue tranquille/un quartier animé.
In a quiet street/a lively neighbourhood.
*in e kouaïeute stri:te/e **laï**vli **neï**beuHoude*

➤ Je cherche une maison avec vue sur la mer.
I'm looking for a house with a sea view.
*aïme **louk**inng fo:re e Haouze ouiVe e si: viou*

⮜ This flat is quiet and bright.
Visse flate ize kouaïeute eunde braïte
Cet appartement est calme et lumineux.

➤ Quel est le loyer ?
What is the rent?
ouate ize Ve rènnte

< It's three hundred and twenty pounds a week.
*itse Fri: **Heun**dride eunde **touèn**ti paoundz e oui:ke*
C'est 320 livres par semaine.

< There is a two hundred pound deposit.
*Vère ize e tou **Heun**dride paoundz di**po**zite*
Il y a une caution de 200 livres.

> Je cherche un appartement en colocation.
I'm looking for a share flat.
*aïme **louk**inng fo:re e chère flate*

> Je voudrais une chambre avec une salle de bain attenante.
I'd like a room with an en suite bathroom.
*aïde laïke e roume ouiVe eune en suite **ba:**Froume*

< You have to help with the chores.
iou Have tou hèlpe ouiVe Ve tcho:rz
Vous devez participer aux tâches ménagères.

> Où rangez-vous les produits d'entretien ?
Where do you keep the cleaning products?
*ouère diou ki:pe Ve **kli:n**inng **pro**deuktse*

> Comment le four/le micro-ondes fonctionne-t-il ?
How does the oven/the microwave oven work?
*Haou doze Vi **o**veune/Ve **maï**kreououeïve **o**veune oueurke*

< The sheets are included but not the towels.
*Ve chi:tse a:re inn**klou**dide beute note Ve **ta**oueulz*
Les draps sont inclus dans le prix mais pas les serviettes de toilette.

> Quand ferons-nous l'état des lieux de départ ?
When will we do the departure inventory check?
*ouène ouile oui dou Ve di**pa:**tcheu **inn**veuntri tchèke*

> Où voulez-vous que nous laissions les clés ?
Where do you want us to leave the keys?
ouère diou ouannte eusse tou li:ve Ve ki:ze

Manières de dire

• Attention aux différences entre l'anglais britannique et américain : *appartement* se traduit par **flat** (GB) ou **apartment** (US), un *locataire* (vivant avec le propriétaire) par **lodger** (GB) ou **roomer** (US), un *canapé-lit* par **convertible sofa** (GB) ou **day bed** (US) et une *cuisinière* par **cooker** (GB) ou **stove** (US).

• Pour parler d'un *étage*, les Britanniques utilisent les mots **floor** ou **storey** tandis que les Américains parlent de **story** (**stories** au pluriel). Si un propriétaire américain décrit sa maison comme **a three-story house**, sachez qu'il s'agit en fait d'une maison à deux étages ! Aux États-Unis, le **first story** correspond à notre rez-de-chaussée.

• Quelques abréviations utiles pour décoder les petites annonces : **exp : expenses** (frais) – **1BR : one bedroom** (une chambre) – **4RM : four rooms** (quatre pièces) - **F/F : fully furnished** (appartement meublé) – **htg : heating** (chauffage) – **kit : kitchen** (cuisine) – **lnge : lounge** (salon) – **rent pw : rent per week** (loyer par semaine), **rent pcm : per calendar month** (loyer mensuel).

Expression

An Englishman's home is his castle (« La maison d'un Anglais est son château ») est un vieux proverbe anglais selon lequel la maison de quelqu'un est son refuge. Ce principe est en quelque sorte officialisé en 1628 lorsqu'un avocat, du nom de Sir Edward Coke, l'utilise dans *The Institutes of the Laws of England* pour indiquer que nul n'est autorisé à pénétrer dans la demeure d'autrui sans y être invité.

Le marché de Covent Garden à Londres

LES MAGASINS

the shops

Les mots pour le dire

un magasin	a shop	*e chope*
un supermarché	a supermarket	*e **sou**peuma:rkite*
un grand magasin	a department store	*e di**pa:rt**meunte sto:re*
un centre commercial	a shopping centre	*e **chop**inng **sènn**teu*
une galerie marchande	a shopping mall	*e **chop**inng mo:le*
un vendeur de journaux	a newsagent	*e niouze**ï**djeunte*
une bijouterie	a jewellery shop	*e **djou**eulri chope*
une librairie	a bookshop	*e **bouk**chope*
un magasin de disques	a record shop	*e **rè**ko:rde chope*
un magasin de souvenirs	a gift and souvenir shop	*e guifte eunde souveu**nire** chope*
un magasin de vêtements	a clothes shop	*e kleouVz chope*
le marché aux puces	the flea market	*Ve fli: **ma:r**kite*
une caisse	a cash desk	*e kache dèske*
le prix	the price	*Ve praïsse*
en solde	on sale	*one seïle*
acheter	to buy	*tou baï*
marchander	to bargain	*tou **ba:r**guine*
rendre un article	to return an item	*tou ri**teurne** eune **aï**teume*
échanger	to exchange	*tou ikst**cheïnndje***
rembourser	to refund	*tou **ri:**feunde*
un vendeur, une vendeuse	a shop ou sales assistant	*e chope/seïlz eu**ssis**teunte*

note

En anglais américain, on écrit jewelry et non jewellery comme en anglais britannique.

➤ S'exprimer ◄ Comprendre

➤ Où se trouve le centre commercial le plus proche ?
Where is the nearest shopping centre?
*ouère ize Ve **ni:**reuste **chop**inng **sènn**teu*

◄ The shops are open/closed on Sunday.
*Ve chopse a:re **eou**peune/kleouzde one **seun**dè*
Les magasins sont ouverts/fermés le dimanche.

➤ Quels sont vos horaires d'ouverture ?
What are your opening hours?
*ouate a:re ioure **eou**peuninng aoueuz*

◄ We're open from ten am to six pm on weekdays.
*ouire **eou**peune frome tène eï ème tou sikse pi: ème one **oui:k**deïz*
Nous sommes ouverts les jours de semaine de 10 heures à 18 heures.

◄ How can I help you?
Haou kane aï Hèlpe iou
Que puis-je pour vous ?

➤ Je ne fais que regarder.
I'm just looking around.
*aïme djeuste **louk**inng euraounde*

◄ Do you need a basket or a shopping trolley?
*diou ni:de e **ba:ss**kite o:re e **chop**inng **tro**li*
Avez-vous besoin d'un panier ou d'un caddie ?

➤ Combien coûte cette théière/coûtent ces tasses ?
How much is this teapot /are these cups?
*Haou meutche ize Visse **ti:**pote/a:re Vize keupse*

◄ Only five pounds, it's a bargain.
*onnli faïve paoundz itse e **ba:r**guine*
Seulement cinq livres, c'est une affaire.

➤ Ces articles sont-ils en solde ?
Are these items on sale?
*a:re Vize **aï**teumz one seïle*

< Is this for a gift?
ize Visse fo:re e guifte
Est-ce pour offrir ?

> Oui, pourriez-vous l'emballer ?
Yes, it is. Could you wrap it up?
ièsse ite ize koude iou rape ite eupe

< The cash desks are on the ground floor.
Ve kache dèskse a:re one Ve graounde flo:re
Les caisses se trouvent au rez-de-chaussée.

< Will it be cash or credit?
ouile ite bi: kache o:re ***krè****dite*
Vous réglez en liquide ou par carte?

> Je souhaiterais payer par carte bancaire.
I'd like to pay by credit card.
aïde laïke tou peï baï ***krè****dite ka:rde*

< I'm sorry, we only take cash.
aïme ***so****ri oui onnli teïke kache*
Je suis désolé(e), nous n'acceptons que du liquide.

< Put/Swipe your card in the machine.
*poute/souaïpe ioure ka:rde ine Ve meu****chine***
Insérez/Faites glisser votre carte dans la machine.

< Enter your PIN number.
ènn*teu ioure pi:ne* ***neum****beu*
Composez votre code secret.

< You can ask for a refund within two weeks.
iou kane a:ske fo:re e ***ri:****feunde oui****Vine*** *tou wi:kse*
Vous disposez de deux semaines pour demander le remboursement.

> Je voudrais rendre cet article.
I'd like to return this article.
*aïde laïke tou ri****teurne*** *Visse* ***a:r****tikeule*

L'ANGLAIS dans tous ses ÉTATS

Manières de dire

• Les Américains font leur shopping dans des **stores** (magasins). Les Britanniques achètent leurs journaux chez les **newsagents**, les Américains dans des **news stands**. Si vous avez besoin d'aide, adressez-vous à **a shop assistant** (un vendeur ou une vendeuse) en Grande-Bretagne et à **a sales clerk** aux États-Unis. Et si vous êtes très chargé(e), demandez **a shopping trolley** (GB) ou **a shopping cart** (US) (un caddie).

• Sachez également que **department store** désigne un grand magasin (comme par exemple Macy's à New York). **Customer service** est le *service clientèle* et **customer receipt** le *reçu* que l'on glisse dans votre sac de courses. Quant à **loyalty card** c'est tout simplement une *carte de fidélité*.

• Si l'on devine aisément que le mot australien **bottle shop** désigne un lieu où l'on vend de l'alcool, d'autres noms de magasins sont plus difficiles à décoder. En Angleterre, **a chip shop** désigne « une friterie », **offie** est l'abréviation de **off-licence** (un caviste ou un débit de boissons). Aux États-Unis, les **dime shops** proposent des produits bon marché et **minimart** est le nom donné aux magasins de proximité. Les **Mom-and-pop stores** sont de tout petits commerces indépendants.

VÊTEMENTS ET ACCESSOIRES

clothes and accessories

Les mots pour le dire

les vêtements	clothes	*kleouVz*
une robe	a dress	*e drèsse*
une jupe	a skirt	*e skeurte*
un soutien-gorge	a bra	*e bra:*
un pantalon	trousers	***traou**zeuz*
un short	shorts	*cho:rtse*
un chemisier	a blouse	*e blaouze*
une chemise	a shirt	*e cheurte*
un t-shirt à manches courtes/longues	a short-/long-sleeved t-shirt	*e cho:rte/lonng **sli:v**de ti:cheurte*
un pull	a jumper	*e **djeum**peu*
un gilet	a cardigan	*e **ka:r**digueune*
une veste	a jacket	*e **dja**kète*
un imperméable	a raincoat	*e **reïnn**keoute*
un manteau	a coat	*e keoute*
des chaussettes	socks	*sokse*
des collants	tights	*taïtse*
des chaussures	shoes	*chouze*
une écharpe	a scarf	*e ska:rfe*
des lunettes de soleil	sunglasses	***seun**glassize*
un parapluie	an umbrella	*eune eum**brè**leu*
une montre	a watch	*e ouotche*
un collier	a necklace	*e **nèk**lisse*
des boucles d'oreille	earrings	***i:r**rinngz*
une bague	a ring	*e rinng*

attention aux faux amis

Fabric ne signifie pas « fabrication » mais « tissu », costume est un « déguisement » ; un « costume (de ville) » se traduit par suit.

⮞ S'exprimer ⮜ Comprendre

➤ Je voudrais une chemise bleue et une cravate assortie.
I'd like a blue shirt and a tie to match.
aïde laïke e blou cheurte eunde e taï tou matche

⮜ I'm sorry but this is a ladies clothing shop.
*aïme **so**ri beute Visse ize e **leï**dize **kleou**Vinng chope*
Je suis désolé(e) mais vous êtes dans une boutique de vêtements pour femmes.

➤ Je cherche une robe cintrée.
I'm looking for a close-fitting dress.
*aïme **louk**inng fo:re e kleousse **fit**inng drèsse*

⮜ What size are you?
ouate saïze a:re iou
Quelle taille faites-vous ?

➤ Du 38 ou du 40, cela dépend.
A ten or a twelve, it depends.
*e tène o:re e **tou**èlve ite di**pènn**dz*

➤ Avez-vous ce pantalon en 36?
Do you have these trousers in size eight?
*diou Have Vize **traou**zeuz ine saïze eïte*

⮜ I'm afraid we don't have any other in stock.
*aïme e**freï**de oui donnte Have èni **o**Veu ine stoke*
Désolé(e), nous n'en avons pas d'autres en stock.

➤ Je n'aime pas ce motif floral/à carreaux.
I don't like this floral/check print.
*aï donnte laïke Visse **flo:**reule/tchèke prinnte*

⮜ Would you like to try this cardigan on?
*woude iou laïke tou traï Visse **ka:r**digueune one*
Voulez-vous essayer ce gilet ?

➤ Où sont les cabines d'essayage ?
Where are the changing rooms?
*ouère a:re Ve **tcheïnndj**inng roumz*

≺ Does the skirt fit?
doze Ve skeurte fite
Est-ce que la jupe est à la bonne taille ?

➤ Non, c'est trop petit/grand/serré/large.
No, it doesn't. It's too small/big/tight/loose.
neou ite dozeunte itse tou smo:le/bigue/taïte/lousse

➤ Combien coûte la paire de bottes marron en cuir ?
How much is the pair of brown leather boots?
Haou meutche ize Ve père ove braoune ***lè****Veu boutse*

≺ It's on sale, fifty per cent off.
itse one seïle ***fif****ti peure sènnte ofe*
Elle est soldée à moins cinquante pour cent.

➤ Combien coûtent les maillots de bain en vitrine ?
How much are the swimsuits in the window?
Haou meutche a:re Ve ***souim****soutse ine Ve* ***ouinn****deou*

≺ The one on the left is sixty pounds, the one in the middle fifty pounds.
Ve ouane one Ve lèfte ize ***siks****ti paoundz Ve ouane ine Ve* ***mi****deule* ***fif****ti paoundz*
Celui à gauche coûte 60 livres, celui du milieu 50 livres.

➤ Avez-vous quelque chose de moins cher/dans une autre couleur ?
Have you got anything cheaper/in another colour?
Have iou gote ***è****niFinng* ***tchi:****peu/ine eu****no****Veu* ***ko****leu*

≺ We don't sell sandals/flip-flops/sport shoes.
oui donnte sèle ***sann****deulz/flipe flopse/spo:rtse chouze*
Nous ne vendons pas de sandales/de tongs/de chaussures de sport.

≺ Do you need some shoe polish/inner soles?
diou ni:de some chou ***po****liche/inneu seoulz*
Avez-vous besoin de cirage/de semelles ?

➤ Je voudrais rendre ces bas, j'ai changé d'avis.
I'd like to return these stockings, I've changed my mind.
*aïde laïke tou ri****teur****ne Vize* ***sto****kinngz aïve tcheïnndjde maï maïnnde*

L'ANGLAIS dans tous ses ÉTATS

Manières de dire

Si le mot américain **pants** signifie « pantalon », gardez-vous bien d'utiliser ce mot pour complimenter un Anglais sur sa tenue. En anglais britannique, **pants** désigne en effet des sous-vêtements ! Quelques autres différences sont à retenir : les Américains disent **sweater** au lieu de **jumper** (« pull »), **turtle neck** pour **polo neck** (« col roulé »), **undershirt** pour **vest** (« maillot de corps ») et **pantyhose** (« collants ») pour **tights**. « Cabines d'essayage » se traduit par **fitting rooms** en Grande Bretagne et **dressing rooms** aux États-Unis.

Citation

'Fashion is a form of ugliness so intolerable that we have to alter it every six months.'

La mode est une forme de laideur si insupportable qu'il faut en changer tous les six mois.

Cette citation de l'écrivain anglo-irlandais Oscar Wilde (1845-1900) est une condamnation sans appel de la mode considérée comme un phénomène éphémère et sans intérêt par opposition à l'art.

Hyde Park à Londres

EN VILLE
in town

Les mots pour le dire

une ville	a town, a city	*e taoune, e **si**ti*
le centre-ville	the city-centre	*Ve **si**ti **sènn**teu*
un plan de la ville	a city map	*e **si**ti mape*
l'avenue principale	the main street	*Ve meïne stri:te*
une artère commerciale	a shopping street	*e **chop**inng stri:te*
le centre historique	the historical city centre	*Ve His**to**rikeule **si**ti **sènn**teu*
le quartier des affaires	the business district	*Ve **biz**nisse **dis**trikte*
une zone piétonne	a pedestrian area	*e pi**dès**trieune **è**rieu*
une rue	a street	*e stri:te*
une place	a square	*e skouère*
un passage souterrain	a subway	*e **seub**oueï*
un pont	a bridge	*e bridje*
un parc	a park	*e pa:rke*
une aire de pique-nique	a picnic area	*e piknike **è**rieu*
une église	a church	*e tcheurtche*
une cathédrale	a cathedral	*e keu**Fi:**dreule*
un musée	a museum	*e miou**zi**eume*
l'hôtel de ville	the town hall	*Ve taoune Ho:le*
l'office du tourisme	the tourist (information) office	*Ve **tou**riste (innfo:r**meï**cheune) **o**fisse*
un lampadaire	a lamp post	*e lammpe poste*
une poubelle	a rubbish bin	*e **reu**biche bine*
un banc	a bench	*e bènntche*
une fontaine	a fountain	*e **faoun**teune*

➤ S'exprimer ◄ Comprendre

➤ Savez-vous où se trouve la place du marché ?
Do you know where the market place is?
diou neou ouère Ve ***ma:r****kit pleïsse ize*

◄ It's down the main street, opposite the town hall.
itse daoune Ve meïne stri:te ***o****peuzite Ve taoune Ho:le*
Elle est au bout de l'avenue principale, en face de la mairie.

➤ Est-ce qu'il y a une aire de pique-nique à proximité ?
Is there a picnic area nearby?
ize Vère e ***pik****nike* ***eï****rieu* ***ni:r****baï*

◄ You can picnic in the park near the public library.
iou kane ***pik****nike ine Ve pa:rke ni:re Ve* ***peu****blike* ***laï****breuri*
Vous pouvez pique-niquer dans le square à côté de la bibliothèque.

➤ Où sont les toilettes publiques ?
Where are the public toilets?
ouère a:re Ve ***peu****blike* ***toï****leutse*

◄ There are toilets inside the train station.
Vère a:re ***toï****leutse inn****saïde*** *Ve treïne* ***steï****cheune*
Il y a des toilettes dans la gare.

◄ You can withdraw some cash in the shopping centre.
*iou kanne oui****Vdro:*** *some kache ine Ve* ***chop****inng* ***sènn****teu*
Vous pouvez retirer de l'argent dans le centre commercial.

➤ Savez-vous où se trouve l'office du tourisme ?
Do you know where the tourist office is?
diou neou ouère Ve ***tou****riste* ***o****fisse ize*

◄ It's located next to the cathedral in the middle of the historical centre.
*itse lo****keï****tide nèkste tou Ve keu****Fi:****dreule ine Ve* ***mi****deule ove Vi His****to****rikeule* ***sènn****teu*
Il se trouve à côté de la cathédrale au cœur du centre historique.

➤ Nous avons besoin d'un plan détaillé de la ville.
We need a detailed map of the city.
*oui ni:de e **di:**taïlde mape ove Ve **si**ti*

≺ Here are some brochures ou leaflets about the main sights.
*Hire a:re some **breou**cheuz - **li:**flètse eu**baoute** Ve meïne saïtse*
Voici des dépliants sur les principales attractions.

≺ You will find free printable and downloadable city travel maps on our website.
*iou ouile faïnde fri: **prinn**teubeule annde daounn**leou**deubeule **si**ti **tra**veule mapse one aoueu **ouèb**saïte*
Vous trouverez sur notre site Internet des plans touristiques de la ville à télécharger et imprimer gratuitement.

➤ Y a-t-il un musée des Beaux-Arts ?
Is there a fine arts museum?
*ize Vère eu faïne a:rtse miou**zi**eume*

≺ Would you like a list of youth hostels/bed and breakfast places?
*oude iou laïke e liste ofe iouFe **Hos**teulz/bède eunde **brèk**feuste pleïssize*
Voulez-vous une liste des auberges de jeunesse/des bed and breakfast ?

➤ Quels restaurants typiques pouvez-vous nous recommander ?
What typical restaurants would you recommend?
*ouate **ti**pikeule **rès**tranntse woude iou rikeu**mènnde***

➤ Y a-t-il des événements culturels cette semaine ?
Are there any cultural events on this week?
*a:re Vère èni Keultcheureule i**vènntse** Visse oui :ke*

≺ Here are some brochures about the museums.
*Hire a:re some **breou**cheurz eu**baoute** Ve miou**zi**eumz*
Voici des brochures sur les musées.

➤ Savez-vous où se trouve l'ambassade de France ?
Do you know where the French Embassy is?
*diou neou ouère Ve Frènnche **èm**beussi ize*

L'ANGLAIS dans tous ses ÉTATS

Manières de dire

Le centre ville se dit **city centre** en Grande-Bretagne et **downtown** aux États-Unis. Les Américains utilisent le terme **sidewalk** au lieu de **pavement** (trottoir), **underpass** au lieu de **subway** (passage souterrain).

? Le saviez-vous ?

Vous n'avez pas de plan de Londres ? Il ne vous reste plus qu'à demander votre chemin, mais ne soyez pas dérouté(e) si on vous oriente vers **the Shard** (« le tesson »), **the Walkie-talkie** (« le talkie-walkie ») **the Armadillo** (« le tatou »), **the Razor** (« le rasoir »), **the Cheesegrater** (« la râpe à fromage ») ou encore **the Gherkin** (« le cornichon »). Tous ces noms insolites désignent des gratte-ciel (**skyscrapers**) qui doivent leur surnom à des formes pour le moins atypiques !

Expression

L'expression *town and gown* (littéralement « la ville et la toge ») est utilisée pour distinguer les deux communautés qui composent une ville universitaire en Angleterre. **Gown** désigne la communauté universitaire et **town** le reste de la population. L'utilisation du terme **gown** date du Moyen Âge. À l'époque, les étudiants étaient vêtus de toges similaires à celles portées par les membres du clergé. Ce vêtement est devenu, par la suite, la longue toge noire dotée d'un chapeau dit « de diplômé », qui est l'habit de cérémonie actuel.

RÉSERVER 1 : taxi, voiture

hiring a car/a taxi

Les mots pour le dire

une voiture	a car	*e ka:re*
un taxi	a taxi	*e **ta**ksi*
avec climatisation	with air-conditioning	*ouiVe ère keun**di**cheuninng*
un GPS	satnav	***sat**nave*
un siège bébé	a baby seat	*e **beï**bi si:te*
accessible aux personnes à mobilité réduite	wheelchair-accessible	***oui:l**tchère ak**sèss**eubeule*
le parebrise	the windscreen	*Ve **ouinnd**skri:ne*
le capot	the bonnet	*Ve **bo**nneute*
le coffre	the boot	*Ve boute*
les roues	the wheels	*Ve oui:lz*
une roue de secours	a spare tyre	*e spère taïeu*
les pneus	the tyres	*Ve taïeuz*
le réservoir d'essence	the fuel tank	*Ve fioule tannke*
les freins	the brakes	*Ve breïkse*
l'embrayage	the clutch	*Ve kleutche*
conduite automatique	automatic car	*oteu**ma**tike ka:re*
conduite manuelle	manual car	***ma**nioueule ka:re*
la consommation d'essence	petrol consumption	***pè**treule keun**seump**cheune*
un permis de conduire	a driving licence	*e **draï**vinng **laï**sseunse*
une assurance	an insurance	*eune in**chou**reunse*

attention aux faux amis

Attention aux confusions, petrol désigne *l'essence* et oil *le pétrole* !

➤ S'exprimer ⮜ Comprendre

➤ Je voudrais réserver un taxi pour aller à l'aéroport.
I'd like to book a taxi to go to the airport.
*aïde laïke tou bouke e **ta**ksi tou geou tou Vi **èr**po:rte*

⮜ Where do you need to be picked up?
ouère diou ni:de tou bi: pikte eupe
Où faut-il vous chercher ?

➤ Je suis à l'hôtel Magic.
I'm staying at the Magic hotel.
*aïme **steï**inng ate Ve **ma**djike Heou**tèle***

⮜ What time do you want the taxi to pick you up?
*ouate taïme diou ouannte Ve **ta**ksi tou pike iou eupe*
À quelle heure voulez-vous que le taxi vienne vous chercher ?

➤ Combien de temps faut-il pour aller à la gare ?
How long will it take to go to the train station?
*Haou lonng ouile ite teïke tou gueou tou Ve treïne **steï**cheune*

⮜ It should take twenty to thirty minutes depending on the traffic.
*ite choude teïke **touènn**ti tou **Feur**ti **mi**nitse di**pènnd**inng one Ve **tra**fike*
Cela devrait prendre entre vingt et trente minutes selon la circulation.

⮜ Do you need a baby seat/a wheelchair ramp?
*diou ni:de e **beï**bi si:te/e **oui:l**tchère rammpe*
Avez-vous besoin d'un siège pour enfant/d'une rampe d'accès pour fauteuil roulant ?

➤ Quel est le prix de la course ?
What's the fare?
ouatse Ve fère

⮜ Fares may be higher if there is heavy traffic.
*fèrz maï bi: Haïeu ife Vère ize Hèvi **tra**fike*
Les tarifs sont susceptibles d'augmenter s'il y a beaucoup de circulation.

➤ Je souhaiterais louer une voiture automatique.
I'd like to hire an automatic car.
*aïde laïke tou Haïeu eune oteu**ma**tik ka:re*

⮜ For how long?
fo:re Haou lonng
Pour combien de temps ?

⮜ For a day/a week/a fortnight.
*fo:re e deï/e oui:ke/e **fo:r**tnaïte*
Pour une journée/une semaine/deux semaines.

➤ Quels sont vos tarifs ?
What are your prices?
*ouate a:re iour **preïss**ize*

⮜ It will cost you thirty pounds per day.
*ite ouile koste iou **Feur**ti paoundz peure deï*
Cela vous coûtera trente livres par jour.

➤ À quelle heure faut-il restituer le véhicule ?
What time do we have to drop the car off?
ouate taïme dou oui Have tou drope Ve ka:re ofe

⮜ Before ten am.
*bi**fo:re** tène eï ème*
Avant dix heures.

➤ Est-ce que le plein a été fait ?
Has the tank been filled up?
Haze Ve tannke bi:ne filde eupe

➤ Comment ouvre-t-on le réservoir d'essence ?
How do you open the fuel tank?
*Haou diou **eou**peune Ve fioule tannke*

⮜ There is a deposit of a hundred pounds.
*Vère ize e di**po**zite ofe e **Heun**dride paoundz*
Il y a une caution de cent livres.

➤ Est-ce que cette voiture est équipée d'un GPS/lecteur CD ?
Has this car got satnav/a CD-player?
*Haze Visse ka:re gote **sat**nave/e si: di: **pleï**eure*

L'ANGLAIS dans tous ses ÉTATS

Manières de dire

Attention, les parties d'une voiture portent des noms différents aux États-Unis. *Capot* se traduit par **hood**, *parebrise* par **windshield**, *coffre* par **trunk**, *levier de vitesses* par **gear shift** (**gear lever** en Grande Bretagne), *pot d'échappement* par **tail pipe** et *plaque d'immatriculation* par **license plate**. Enfin, a **stickshift car** est *une voiture manuelle*.

Le saviez-vous ?

• Le mot **taxi**, apparu au début du XXe siècle, est une abréviation de **taximeter cab**. Un **taximeter** est un compteur automatique enregistrant la distance parcourue par un véhicule. **Cab** est lui même une abréviation du mot **cabriolet**. Si vous êtes rentré(e) chez vous en taxi, vous pouvez dire '**I cabbed home**' !

• Les lettres **m.p.g.** sont l'abréviation de **miles per gallon** (« nombre de miles parcourus par gallon d'essence »). **30 mpg** correspondent à une consommation d'environ 9,4 l aux 100 km en Grande-Bretagne et de 7,84 l aux États-Unis.

Expression

L'expression ***'Hit the road'*** signifie « prendre la route ». Le compositeur américain Percy Mayfiel l'a rendue célèbre dans sa chanson *'Hit the Road Jack'*. La version la plus connue de ce standard est celle de Ray Charles (en 1961) en duo avec Margie Hendricks. '**Hit the road Jack**' apparaît dans le refrain chanté par un chœur féminin. Il s'agit d'une épouse qui, lassée de son bon à rien de mari, le somme de s'en aller. Cette chanson serait une référence au livre de Jack Kerouac *On the Road (Sur la Route)*.

VISITES TOURISTIQUES

sightseeing

Les mots pour le dire

les attractions touristiques	the sights	*Ve saïtse*
un musée	a museum	*e miou**zi**eume*
une galerie	a gallery	*e **ga**leri*
un tableau	a painting	*e **peïnn**tinng*
une sculpture	a sculpture	*e **skeulp**tcheu*
une exposition	an exhibition	*eune èksi**bi**cheune*
un site historique	a historical site	*e His**to**rikeule saïte*
l'entrée	the entrance	*Vi **ènn**treunse*
le guichet	the ticket office	*Ve **ti**kite **o**fisse*
l'accueil	the information desk	*Vi innfo:r**meï**cheune dèske*
la bibliothèque	the library	*Ve **laï**brèri*
un billet	a ticket	*e **ti**kite*
les tarifs	the prices	*Ve **praï**ssize*
une réduction	a discount	*e **dis**kaounte*
un ascenseur	a lift	*e lifte*
les escaliers	the stairs	*Ve stèrz*
le vestiaire	the cloakroom	*Ve **kleouk**roume*
la librairie	the bookshop	*Ve **bouk**chope*
les heures d'ouverture	opening hours	***eou**peuninng aourz*
ouvert	open	***eou**peune*
fermé	closed	*kleouzde*
un(e) guide	a guide	*e gaïde*
une visite guidée	a guided tour	*e **gaï**dide toure*
un audioguide	an audio guide	*eune **o:**dieou gaïde*
une tablette	a tablet	*e **ta**blète*

attention aux faux amis

Attention : a library est *une bibliothèque* et non *une librairie*, qui se dit a bookshop en anglais britannique et a bookstore en anglais américain !

⮞ S'exprimer ⮜ Comprendre

⮜ The museum is open daily from ten am to six pm.
*Ve miou**zi**eume ize **eou**peune **daï**li frome tène eï ème tou sikse pi: ème*
Le musée est ouvert tous les jours de dix heures à dix-huit heures.

⮜ The museum is open until ten pm on Fridays and closed on Mondays.
*Ve miou**zi**eume ize **eou**peune euntile tène pi: ème one **fraï**dèz eunde klozde one **monn**dèz*
Le musée est ouvert jusqu'à vingt-deux heures le vendredi et fermé le lundi.

⮜ Last ticket sold at half past four, last entry at a quarter to five.
*la:ste **ti**kite seoulde ate Ha:fe pa:ste fo:re la:ste **ènn**tri ate e **kouo:**teu tou faïve*
Guichet fermé après 16 h 30, dernière admission à 16 h 45.

⮜ The exhibition closes fifteen minutes prior to the museum closing.
*Vi èksi**bi**cheune **kleou**zize fif**ti:ne mi**nitse praïeu tou Ve miou**zi**eume **kleouss**inng*
Fermeture de l'exposition quinze minutes avant la fermeture du musée.

⮜ Admission to the museum/castle/park is free.
*eud**mi**cheune tou Ve miou**zi**eume/kasseule/pa:rke ize fri:*
L'accès au musée/château/parc est gratuit.

⮜ Admission is free for children under sixteen.
*eud**mi**cheune ize fri: fo:re **tchil**dreune eundeu siks**ti:ne***
L'entrée est gratuite pour les enfants de moins de 16 ans.

⮞ Je voudrais deux entrées adultes et une sénior.
I'd like two adult and one senior tickets.
*aïde laïke tou **a**deulte eunde ouane **si**nieu **ti**kitse*

➤ J'ai une carte étudiant, est-ce que je peux bénéficier d'une réduction ?
I have a student card, can I get a discount?
*aï Have e **stiou**deunte ka:rde kane aï guète e **dis**kaounte*

⮜ Special exhibitions and audio guides are included in the price of admission.
*s**pè**cheule èksi**bi**cheunz eunde **o:**dieou gaïdz a:re in**klou**dide ine Ve praïsse ove ad**mi**cheune*
Les expositions temporaires et les audioguides sont inclus dans le prix de l'entrée.

➤ Y a-t-il des audioguides/visites guidées/plans du musée en français ?
Are there audio guides/guided tours/floor plans in French?
*a:re Vère **o:**dieou gaïdz/**gaï**dide tourz/flo:re plannz ine frènnche*

⮜ Prams, trolleys and bikes are not accepted in the cloakroom.
*prammz **tro**lize eunde baïkse a:re note eu**ksèp**tide ine Ve **kleouk**roume*
Les poussettes, caddies et vélos ne sont pas acceptés au vestiaire.

⮜ The guided tour starts in fifteen minutes and lasts for half an hour.
*Ve **gaï**dide toure sta:rtse ine fif**ti:ne mi**nitse eunde la:stse fo:re Ha:fe eune aoueu*
La visite guidée commence dans quinze minutes et dure une demi-heure.

➤ Est-ce que cette visite est adaptée aux enfants ?
Is this tour suitable for children?
*ize Visse toure **sou**teubeule fo:re **tchil**dreune*

⮜ Please do not touch works of art including outdoor sculptures.
*pli:ze dou note teutche oueurks ove a:rte inn**klou**dinng **aout**do:re **skeul**ptcheuz*
Interdiction de toucher les œuvres d'art y compris les sculptures exposées à l'extérieur.

➤ Peut-on prendre des photos avec le flash ?
Is flash photography permitted?
*ize flache feou**teou**greufi **peur**mitide*

L'ANGLAIS dans tous ses ÉTATS

Manières de dire

- Si les Anglais parlent de **queue** pour une file d'attente, les Américains utilisent davantage le terme **line**.

- Attention à certains termes trompeurs ! À l'entrée d'un musée, l'information **'Closed on Bank holidays'** ne fait pas référence aux congés des banquiers mais au fait que le musée est fermé pour un **public holiday** (jour férié). **'No camera extension poles allowed'** signifie que vous ne pouvez pas utiliser de perche télescopique pour prendre des photos ; *une caméra* se dit **a (film) camera** (GB) ou **a movie camera** (US).

- Derrière certaines abréviations se cachent les noms des grands musées. Le **Met** est le **Metropolitan Museum** et le **MoMA** est le **Museum of Modern Art** à New York. **V&A** désigne le **Victoria and Albert Museum** à Londres.

Expression

L'expression *a whistle-stop tour* (« un voyage aux arrêts marqués par des coups de sifflet ») résume bien ces voyages organisés qui consistent en la visite express de plusieurs lieux phares. À l'origine, cette expression désigne exclusivement les campagnes menées par les hommes politiques américains qui sillonnent le pays en effectuant de brefs arrêts dans différentes communautés. Sa première utilisation date de la campagne menée par le président Truman en 1948. Le terme **whistle** date de l'entre-deux-guerres lorsque les trains traversaient les petites villes sans s'arrêter. Les voyageurs qui souhaitaient descendre du train le faisaient savoir au conducteur en actionnant un sifflet.

RÉSERVER 2 : hôtel et restaurant

booking a table/a room

Les mots pour le dire

réserver	to book	*tou bouke*
une chambre avec vue sur mer	a room with a sea view	*e roume ouiVe e si: viou*
une chambre côté jardin	a room overlooking the garden	*e roume eouveu**louk**inng Ve **ga:r**deune*
une nuit/deux nuits	one night/two nights	*ouane naïte/tou naïtse*
une semaine/deux semaines	a week/a fortnight	*e oui:ke/e **fo:rt**naïte*
les tarifs	the rates	*Ve reïtse*
à partir du...	starting on the...	***sta:rt**inng one Ve*
petit-déjeuner inclus	breakfast included	***brèk**feuste inn**klou**dide*
tout inclus	all-inclusive	*o:le inn**klou**ssive*
demi-pension	half-board	*Ha:fe bo:rde*
pension complète	full-board	*foule bo:rde*
une table	a table	*e **teï**beule*
pour ce soir/demain soir	for tonight/ tomorrow night	*fo:re teu**naïte**/ teu**mo:**reou naïte*
nom de famille	surname	***seur**neïme*
prénom	first name	*feurste neïme*
adultes	adults	***u**deultse*
un enfant	a child	*e tchaïlde*
des enfants	children	***tchil**dreune*
accessible aux personnes à mobilité réduite	with wheelchair access	*ouiVe **ouil**tchère **ak**sèsse*
un chien	a dog	*e dogue*
un chat	a cat	*e kate*

⮞ S'exprimer ⮜ Comprendre

➤ J'aimerais réserver une chambre/une table pour deux personnes.
I'd like to book a room/a table for two.
*aïde laïke tou bouke e roume/e **teï**beule fo:re tou*

⮜ Under what name?
À quel nom ?
eundeu ouate neïme

➤ Au nom de Dupré.
My name is Dupré.
maï neïme ize dupré

➤ Est-ce que je peux réserver par téléphone/par internet ?
Can I make a reservation over the phone/online?
*kane aïe meïke e rèseur**veï**cheune eouveu Ve feoune/ one**laï**ne*

⮜ Do you have a reservation?
*diou Have e rèseur**veï**cheune*
Avez-vous une réservation ?

DANS UN HÔTEL

➤ Avez-vous des chambres libres ?
Have you got any vacancies?
*Have iou gote èni **veï**keunsize*

⮜ I'm sorry, we're full.
*aïme **so:**ri ouire foule*
Je suis désolé(e), nous sommes complets.

➤ Avez-vous des chambres accessibles aux personnes handicapées ?
Do you have wheelchair-accessible rooms?
*diou Have **ouil**tchère ak**sès**seubeule roumz*

⮜ The only room left is a family room.
*Vi onnli roume lèfte ize e **fa**mili roume*
Il ne reste qu'une chambre familiale.

RÉSERVER 2 : hôtel et restaurant

➤ Quel est le prix d'une chambre double ?
How much is a double room?
Haou meutche ize e ***deu****beule roume*

⮜ Eighty pounds a night.
eï*ti paoundz e naïte*
80 livres la nuit.

⮜ When are you planning to come?
ouène a:re iou ***plan****inng tou kome*
Quand souhaitez-vous venir ?

➤ Samedi prochain.
Next Saturday.
nèkste ***sa****teudè*

⮜ What time will you arrive?
*ouate taïme ouile iou eu****raïve***
À quelle heure arriverez-vous ?

➤ Vers midi.
Around noon.
*eu****raounde*** *noune*

➤ Acceptez-vous les animaux domestiques ?
Are pets allowed in the hotel?
*a:re pètse eu****laou****de ine Ve Heou****tèle***

⮜ How long/How many nights will you be staying?
Haou lonng/Haou mèni naïtse ouile iou bi: ***steï****inng*
Combien de temps/de nuits souhaitez-vous rester ?

➤ Nous avons l'intention de passer cinq nuits à l'hôtel.
We intend to spend five nights at the hotel.
*oui inn****tènn****de tou spènnde faïve naïtse ate Ve Heou****tèle***

⮜ Do you want a room with a shower or a bath?
diou ouannte e roume ouiVe e ***chaou****eu o:re e ba:Fe*
Voulez-vous une chambre avec une douche ou une baignoire ?

➤ Je voudrais une chambre calme avec un balcon.
I'd like a quiet room with a balcony.
aïde laïke e kouaïeute roume ouiVe e ***bal****keuni*

L'ANGLAIS dans tous ses ÉTATS

Manières de dire

• Notez que le terme **fortnight** est essentiellement utilisé par les Britanniques. Il vient du vieil anglais *feowertyne niht* (**fourteen nights** soit **quatorze nuits**). Les Américains préfèrent dire **two weeks**.

• Attention : **accommodation** n'a rien à voir avec un compromis, il s'agit d'un *logement* et le verbe **to accommodate** signifie « loger ». Le terme **lodgings** désigne *une chambre* ou *un endroit où dormir*, et **a lodging house** est *une pension*.

? Le saviez-vous ?

Si vous cherchez le mot **board** de ***room and board*** (« le gîte et le couvert ») dans le dictionnaire, vous trouverez comme sens premier celui de « planche » et vous vous demanderez, à juste titre, quel est le rapport avec l'idée de *pension complète*. Au Moyen Âge, le mot **board** ('**bord**' en vieil anglais) désignait tout simplement les planches de bois sur lesquelles les paysans prenaient leur repas. On trouve également ce mot dans l'expression archaïque ***God's board*** (aujourd'hui ***Lord's table*** ou ***Communion table***) qui est, dans la religion protestante, la table sur laquelle est préparée l'Eucharistie (par opposition à l'autel dans la religion catholique).

Expression

L'expression ***'To live out of a suitcase'*** (littéralement « vivre de sa valise ») signifie voyager d'un endroit à un autre sans jamais y rester plus que quelques jours et sans défaire ses bagages.

SORTIR

going out

Les mots pour le dire

un cinéma	a cinema	*e **si**neumeu*
le guichet	the box office	*Ve bokse **o**fisse*
les films à l'affiche	films showing	*filmz **cheuou**inng*
sous-titré	subtitled	*seub**taï**teulde*
un écran panoramique	a panoramic screen	*e paneu**ra**mike skri:ne*
un siège	a seat	*e si:te*
une rangée	a row	*e reou*
une bande-annonce	a trailer	*e **treï**leu*
des lunettes 3D	3D glasses	*Fri: di: **gla:ss**ize*
l'ouvreuse	the usherette	*Vi eucheu**rète***
un théâtre	a theatre	*e **Fi**ateu*
une salle de concert	a concert hall	*e **konn**seurte ho:le*
un opéra	an opera house	*eune **o**preu Haouze*
le balcon	the dress circle	*Ve drèsse **seur**keule*
la fosse d'orchestre	the orchestra pit	*Vi **o:r**kèstreu pite*
une troupe (de théâtre)	a company	*e **komm**peuni*
un comédien	an actor	*eune akteu*
une comédienne	an actress	*eune aktrèsse*
une représentation	a show	*e cheou*
une pièce de théâtre	a play	*e pleï*
la scène	the stage	*Ve steïdje*
un programme	a programme	*e **preou**grame*
le vestiaire	the cloakroom	*Ve **kleouk**roume*
l'entracte	the interval	*Vi **inn**teuveule*
une boîte de nuit	a night club	*e naïte kleube*
code vestimentaire	dress code	*drèsse keoude*
le prix d'entrée	the admission fee	*Vi eud**mi**cheune fi:*

attention aux faux amis

A comedian n'est pas *un comédien* mais *un humoriste, un comique.*

⊳ S'exprimer ⊲ Comprendre

➤ Je cherche une billetterie.
I'm looking for a ticket booth.
*aïme **louk**inng fo:re e **ti**kite bouFe*

⮜ There is an open-air concert in Hyde Park tonight.
*Vère ize eun **eou**peune ère **konn**seurte ine Haïde pa:rke **tou**naïte*
Il y a un concert en plein air à Hyde Park ce soir.

➤ Que joue-t-on au cinéma/au théâtre ce soir ?
What's on at the cinema/the theatre tonight?
*ouatse one ate Ve **si**neumeu/Ve **Fi**ateu **tou**naïte*

➤ Je voudrais acheter des places pour voir la comédie musicale Cats.
I'd like to buy tickets for the musical Cats.
*aïde laïke tou baï **ti**kitse fo:re Ve **miou**zikeule katse*

➤ Je voudrais quatre billets plein tarif pour demain soir.
I'd like four full-price tickets for tomorrow night.
*aïde laïke fo:re foule praïsse **ti**kitse fo:re teu**mo:**reou naïte*

➤ Je suis étudiant, est-ce que j'ai droit à une réduction ?
I'm a student, can I have a discount?
*aïme e **stiou**deunte kane aï Have e **dis**kaounte*

⮜ Where would you like to be seated?
*ouère woude iou laïke tou bi: **si:**tide*
Où souhaitez-vous être assis ?

➤ Au premier balcon/Dans la fosse.
In the dress circle/In the pit.
*ine Ve drèsse **seur**keule/ine Ve pite*

⮜ All the seats in the dress circle/in the pit are sold out.
*o:le Ve si:tse ine Ve drèsse **seur**keule/ine Ve pite a:re seoulde aoute*
Il ne reste plus de place au premier balcon/dans la fosse.

⮜ Your seat number is thirty-six, row seven.
*ioure si:te **neum**beu ize **Feur**ti sikse reou **sè**veune*
Votre numéro de place est le 36, allée 7.

➤ À quelle heure commence la représentation/le film ?
What time does the show/the film start?
ouate taïme doze Ve cheou/Ve film sta:rte

➤ Quel genre de film est-ce ?
What type of film is it?
ouate taïpe ofe film ize ite

◄ It's an action film/a thriller/a comedy/a musical.
*itse eune **ak**cheune film/e **Fri**leu/e **ko**mèdi/e **miou**zikeule*
C'est un film d'action/un policier/une comédie/une comédie musicale.

◄ Please switch off your mobile phones.
*pli:ze souitche ofe ioure **meou**baïle Feounz*
Prière d'éteindre vos portables.

➤ Où peut-on acheter quelque chose à boire/à manger ?
Where can I buy something to drink/to eat?
*ouère kane aï baï **somm**Finng tou drinnke/tou i:te*

➤ Je cherche le bar/le vestiaire/les toilettes.
I'm looking for the bar/the cloakroom/the toilets.
*aïme **lou**Kinng fo:re Ve ba:re/Ve **kleou**Kroume/Ve **toï**litse*

◄ There is a fifteen-minute interval.
*Vère ize e fif**ti:ne** **mi**nite **in**teurveule*
Il y a un entracte de quinze minutes.

➤ Pourriez-vous nous recommander une boîte de nuit/un bar ?
Could you recommend a nightclub/a bar?
*koude iou rikeu**mènnde** e **naïtt**kleube/e ba:re*

➤ À quelle heure est-ce que le club ferme ?
What time does the club close?
ouate taïme doze Ve kleube kleousse

➤ Quel type de musique jouez-vous ?
What type of music do you play?
*ouate taïpe ofe **miou**zike diou pleï*

L'ANGLAIS dans tous ses ÉTATS

Manières de dire

• Un cinéma se dit **a movie theater** aux États-Unis. Au théâtre, *balcon* se traduit par **dress circle** (GB) ou **balcony** (US).

• Il peut être utile de savoir décoder quelques abréviations. Les trois lettres **Tkt** sont un raccourci de **ticket booth** *(billetterie)*. **4D** signifie **four-dimensional film** *(un film en quatre dimensions)*. **U (universal)** et **G (general audiences)** sont utilisés respectivement en Grande-Bretagne et aux États-Unis pour indiquer qu'un film est « grand public ». Ce qui n'est pas le cas des films marqués des lettres **PG** pour **parental guidance suggested** (accord parental conseillé), **R** pour **restricted** (les enfants de moins de 17 ans doivent être accompagnés d'un adulte), **NC-17** pour **no children under 17** (interdit aux enfants de moins de 17 ans). En Grande-Bretagne, il est fréquent que seul l'âge minimum requis soit mentionné (par exemple : **16** pour « interdit au moins de 16 ans »).

Le saviez-vous ?

L'abréviation **showbiz (show business)**, qui date des années 1940, est sans aucun doute l'une des expressions les plus populaires aux États-Unis. À l'époque, on s'exclamait **'That's show biz!'** lorsque quelque chose d'inattendu se produisait. Plus récent, l'adjectif **show-bizzy** indique que quelque chose est typique du **show business**.

FAIRE DU SPORT

sport activities

Les mots pour le dire

faire du sport	to do sport	*tou dou spo:rte*
un centre de fitness	a fitness centre	*e **fitt**nisse **sènn**teu*
un moniteur	an instructor	*eune inn**streuk**teu*
un cours particulier	a private lesson	*e **praï**vite **lè**sseune*
un débutant	a beginner	*e **bi**guineu*
un joueur expérimenté	an experienced player	*eune iks**pi**rieunste pleïeu*
le matériel	the equipment	*Vi i**kouip**meunte*
la natation	swimming	***souim**minng*
une piscine en plein air	an open-air swimming-pool	*eune **eou**peune ère **souim**minng poule*
une piscine couverte	a covered pool	*e **ko**veude poule*
la voile	sailing	***saï**linng*
un voilier	a sailboat	*e **saïl**beoute*
la plongée sous-marine	scuba-diving	***skou**beu **daï**vinng*
un tuba	a snorkel	*e **sno:rk**eule*
la randonnée	hiking	***Haï**kinng*
une randonnée	a hike	*e Haïke*
un sentier de randonnée	a hiking trail	*e **Haï**kinng treïle*
faire un footing	to go jogging	*tou gueou **djo**guinng*
faire du vélo	to ride a bike	*tou raïde e baïke*
le golf	golf	*golfe*
un terrain de golf	a golf course	*e golfe ko:rse*
des clubs de golf	golf clubs	*golfe kleubz*
un sac de golf	a golf bag	*e golfe bague*
une voiturette	a cart	*e karte*
un court de tennis	a tennis court	*e **tè**nisse ko:rte*
une raquette	a racket	*e **ra**kète*
le filet	the net	*Ve nète*

⮞ S'exprimer ⮜ Comprendre

➤ Je voudrais prendre des cours de tennis/de gym/de voile.
I'd like to take tennis/gym/sailing lessons.
*aïde laïke tou teïke tènisse/djime/**seïl**inng **lè**sseunz*

⮜ Have you ever done this sport?
Have iou èveu done Visse spo:rte
Avez-vous déjà pratiqué ce sport ?

➤ Non, je suis un(e) parfait(e) débutant(e).
No, I haven't. I'm a complete beginner.
*neou aï Haveunte aïme e keum**pli:te bi**guineu*

⮜ The beginner's course starts at nine am.
*Ve **bi**guineuz ko:rse sta:rtse ate naïne eï ème*
Le cours pour débutants commence à neuf heures.

➤ J'ai un niveau intermédiaire.
I'm an intermediate player.
*aïme eune innteu**mi:**dieute **pleï**eu*

➤ Je voudrais réserver un cours de tennis pour dix heures.
I'd like to book a tennis court for ten am.
*aïde laïke tou bouke e **tè**nisse ko:rt fo:re tène eï ème*

⮜ You have free access to the gym.
*iou Have fri: **ak**sèsse tou Ve djime*
Vous avez l'accès gratuit à la salle de gym.

➤ Je cherche le vestiaire pour femmes/pour hommes.
I'm looking for the ladies'/men's changing facilities.
*aïme **lou**kinng fo:re Ve **leï**dize/mènnze **cheïnndj**inng feu**ssi**litize*

⮜ The changing facilities have steam rooms, showers and lockers.
*Ve **cheïnndj**inng feu**ssi**litize Have sti:me roumze **chaou**euz eunde **lo**keuz*
Les vestiaires sont équipés de saunas, de douches et de casiers.

➤ Je voudrais faire un baptême de l'air en deltaplane.
I'd like to do a first hang-gliding flight.
*aïde laïke tou dou e feurste Hanng **glaïd**inng flaïte*

➤ Est-ce que vous proposez des cours de parapente ?
Do you have paragliding courses?
*diou Have pareu**glaïd**inng **ko:r**size*

➤ A paragliding course lasts two hours and costs eighty pounds.
*e pareu**glaïd**inng ko:rse la:stse tou aoueuz eunde kostse **eï**ti paoundz*
Un cours de parapente dure deux heures et coûte 80 livres.

➤ Nous avons besoin d'informations sur le centre équestre.
We need information about the riding centre.
*oui ni:de info:r**meï**cheune eu**baoute** Ve **raïd**inng **sènn**teu*

➤ Here are the sailing club's opening hours.
*Hire a:re Ve **seïl**inng kleubze **eou**peuninng aoueuz*
Voici les horaires d'ouverture du club de voile.

➤ Combien de temps la randonnée dure-t-elle ?
How long does the hike last?
Haou lonng doze Ve Haïke la:ste

➤ About three hours. It's a twelve-kilometre walk.
*eu**baoute** Fri: aoueuz itse e touèlve ki**lo**miteuz ouo:ke*
Environ trois heures. C'est un parcours de douze kilomètres.

➤ Où est le départ de la marche ?
Where is the starting point of the walk?
*ouère ize Ve **sta:rt**inng poïnnte ove Ve ouo:ke*

➤ There is a marked path up to the lake.
Vère ize e ma:rkte pa:Fe eupe tou Ve leïke
Il y a un chemin balisé jusqu'au lac.

➤ Est-il possible de louer des raquettes/des vélos ?
Can we hire rackets/bikes?
*kane oui Haïeu **ra**kètse/baïkse*

➤ Yes, you can but you must leave a deposit.
*ièsse iou kane beute iou meuste li:ve e di**po**zite*
Oui, mais vous devez déposer une caution.

L'ANGLAIS dans tous ses ÉTATS

Manières de dire

• Si les Britanniques parlent comme nous de football et de football américain (**American football**), les Américains parlent eux de **soccer** et de **football** pour désigner ces mêmes sports.

• Partant(e) pour une partie de ping-pong ? Sachez qu'une raquette de ping-pong se dit **bat** en Grande-Bretagne et **paddle** aux États-Unis. Certains noms des terrains de sport diffèrent également : **basketball court** (GB)/**basketball field** (US), **football pitch** (GB)/**soccer field** (US).

Expressions

A good sport est un « bon perdant » par opposition à ***sore loser*** ou encore ***bad champ***. On qualifie également de ***good sport*** une personne qui ne s'offense pas des plaisanteries dont il fait l'objet ***(butt of a joke)***.

Citation

'To find a man's true character, play golf with him.'

C'est en disputant une partie de golf avec quelqu'un que l'on découvre sa vraie personnalité.

P.G. Wodehouse

P.G. Wodehouse (1881-1975), Britannique naturalisé américain, est célèbre pour le nombre et la diversité de ses écrits ainsi que pour le personnage de Jeeves, un valet de chambre aussi connu que Sherlock Holmes en Grande-Bretagne. La citation tirée du roman *Golf without Tears* reflète cet humour typiquement britannique dont il use pour croquer des personnages issus de l'aristocratie.

À LA PLAGE

at the beach

Les mots pour le dire

la mer	the sea	Ve si:
une plage de sable fin	a beach with fine sand	e bi:tche ouiVe faïne **sann**de
une plage de galets	a pebble beach	e **pè**beule bi:tche
un coquillage	a seashell	e **si:**chèle
une méduse	a jellyfish	e **djè**lifiche
les vagues	the waves	Ve oueïvz
marée haute/basse	high/low tide	Haï/leou taïde
des algues	seaweed	**si:**oui:de
un maillot de bain pour femme	a swimsuit	e **souimm**soute
un short de bain	swimming trunks	**souim**minng treunkse
des lunettes de soleil	sunglasses	**seun**glassize
des tongs	flip-flops	flipe flopse
une serviette de plage	a beach towel	e bi:tche **taou**eule
un parasol	a beach umbrella	e bi:tche eum**brè**leu
un transat	a beach chair	e bi:tche tchère
une bouée gonflable	a rubber ring	e **reu**beu rinng
des palmes	flippers	**fli**peuz
de la crème solaire	sun cream	seune kri:me
un seau et une pelle	a bucket and a spade	e **beu**kit eunde e speïde
une cabine de plage	a beach hut	e bi:tche Heute
un secouriste	a lifeguard	e **laïf**gua:rde
"baignade surveillée"	"lifeguard on duty"	**laïf**gua:rde one **diou**ti

attention aux faux amis

Le mot hazard ne signifie pas *hasard* mais *danger*.

➤ S'exprimer ⮜ Comprendre

➤ La baignade est-elle autorisée ici ?
Is swimming authorized here?
*ize **souim**minng o:Feu**raïzde** Hire*

⮜ This is a private/public/nude beach.
*Visse ize e **praï**vite/**peu**blike/nioude bi:tche*
C'est une plage privée/publique/naturiste.

➤ Où peut-on louer un pédalo/un transat/un parasol ?
Where can we hire a pedalo/a beach chair/a beach umbrella?
*ouère kane oui Haïeu e **pè**deuleou/e bi:tche tchère/e bi:tche eum**brè**leu*

⮜ There are showers/beach huts not far away from here.
Vère a:re chaoueuz/bi:tche Heutse note fa:re eoueï frome Hire
Il y a des douches/des cabines de plage un peu plus loin.

➤ Excusez-moi, pouvons-nous nous installer ici ?
Excuse me, can we sit down here?
*iks**kiouze** mi: kane oui site daoune Hire*

⮜ There aren't any ice-cream sellers on this beach.
*Vère annte èni aïsse kri:me **sè**leuz one Visse bi:tche*
Il n'y a pas de vendeur de glaces sur cette plage.

➤ Pourriez-vous surveiller nos serviettes/affaires ?
Could you keep an eye on our towels/things?
*koude iou ki:pe eune aï one aoueu **taou**eulz/Finngz*

⮜ Be careful, the water is very cold/quite deep.
*bi: **kèr**foule Ve **ouo**teu ize vèri ko:lde/kouaïte di:pe*
Faites attention, l'eau est très froide/très profonde.

➤ Je voudrais acheter un seau et une pelle/de la crème solaire.
I'd like to buy a bucket and a spade/some sun cream.
*aïde laïke tou baï e **beu**kit eunde e speïd/some seune kri:me*

◄ Does this ball/rubber ring belong to you?
*doze Visse bo:le/**reu**beu rinng bi**lonng** tou iou*
Est-ce que ce ballon/cette bouée vous appartient ?

► Nous voudrions faire de la planche à voile.
We'd like to go windsurfing.
*ouide laïke tou gueou **ouinnd**seurfinng*

► Combien coûte la location d'une planche à voile ?
How much does it cost to hire a windsurfing board?
*Haou meutche doze ite koste to Haïeu e **ouinnd**seurfinng bo:rde*

◄ It is dangerous to swim/dive around here.
*ite ize **deïnn**djreusse to souime/daïve euraounde Hire*
Il est dangereux de nager/plonger par ici.

► Est-ce que vous vendez des filets/des brassards/des matelas pneumatiques ?
Do you sell nets/armbands/lilos?
*diou sèle nètse/**a:rm**banndz/**laï**leouz*

◄ Don't swim out too far from the shore, the currents are quite strong.
*donnte souime aoute tou fa:re frome Ve cho:re Ve **keu**reunte a:re kouaïte stronng*
Ne vous éloignez pas de la côte, les courants sont très forts.

◄ Beware of jellyfish/sharks/strong currents!
*bi**ouère** ove **djè**lifiche/cha:rkse/stronng **keu**reuntse*
Attention aux méduses/requins/forts courants !

► J'ai été piqué par une méduse.
I've been stung by a jellyfish.
*aïve bi:ne steung baï e **djè**lifiche*

► Quels sont les horaires de la marée haute/basse ?
When is high/low tide?
ouène ize Haï/leou taïde

► Où se trouve la cabine/la tour des secouristes ?
Where is the lifeguard hut/tower?
*ouère ize Ve **laïf**gua:rde Heute/**taou**eu*

L'ANGLAIS dans tous ses ÉTATS

Manières de dire

- Si les Britanniques enfilent des **plastic sandals**, des **jellies** (« méduses ») et des **flip-flops** (tongs), les Américains eux parlent de **jelly shoes** et de **thongs**.

- Dans leurs sacs de plage, les Australiens emportent des **marine stingers** (« méduses »), des **sunnies** (« lunettes de soleil ») et des **cossies** (abréviation de **swimming costumes** maillots de bain).

- Un *sauveteur* se dit **lifeguard** mais vous pouvez également utiliser les termes **beach guard** en Grande-Bretagne, **coast guard** aux États-Unis et **surf lifesaver** en Australie.

- Contrairement au français, il existe deux termes distincts en anglais pour parler des coquillages : **shellfish** désigne le mollusque et **shell** ou **seashell** la coquille. Le terme américain **mossback** décrit un vieux coquillage, ou une tortue, dont la coquille, ou la carapace, est couverte d'algues. (Au sens figuré, **a mossback** désigne « un vieux conservateur » !) Notez enfin que le terme **shell** est également utilisé pour parler de tout type de coquilles : **nutshell** (coquille de noix), **eggshell** (coquille d'œuf) ou encore **snail shell** (coquille d'escargot).

Expression

L'expression ***'he/she's not the only fish in the sea'*** (littéralement « ce n'est pas le seul poisson dans la mer ») est bien connue des amants éconduits. C'est un peu l'équivalent de notre « un(e) de perdu(e), dix de retrouvé(e)s ».

FAIRE DU SKI/LOUER UN VÉLO

to go skiing/hire a bike

Les mots pour le dire

une montagne	a mountain	*e **maoun**teune*
une station de ski	a ski resort	*e ski ri**zo:r**te*
une location de ski	ski rental	*ski **rènn**teule*
un télésiège	a ski lift	*e ski lifte*
un téléphérique	a cablecar	*e **keï**beulka:re*
une piste de ski	a ski run	*e ski reune*
un refuge	a mountain refuge	*e **maoun**teune **rè**fioudje*
des skis	skis	*skize*
des bâtons de ski	ski poles	*ski peoulz*
une combinaison	a ski suit	*e ski soute*
des gants de ski	ski gloves	*ski glovz*
un bonnet en laine	a woolly hat	*e wouli Hate*
un forfait de ski	a ski pass	*e ski pa:sse*
des pneus neige	snow tyres	*sneou taïeuz*
un vélo	a bicycle, a bike	*e **baï**ssikeule, e baïke*
un VTT	a mountain bike	*e **maoun**teune baïke*
la selle	the saddle	*Ve **sa**deule*
le guidon	the handlebars	*Ve **Hannd**eulba:rz*
les pédales	the pedals	*Ve **pè**deulz*
les freins	the brakes	*Ve breïkse*
la chaîne	the chain	*Ve tcheïne*
un siège enfant	a child carrier	*e tchaïlde **ka**rieu*
un casque	a helmet	*e **Hèl**mète*
une pompe	a pump	*e peumpe*

note

Pour les Anglais, le mot après-ski ne fait pas référence aux chaussures que l'on enfile pour marcher dans la neige, mais aux activités auxquelles on peut s'adonner à l'hôtel ou au restaurant après avoir skié. Les chaussures, quant à elles, se traduisent par moon boots ou snow boots.

➤ S'exprimer ⮜ Comprendre

➤ Combien coûte un forfait de ski pour six jours ?
How much is a ski pass for six days?
Haou meutche ize e ski pa:sse fo:re siks deïze

⮜ What type of ski pass do you want?
ouate taïpe ofe ski pa:sse diou ouannte
Quel type de forfait voulez-vous ?

➤ Deux forfaits adultes et un enfant.
Two adults and one child ski passes.
*tou **a**deultse eunde ouane tchaïlde ski pa:ssize*

➤ Est-ce que le forfait comprend l'accès illimité aux télésièges ?
Does the pass include unlimited access to the ski lifts?
*doze Ve pa:sse inn**kloude** eunli**mi**tide **ak**sèsse tou Ve ski liftse*

➤ J'ai besoin d'une paire de skis/d'un casque/de lunettes de ski.
I need a pair of skis/a helmet/ski googles.
*aï ni:de e père ofe skize/e **Hèl**mète/ski **go**golz*

⮜ What's your shoe size?
ouatse iour chou saïze
Quelle est votre pointure ?

➤ À quelle heure ouvrent/ferment les remontées ?
What time do the ski lifts open/close?
*ouate taïme dou Ve ski liftse **eou**peune/kleousse*

➤ J'ai réservé mon forfait en France par internet.
I booked my ski pass in France on the Internet.
*aï boukte maï ski pa:sse ine fra:nnse one Vi **inn**teunète*

⮜ You can get your ski pass at the desk in the ski resort.
*iou kane guète iour ski pa:sse ate Ve dèske ine Ve ski ri**zo:rte***
Vous pouvez retirer votre forfait au guichet de la station de ski.

➤ Je voudrais que mes enfants prennent des cours de ski de fond/ ski alpin.
I'd like my children to take cross-country/downhill ski lessons.
*aïde laïke maï **tchil**dreune tou teïke krosse **kaoun**tri/**daoun**Hile ski **lè**sseunz*

⮜ The beginner's/the red/blue/black run starts here.
*Ve bi**gui**neuz/Ve rède/blou/blake reune sta:rtse Hire*
La piste verte/rouge/bleue/noire commence ici.

⮜ The bicycle rental opens at eight am.
*Ve **baï**ssikeule **rèn**nteule **eou**peunz ate eïte eï ème*
Le magasin de location de vélos ouvre à huit heures.

➤ Je voudrais louer un vélo pour un adulte.
I'd like to hire a bike for an adult.
*aïde laïke tou Haïeu e baïke fo:re eune **a**deulte*

⮜ Do you need a child carrier?
*diou ni:de e tchaïlde **ka**rieu*
Est-ce que vous avez besoin d'un siège pour enfants ?

⮜ We don't rent bikes for children under four years old.
*oui donnte **rèn**nte baïkse fo:re **tchil**dreune eundeu fo:re yeurz eoulde*
Nous ne louons pas de vélos pour les enfants de moins de quatre ans.

➤ Quel est le tarif pour une heure/pour une journée ?
How much does it cost for an hour/for a day?
Haou meutche doze ite koste fo:re eune aoueu/fo:re e deï

➤ A-t-il/elle besoin de roues stabilisatrices?
Does he/she need stabilisers?
*doze Hi/she ni:de stabi**laï**zeuz*

➤ Ce casque est trop serré/large, pourrais-je en avoir un autre ?
This helmet is too tight/big, could I have another one?
*Visse **Hèl**mète ize tou taïte/bigue koude aï have eu**no**Veu ouane*

⮜ Don't forget your bike pump/your helmet!
*donnte fo:r**guète** ioure baïke peumpe/ioure **Hèl**mète*
N'oubliez pas votre pompe à vélo/votre casque !

L'ANGLAIS dans tous ses ÉTATS

Manières de dire

- **Ski hire** (location de skis) se dit également **ski rental**.
- Le mot **bike** se retrouve dans de nombreuses constructions qui n'ont rien à voir avec le cyclisme ! **Bike boys** désigne « la police », l'expression ***on your bike*** est utilisée pour signifier à quelqu'un qu'il doit s'en aller. Si on vous dit **get on your bike**, on ne vous invite pas à faire une promenade à vélo mais à chercher du travail. **To be in the saddle** ne veut pas dire être assis sur un vélo mais « tenir les rênes ». Enfin, **a snow-bike** n'est pas un vélo des neiges mais *une motoneige* !

Le saviez-vous ?

Il n'y a guère qu'en Écosse que l'on puisse skier sur des pistes non artificielles et il n'est donc pas étonnant que la plupart des termes relatifs à l'équipement de ski soient empruntés à d'autres langues. **Anorak** est d'origine inuit, **parka** d'origine russe, le mot **ski** est norvégien, **mitten** (moufle) vient du mot français *mitaine* et **scarf** du vieux français *escherpe*. Enfin, **sledge** (traîneau, **sled** en américain) est un terme hollandais.

Expression

'To make a mountain out of a molehill'
(littéralement : « Faire une montagne d'une taupinière ») a le même sens que l'expression familière « en faire tout un fromage ». Cette tournure décrit le comportement déplacé d'une personne qui accorde bien trop d'importance à une chose minime. Elle est calquée sur la métaphore bien plus ancienne du satiriste grec Lucien de Samosate qui, dans l'*Ode à une mouche*, parle de « faire d'une mouche un éléphant ».

Un distributeur de billets dans une ancienne cabine téléphonique à Édimbourg

TÉLÉPHONE ET INTERNET

the telephone and the Internet

Les mots pour le dire

un téléphone fixe/ portable	a landline/mobile phone	*e lanndlaïne/ **meou**baïle feoune*
en mode silencieux	in silent mode	*ine **saï**leunte meoude*
en mode vibreur	in buzzer mode	*ine **beu**zeu meoude*
un texto, un SMS	a text message	*e tèkste **mè**ssidje*
un chargeur de portable	a mobile phone charger	*e **meou**baïle feoune **tcha:r**djeu*
un numéro de téléphone	a phone number	*e feoune **neum**beu*
une cabine téléphonique	a phone box	*e feoune bokse*
une carte téléphonique	a phone card	*e feoune ka:rde*
composer un numéro	to dial a number	*tou daïeule e **neum**beu*
l'indicatif du pays	the country code	*Ve **konn**tri keoude*
l'indicatif d'une ville	an area code	*eune **è**rieu keoude*
un ordinateur	a computer	*e keum**piou**teu*
un ordinateur portable	a laptop	*e laptope*
un clavier	a keyboard	*e **ki:**bo:rde*
une souris	a mouse	*e maouse*
une imprimante	a printer	*e **prinn**teu*
un courriel, un e-mail	an email	*eune **i:**meïle*
un mot de passe	a password	*e **pa:ss**oueurde*
un cybercafé	an Internet café	*eune **Inn**teunète ka**fé***
se connecter	to log on, to connect to	*tou logue one, tou **keu**nèkte tou*
une clé USB	a memory stick, a flashdrive	*e **mè**meuri stike/e **flach**draïve*

note

Attention aux confusions ! Pile signifie un « amas d'objets » et non une « pile électrique ». Le mot battery désigne à la fois une *batterie* et une *pile.*

⊳ S'exprimer ⊲ Comprendre

< Hello! Who's speaking?
*Hè**leou** ouze **spi:k**inng*
Allô, qui est à l'appareil ?

> Bonjour, je voudrais parler à Paul.
Good morning, could I speak to Paul?
*goude **mo:r**ninng koude aï spi:ke tou Paul?*

< Hold the line please.
Holde Ve laïne pli:ze
Ne quittez pas.

< He/She isn't here. Do you want to leave a message?
*Hi/chi izeunte Hire diou ouannte tou li:ve e **mèss**idje*
Il / Elle n'est pas là. Voulez-vous laisser un message ?

> Je rappellerai plus tard.
I'll call back later.
*aïle ko:le bake **leï**teu*

< Could you spell your name?
koude iou spèle ioure neïme
Pourriez-vous épeler votre nom ?

> Quand sera-t-il/elle disponible ?
When will he/she be available?
*ouène ouile Hi/chi bi: eu**veïl**eubeule*

< What is your mobile phone number?
*ouate ize ioure **meou**baïle feoune **neum**beu*
Quel est votre numéro de portable ?

> Mon numéro de portable est le ...
My mobile phone number is...
*maï **meou**baïle feoune **neum**beu iz...*

< I don't understand, could you repeat?
*aï donnte eundeu**stannde** koude iou ri**pi:te***
Je ne comprends pas, pourriez-vous répéter ?

SERVICES & INFOS PRATIQUES

➤ La communication est mauvaise, pourriez-vous parler plus fort ?
There is some interference, could you speak louder?
*Vère ize some innteu**fi**reuns koude iou spi:ke **laou**deu*

⮜ I'm sorry, we've been cut off.
*aïme **so**ri ouive bi:ne keute ofe*
Je suis désolé(e), nous avons été coupés.

➤ Je voudrais effectuer un appel en PCV.
I'd like to make a reverse-charge call.
*aïde laïke tou meïke e ri**veurse** tcha:rdje ko:le*

⮜ Switch off your phones.
souitche ofe ioure feounz
Éteignez vos portables.

➤ Je voudrais acheter une carte téléphonique s'il vous plaît.
I'd like to buy a phone card please.
aïde laïke tou baï e feoune ka:rde pli:ze

➤ J'ai besoin d'une carte prépayée de dix livres.
I need a ten-pound prepaid phone card.
*aï ni:de e tène paounde pri**peï**de feoune kairde*

➤ Je voudrais surfer sur internet/envoyer un e-mail/télécharger un fichier.
I'd like to browse the Internet/to send an email/to download a file.
*aïde laïke tou braouze Vi **inn**teunète/tou sènnde eune **i:**meïle/tou **daoun**leoude e faïle*

➤ Est-ce que l'on peut avoir accès à internet ici ?
Do you have Internet access here?
*diou Have **inn**teunète **ak**sèsse Hire*

➤ Voici le mot de passe pour accéder à internet.
Here is the password for the Internet.
*Hire ize Ve **pa:ss**oueurde fo:re Vi **inn**teunète*

L'ANGLAIS dans tous ses ÉTATS

Manières de dire

- *Un téléphone portable* est **a mobile (phone)** en Grande-Bretagne et **a cell (phone)** aux États-Unis.

- Si vous utilisez le mot **mail** en anglais sachez que vous parlez du courrier délivré par la poste et non d'un courrier électronique qui se dit **e-mail (electronic mail)**.

- Si l'abréviation **LOL** est connue de tous les Français, d'autres le sont moins. **HRU** signifie **how are you** (comment vas-tu ?), **ACE : a cool experience** (une super experience), **CWYL : chat with you later** (à plus tard), **10X : thanks** (merci), **AGW : all going well** (tout va bien), **ATB : all the best** (bien à vous), **AYT : are you there?** (tu es en ligne ?), **B4N : bye for now** (au revoir), **CM : call me** (appelle-moi), **CT : can't talk** (je ne peux pas parler).

Expressions

To give someone a ring (littéralement « sonner quelqu'un ») signifie contacter quelqu'un par téléphone. De nombreuses expressions similaires, mais plus familières, ***to give someone a jingle, to give someone a tinkle, to give someone a buzz*** évoquent également le bruit d'une sonnerie de téléphone.

À LA BANQUE, L'ARGENT

at the bank, money

Les mots pour le dire

une banque	a bank	*e bannke*
un distributeur de billets	a cash machine, a cash point	*e kache meu**chi:ne**, e kache poïnte*
retirer de l'argent	to withdraw money	*tou ouiVdro: meuni*
un guichet	a counter	*e **kaoun**teu*
un compte courant	a current account	*e **keu**reunte eu**kaounte***
un numéro de compte	an account number	*eune eu**kaounte** **neum**beu*
un relevé bancaire	a bank statement	*e bannke **steït**meunte*
le solde	the balance	*Ve **ba**lènnse*
un formulaire	a form	*e fo:rme*
à découvert	overdrawn	*eouveu**dro:ne***
une carte de crédit	a credit card	*e **krè**dite ka:rde*
un chèque	a cheque	*e tchèke*
un chèque de voyage	a traveller's cheque	*e **tra**veuleuz tchèke*
des espèces	cash	*kache*
un billet	a bank note	*e bannke neoute*
une pièce de monnaie	a coin	*e koïne*
la devise nationale	the national currency	*Ve **na**cheuneule **keu**rènnsi*
un bureau de change	a bureau of change	*e **biou**reou ofe tcheïndje*
le coût de la transaction	the cost of the transaction	*Ve koste ofe Ve trann**zak**cheune*
changer de l'argent	to change money	*tou tcheïnndje **meu**ni*
signer	to sign	*tou saïne*

note

A branch n'est pas uniquement « une branche d'arbre », il s'agit aussi d'« une succursale ».

➤ S'exprimer ⮜ Comprendre

➤ Quels jours les banques ouvrent/ferment-elles ?
What days do banks open/close?
*ouate deïze dou bannkse **eou**peun/kleouse*

⮜ The banks are open every day except on Sunday.
*Ve bannkse a:re **eou**peune **è**vri dei èk**sèpte** one **seun**dè*
Les banques sont ouvertes tous les jours sauf le dimanche.

➤ Je cherche un distributeur de billets.
I'm looking for a cash machine.
*aïme **louk**inng fo:re e kache meu**chi:**ne*

⮜ Insert your card. Enter your pin (number).
***inn**seurte ioure ka:rde **ènn**teu ioure pine **neum**beu*
Insérez votre carte. Composez votre code confidentiel.

➤ Le distributeur a avalé ma carte.
The cash machine has swallowed my credit card.
*Ve kache meu**chi:**ne Haze **souol**eoude maï **krè**dite ka:rde*

⮜ Could you show me your ID?
koude iou cheou mi: ioure aï di:
Pourriez-vous me montrer votre pièce d'identité ?

➤ Je voudrais retirer de l'argent.
I'd like to make a withdrawal.
*aïde laïke tou meïke e ouiV**dro:**eule*

⮜ Could you fill in this form?
koude iou file ine Visse fo:rme
Pourriez-vous remplir ce formulaire ?

➤ Je voudrais échanger des chèques de voyage.
I'd like to change some traveller's cheques.
*aïde laïke tou tcheïnndje some **tra**veuleuz tchèkse*

⮜ How would you like the money?
*Haou woude you laïke Ve **meu**ni*
Que voulez-vous comme coupures ?

SERVICES & INFOS PRATIQUES

➤ Des billets de vingt livres.
In twenty pound notes.
*ine **touènn**ti paoundz neoutse*

➤ Je préférerais avoir de plus petites coupures.
I'd rather have smaller notes.
*aïde raVeu Have **smo:**leu neoutse*

➤ On m'a volé ma carte bancaire.
My credit card was stolen.
*maï **krè**dite ka:rde ouoze **steou**leune*

⮜ Don't worry, we're going to block it.
*donnte **oueu**ri ouire **gueou**inng tou bloke ite*
Ne vous inquiétez pas, nous allons la bloquer.

➤ Mon compte courant est à découvert.
My current account is overdrawn.
*maï **keu**reunte eu**kaounte** ize eouveu**dro:**ne*

⮜ Would you like to transfer money from a deposit account?
*woude iou laïke tou **trann**sfeu **meu**ni frome e di**po**zite eu**kaounte***
Voulez-vous effectuer un transfert depuis un compte d'épargne ?

⮜ This bureau of change offers very competitive rates.
*Visse biouro ofe t**cheï**ndje ofeuz vèri keum**pè**titive reïtse*
Ce bureau de change propose des taux très compétitifs.

➤ Quel est le taux de change euro-dollar?
What is the exchange rate for euros against dollars?
*ouate ize Vi èks**cheïn**dje reïte fo:r **iou**reouze eugènnste **do**lcuz*

➤ Je voudrais changer des euros en livres sterling.
I'd like to change euros into pounds.
*aïde laïke tou tcheïnndje **iou**reouz inntou paoundz*

➤ Quelle commission prenez-vous ?
How much commission do you charge?
*Haou meutche keu**mi**cheune diou tcha:rdje*

L'ANGLAIS dans tous ses ÉTATS

Manières de dire

• Si vous parlez de **notes** (« billets de banque ») à un employé de banque américain, vous risquez de susciter son incrédulité. C'est le terme **bill** qu'il faut utiliser aux États-Unis.

• **A hole in the wall** n'est pas « un trou dans le mur » mais un distributeur automatique de billets (**cash point**). Aux États-Unis, vous trouverez des **ATM (automated teller machine)** aussi bien dans la rue qu'à l'intérieur des commerces.

• En langage familier, *une livre* se dit **a quid**, et *un dollar* **a buck** !

• Attention à la différence entre les termes **debit** et **credit** aux États-Unis. Au moment de payer par carte bancaire, on vous demandera de choisir entre ces deux options, c'est le terme **credit** que vous devez valider. **Debit** indiquerait en effet que vous avez un compte bancaire dans le pays.

Expression

'All that glitters is not gold.' est l'équivalent de notre *tout ce qui brille n'est pas d'or*. Le thème des apparences était cher à Shakespeare et cette expression apparaît notamment dans *Le Marchand de Venise* (1596) sous sa forme originale : *'all that glistens is not gold'*. **Glisten** est un synonyme de **glitter**.

À LA POSTE

at the post office

Les mots pour le dire

la poste	the post office	*Ve peouste **o**fisse*
une boîte aux lettres	a postbox	*e **peoust**bokse*
la levée du courrier	the post collection	*Ve peouste keu**lèk**cheune*
une lettre	a letter	*e **lè**teu*
une enveloppe	an envelope	*eune **ènn**veuleoupe*
une carte postale	a postcard	*e **peoust**ka:rde*
un colis	a parcel	*e **pa:r**seule*
un recommandé	a recorded delivery	*e ri**ko:r**dide dè**li**veuri*
du ruban adhésif	adhesive tape	*eu**di:**zive teïpe*
un timbre	a stamp	*e stammpe*
un carnet de timbres	a book of stamps	*e bouke ofe stammpse*
peser	to weigh	*tou oueï*
affranchir	to put a stamp on	*tou poute e stammpe one*
un courrier prioritaire	a first-class letter	*e feurste kla:sse **lè**teu*
une lettre non prioritaire	a second-class letter	*e **sè**keunde kla:sse **lè**teu*
un colis suivi	a recorded delivery parcel	*e ri**ko:r**dide dè**li**veuri **pa:r**seule*
une preuve de dépôt	a proof of delivery	*e proufe ofe dè**li**veuri*
le cachet de la poste	the postmark	*Ve **postt**ma:rke*
une adresse	an address	*eune eu**drèsse***
le code postal	the postcode	*Ve **peoust**keoude*
le destinataire	the addressee	*Vi adrè**ssi:***
l'expéditeur	the sender	*Ve **sènn**deu*
nom de famille	surname	***seur**neïme*
prénom	first name	*feurste neïme*

➤ S'exprimer ⮜ Comprendre

⮜ The hotel provides postal services.
*Ve **Heou**teule **pro**vaïdz **peous**teule **seur**vissize*
L'hôtel offre des services postaux.

➤ À quelle heure ouvre/ferme la poste ?
What time does the post office open/close?
*ouate taïme doze Ve peousste **o**fisse **eou**peune/kleouse*

⮜ The last collection is at five pm.
*Ve la:ste ko**lèk**cheune ize ate faïve pi: ème*
La dernière levée a lieu à 17 heures.

➤ Où se trouve la boîte aux lettres la plus proche ?
Where is the nearest postbox?
*ouère ize Ve **ni:**rèste **peoust**bokse*

⮜ Opposite the hotel.
***o**peuzite Vi **Heou**teule*
En face de l'hôtel.

➤ Je voudrais envoyer cette lettre en France.
I'd like to send this letter to France.
*aïde laïke tou sènnde Visse **lè**teu tou frannse*

⮜ Would you like to send it first-class or second-class?
*woude iou laïke tou sènnde ite feurste kla:sse ore **sè**keunde kla:sse*
Est-ce un envoi en lettre prioritaire ou non prioritaire ?

➤ Combien cela coûte-t-il d'envoyer une lettre/un colis en France?
How much does it cost to send a letter/a parcel to France?
*Haou meutche doze ite koste tou sènnde e **lè**teu/e **pa:r**seule to frannse*

⮜ Fill in this form.
file ine Visse fo:rme
Remplissez ce formulaire.

SERVICES & INFOS PRATIQUES

➤ Où dois-je mettre l'adresse du destinataire ?
Where am I supposed to write down the addressee's address?
*ouère ame aï seu**pozde** tou rouaïte daoune Vi adrè**ssi:ze** eu**drèsse***

⮜ Write the sender's name in capital letters.
*rouaïte Ve **sènn**deuz neïme ine **ka**piteule **lè**teuz*
Écrivez le nom de l'expéditeur en majuscules.

⮜ How many stamps do you want?
Haou mèni stammpse diou ouannte
Combien de timbres voulez-vous ?

➤ Un carnet de dix s'il vous plaît.
A book of ten stamps please.
e bouke ove tène stammpse pli:ze

⮜ We also have bubble envelopes.
*oui a:lso Have **beu**beule **ènn**veuleoupse*
Nous avons aussi des enveloppes à bulles.

➤ Où est-ce que je peux acheter des cartes postales?
Where can I buy some postcards?
*ouère kane aï baï some **peoust**ka:rdz*

⮜ How much does this parcel weigh?
*Haou meutche doze Visse **pa:r**seule oueï*
Combien pèse ce colis ?

➤ Dans combien de temps ma lettre arrivera-t-elle ?
When will my letter be delivered?
*ouène ouile maï lèteu bi: dè**li**veude*

⮜ Two days if you send it by airmail.
*tou deïz ife iou sènnde ite baï **èr**meïle*
Deux jours pour un envoi par avion.

➤ Quel est le code postal ?
What is the postcode?
*ouate ize Ve **peoust**keoude*

L'ANGLAIS dans tous ses ÉTATS

Manières de dire

• En Grande-Bretagne, c'est le **Royal Mail** qui distribue le courrier, aux États-Unis le **Postal Service**. Pourtant *courrier* se dit **post** en anglais britannique et **mail** en américain ! En Grande-Bretagne, *code postal* se dit **postcode** et *poster une lettre* se traduit par **to post a letter**. Aux États-Unis, on parle de **zip code** et on dit **to mail a letter**.

• Si vous souhaitez effectuer une commande ou envoyer un colis, sachez que **delivery service** est le *service de livraison* et **proof of delivery** *l'accusé de réception.* **Delivery time** n'est pas l'heure à laquelle la livraison est censée s'effectuer, mais le *délai de livraison.* **Shipping address** n'a rien à voir avec un quelconque trajet en bateau, il s'agit de *l'adresse de livraison* tandis que **billing address** est *l'adresse de facturation.* **Post and packaging** désigne les *frais de port et d'emballage.*

Expression

Snail mail (littéralement « courrier escargot ») est une expression qui désigne le courrier traditionnel. Le terme **snail** souligne la lenteur des envois par la poste par contraste avec la rapidité des échanges par **emails** ou **electronic mails** *(courriers électroniques).* **Junk mail** *(courrier indésirable)* est également utilisé pour parler de spams.

SANTÉ ET SÉCURITÉ

La police montée de Londres

VOYAGER AVEC DES ENFANTS

travelling with children

Les mots pour le dire

un(e) enfant	a child	*e tchaïlde*
des enfants	children	***tchil**dreune*
un tout-petit	a toddler	*e **tod**leu*
entrée gratuite	free admission	*fi: eud**mi**cheune*
un tarif réduit	a discount	*e **dis**konnte*
demi-tarif	half-fare	*Ha:fe fère*
une poussette	a pushchair	*e **pouch**tchère*
un siège auto	a child seat	*e tchaïlde si:te*
une chaise haute	a high chair	*e Haï tchère*
un rehausseur	a booster seat	*e **bous**teu si:te*
un lit pliant	a folding bed	*e **fo:ld**inng bède*
une table à langer	a changing table	*e **cheïnndj**inng **teï**beule*
un jouet	a toy	*e toï*
une peluche	a soft toy	*e softe toï*
de la pâte à modeler	modelling clay	***mo**dlinng kleï*
des crayons de couleur	coloured pencils	***ko**leude **pènn**seulz*
un cahier de coloriage	a colouring book	*e **ko**leurinng bouke*
des autocollants	stickers	***sti**keuz*
un parc d'attractions	an amusement park	*eune eu**miou**zmeunte pa:rke*
un atelier pour enfants	a family workshop	*e **fa**mili **oueurk**chope*
une aire de jeux	a playground	*e **pleï**graounde*
baignade surveillée	supervised swimming	*soupeur**vaïzde** **souim**minng*
une piscine sécurisée	a secured swimming-pool	*e sè**kiourde** **souim**minng poule*

⮞ S'exprimer ⮜ Comprendre

< Children under five can travel free on the bus.
__tchil__dreune eundeu faïve kane __tra__veule fri: one Ve busse
Les trajets en bus sont gratuits pour les enfants de moins de cinq ans.

> Où pouvons-nous trouver une aire de jeux/un parc d'attractions ?
Where can we find a playground/an amusement park?
ouère kanne oui faïnnde e __pleï__graounde/eune eu__miou__zmeunte pa:rke

< The park is equipped with climbing frames and swings.
Ve pa:rke ize é__koui__pte ouiVe __klaïm__minng freïmze eunde souinngz
Le parc est équipé de structures à escalader et de balançoires.

> Quelles sont les activités proposées par le club pour enfants ?
What activities does the kids' club offer?
ouate akti__vi__tize doze Ve kidz kleube __o__feu

< The club organises trips to the zoo and the educational farm.
Ve kleube __o:r__geunaïzize tripse tou Ve zou eunde Ve ediou__keï__cheuneule fa:rme
Le club organise des sorties au zoo et à la ferme pédagogique.

> Je voudrais que mon enfant prenne des cours de natation.
I'd like my child to take swimming lessons.
aïde laïke maï tchaïlde tou teïke __souim__ming __lè__sseunz

> Est-ce que vous avez des visites guidées/des audioguides pour les enfants ?
Do you have guided tours/audioguides for children?
diou Have __gaï__dide toueuz/__o:d__ieugaïdz fo:re __tchil__dreune

SANTÉ & SÉCURITÉ

➤ Combien coûte une entrée pour un enfant ?
How much is a child's ticket?
*Haou meutche ize e tchaïldz **ti**kite*

≺ Admission is free for children under twelve.
*eud**mi**cheune ize fri: fo:re **tchil**dreune eundeu touèlve*
L'entrée est gratuite pour les enfants de moins de douze ans.

≺ There are family workshops at the museum.
*Vère a:re **fa**mili **oueurk**chopse ate Ve miou**zi:**eume*
Le musée propose des ateliers pour enfants.

➤ Quelles attractions conviennent à de jeunes enfants ?
What attractions are suitable for young children?
*ouate eu**trak**cheunz a:re **sou**teubeule fo:re yeunngue **tchil**dreune*

≺ There is a height restriction to this ride.
*Vère ize e Haïte rès**trik**cheune tou Visse raïde*
Il y a une limite de taille pour cette attraction.

➤ Est-ce que vous avez un menu pour enfant/un chauffe-biberon/un rehausseur ?
Do you have a children's menu/a bottle warmer/a booster seat?
*diou Have e **tchil**dreunz **mè**niou/e **beu**teule **ouo:r**meu/e **bous**teu si:te*

≺ Do you need a folding bed/a playpen?
*diou ni:de e **fo:ld**inng bède/e **pleï**pène*
Avez-vous besoin d'un lit pliant/d'un parc à bébé ?

➤ Où se trouve l'espace bébé ?
Where is the baby changing area?
*ouère ize Ve **beï**bi **tcheïnndj**inng **eï**rieu*

≺ The hotel provides a baby-sitting service.
*Ve **Heou**teule pro**vaïdz** e **beï**bi **sit**inng **seur**visse*
L'hôtel propose un service de baby-sitting.

➤ Je voudrais du lait en poudre/une tétine.
I'd like some formula (milk)/a dummy.
*aïde laïke some **fo:r**miouleu (milke)/e **deu**mi*

L'ANGLAIS dans tous ses ÉTATS

Manières de dire

• Votre stock de couches touche à sa fin ? Inutile de chercher le rayon des **nappies** aux États Unis, ce sont des **diapers** qu'il vous faut. Sachez également que **pram** *(landau)* se dit **baby carriage** en anglais américain, **push chair** *(poussette)* **stroller** et **baby's cot** *(lit à barreaux)* **baby's crib**.

• Si votre enfant vous réclame une sucrerie dans une fête foraine, vous pourrez lui offrir **an ice lolly** (« une glace à l'eau ») ou du **candy floss** (« barbe à papa ») en Grande-Bretagne, et **a popsicle** ou du **cotten candy** aux États-Unis.

? Le saviez-vous ?

Si les Anglais disent **soft toy** pour parler d'une peluche et les Américains **stuffed animal**, des deux côtés de l'Atlantique **a teddy bear** est *un ours en peluche* et c'est à un président qu'il doit son nom. **Teddy** est le diminutif donné au président américain Theodore Roosevelt. Invité à une partie de chasse par le gouverneur du Mississippi, Roosevelt refuse de tuer un ours qui a été attaché à un arbre pour lui faciliter la tâche. Le récit de cette anecdote fait rapidement le tour du pays. Un couple de fabricants de peluches a alors l'idée de fabriquer un ours et de le nommer **Teddy** en l'honneur du président.

RETROUVER UN ENFANT ÉGARÉ

looking for a missing child

Les mots pour le dire

un garçon	a boy	*e boï*
une fille	a girl	*e gueurle*
mon fils	my son	*maï seune*
ma fille	my daughter	*maï **do:**teu*
un frère	a brother	*e **bro**Veu*
une sœur	a sister	*e **sis**teu*
des jumeaux	twins	*touinnz*
petit(e)	small	*smo:le*
mince	thin	*Fine*
gros(se)	big	*bigue*
il/elle a	he/she has	*Hi/chi Haze*
des cheveux blonds	fair hair	*fère Hère*
des cheveux foncés	dark hair	*da:rke Hère*
des cheveux roux	red hair	*rède Hère*
des cheveux courts	short hair	*cho:rte Hère*
des cheveux longs	long hair	*lonng Hère*
des cheveux bouclés	curly hair	***keur**li Hère*
des cheveux lisses	straight hair	*streïte Hère*
des yeux bleus	blue eyes	*blou aïze*
des taches de rousseur	freckles	***frè**keulz*
une tache de naissance	a birthmark	*e **beurF**ma:rke*
un grain de beauté	a mole	*e meoule*
une cicatrice	a scar	*e ska:re*
il/elle porte	he/she is wearing	*Hi/chi ize **ouè**rinng*
un t-shirt	a t-shirt	*e ti: cheurte*
une casquette	a cap	*e kape*
une polaire	a fleece jacket	*e fli:sse **dja**kète*
un bermuda	bermuda shorts	*ber**miou**deu cho:rtse*

⊙ S'exprimer ⊙ Comprendre

➤ Avez-vous vu une petite fille avec une casquette rose ?
Have you seen a little girl with a pink cap?
*Have iou si:ne e **lit**eul gueurle ouiVe e pinnke kape*

≺ How old is he/she?
Haou eoulde ize Hi/chi
Quel âge a-t-il/elle ?

➤ Il/Elle a quatre ans.
He/She is four.
Hi/chi ize fo:re

➤ Mon fils de deux ans a disparu.
My two-year-old son is missing.
*maï tou ieure eoulde seune ize **miss**innq*

≺ Where was he/she?
ouère oueuze Hi/chi
Où était-il/elle ?

➤ Il/Elle était ici/là-bas.
He/She was here/over there.
Hi/chi oueuze Hire/eouveu Vère

≺ What was he/she doing?
*ouate oueuze Hi/chi **dou**innq*
Que faisait-il/elle ?

➤ Il/Elle jouait avec sa sœur il y a cinq minutes.
He/She was playing with his/her sister five minutes ago.
*He/chi oueuze **pleï**innq ouiVe Hize/Heure **sis**teu faïve **mi**nitse eu**gueou***

➤ Il/Elle nageait avec d'autres enfants.
He/She was swimming with other kids.
*Hi/chi oueuze **souim**minnq ouiVe oVeu kidz*

➤ Il/Elle faisait du vélo dans la cour.
He/She was riding his/her bike in the courtyard.
*Hi/chi oueuze **raïd**innq Hize/Heure baïke ine Ve **ko:r**tia:rde*

SANTÉ & SÉCURITÉ

➤ Il/Elle faisait du skate/du patin à roulettes.
He/She was skateboarding/roller-skating.
*Hi/chi oueuze **skeït**bo:dinng/**reou**leu **skeït**inng*

➤ Est-ce que je peux utiliser le haut-parleur pour l'appeler ?
Could I use the loud speaker to call him/her?
*koude aï iouze Ve laoude **spi:k**eu tou ko:le Hime/Heure*

⮜ What does he/she look like?
ouate doze Hi/chi louke laïke
Pourriez-vous le/la décrire ?

➤ Il/Elle a des cheveux bouclés et des tâches de rousseur.
He/She has curly hair and freckles.
*Hi/chi Haze **keur**li Hère eunde **frè**keulz*

➤ Il est grand et mince.
He is tall and thin.
Hi ize to:le eunde Fine

➤ Elle a des yeux marrons et de longs cheveux raides.
She has brown eyes and long straight hair.
chi Haze braoune eïze eunde lonng streïte Hère

➤ Il porte un short bleu et des sandales.
He is wearing blue shorts and sandals.
*He ize **ouè**rinng blou cho:rtse eunde **sannd**eulz*

➤ Elle porte des lunettes rouges.
She wears red glasses.
*chi ouèrze rède **gla:ss**izc*

➤ Il/Elle porte un sac à dos vert.
He/she is carrying a green backpack.
*Hi/chi ize **ka**rïnng e gri:ne **bak**pake*

➤ Il/Elle promenait notre chien.
He/She was walking our dog.
*Hi/chi oueuze **ouo:k**inng aoueu dogue*

Manières de dire

• Quelques pluriels irréguliers sont à retenir pour une description claire et précise de l'incident. **Children** est le pluriel de **child** *(enfant)* qui se dit également **kid**. Le pluriel de **tooth** *(dent)* est **teeth**, celui de **foot** *(pied)* est **feet**, mais si votre enfant est pieds nus vous direz : *He/she is barefoot.*

• Le verbe « porter » se traduit de différentes façons. Si vous parlez d'un vêtement, d'un chapeau, de lunettes ou encore d'un pansement, utilisez le verbe **to wear**. Par exemple : *She is wearing a bathing costume and a straw hat.* « Elle porte un maillot de bain et un chapeau de paille. » **To carry** est utilisé pour indiquer que l'on transporte un objet ou un sac d'un certain poids : *She is carrying a rucksack.* **To hold** (tenir) s'emploie avec *un parapluie* (**an umbrella**), *un bâton* (**a stick**), *une bouée* (**a rubber ring**)... Par exemple : *She was holding a stick…* (« Elle tenait un bâton... »).

• « Seul » peut se traduire de différentes façons : **alone**, **(all) by himself/herself**, **on his/her own**. À ne pas confondre avec **to be lonely** qui signifie « être solitaire » ou « se sentir seul ».

• **A toddler** est un enfant qui fait ses premiers pas.

Expressions

To be worried sick signifie être très inquiet, si inquiet que l'on se sent mal. Plus hyperbolique encore, *to be worried to death* se traduit par « être mort d'inquiétude ».

À LA PHARMACIE

at the chemist's

Les mots pour le dire

une pharmacie	a chemist's shop	*e **kè**mmistse chope*
une ordonnance	a prescription	*e pris**krip**cheune*
un médicament	medicine, a drug	***mèd**sine, e dreugue*
un anti-douleur	a painkiller	*e **peïnn**kileu*
des comprimés	tablets	***ta**blètse*
des pastilles	pills	*pilze*
de l'aspirine	aspirin	***as**prine*
un antiseptique	a disinfectant	*e dizinn**fèk**teunte*
un bandage	a bandage	*e **bann**didje*
un pansement	a dressing	*e **drès**sinng*
du sparadrap	plaster	***pla:**steu*
du sirop pour la toux	cough mixture	*ko:fe **miks**tcheu*
de la pommade	ointment	***oïnnt**meunte*
de la crème solaire	sun cream, sunscreen	*seune kri:me, **seun**skri:ne*
de l'anti-moustique	insect repellent	***inn**sèkte ri**pè**leunte*
un thermomètre	a thermometer	*e Feu**mo**miteu*
un préservatif	a condom	*e **konn**deume*
un coup de soleil	a sunburn	*e **seun**beurne*
une ampoule	a blister	*e **blis**teu*
un bouton	a spot	*e spote*
une piqûre	a bite	*e baïte*

attention aux faux amis

Preservative signifie « conservateur » et non « préservatif » !

note

Sparadrap se dit Band-aid en anglais américain.

⮞ S'exprimer ⮜ Comprendre

➤ J'ai besoin de crème solaire/d'un antiseptique.
I need some sun cream/disinfectant.
*aï ni:de some seune kri:me/dizinn**fèk**teunte*

⮜ You can buy sunglasses at the chemist's.
*iou kanne baï **seun**gla:ssize ate Ve **kè**mmistse*
Vous pouvez acheter des lunettes de soleil à la pharmacie.

➤ Je voudrais du paracétamol, je suis allergique à l'aspirine.
I'd like some paracetamol, I'm allergic to aspirin.
*aïde laïke some pareu**ssi:**teumole aïme a**leu**djike to **as**prine*

⮜ I'd recommend this homeopathic remedy for headaches.
*aïde rikeu**mènnde** Visse Heoumieou**pa**Fike **rè**mmèdi fo:re **Hè**deïkse*
Je vous recommande ce médicament homéopathique pour les maux de tête.

➤ Avez-vous des pastilles pour le mal de gorge ?
Do you have sore throat lozenges?
*diou Have so:re Freoute **lo**zinndjize*

➤ Est-ce que je peux avoir une boîte d'antibiotiques sans ordonnance ?
Could I get a packet of antibiotics without a prescription?
*koude aï guète e **pa**kite ove anntibaï**o**tikse oui**Vaoute** e prè**skrip**cheune*

⮜ I'm sorry, this medecine is only available on prescription.
*aïme sori Visse **mèd**sine ize onnli eu**veïl**eubeule one prè**skrip**cheune*
Je suis désolé(e), ce médicament n'est délivrable que sur ordonnance.

➤ Pourrais-je avoir de l'aspirine en poudre plutôt qu'en comprimés ?
Could I have aspirin in powder packs instead of tablets?
*koude aï Have **as**prine ine **paou**deu pakse inn**stède** ove **ta**blètse*

➤ Combien de fois par jour dois-je prendre ces comprimés ?
How many times a day do I have to take these tablets?
*Haou mèni taïmze e deï dou aï Have tou teïke Vize **ta**blètse*

⮜ You have to take some twice a day.
iou Have tou teïke some touaïsse e deï
Vous devez en prendre deux fois par jour.

⮜ Take a spoonful of syrup at each meal.
*teïke e **spoun**foule ove **si**reupe ate itche mi:le*
Prenez une cuillerée de sirop à chaque repas.

⮜ You should take the tablets before/during meals.
*iou choude teïke Ve **ta**blètse bifo:re/**diou**rinng mi:lz*
Il est conseillé de prendre les comprimés avant/pendant les repas.

⮜ Shake well before use.
*cheïke ouèle bi**fo:re** iousse*
Bien agiter avant usage.

➤ Mon fils s'est fait piquer par un insecte. Sa peau le démange.
My son was stung by an insect. His skin is itchy.
*maï seune oueuze steungue baï eune **inn**sèkte Hize skine ize **i**tchi*

⮜ Rub some of this ointment onto the bites three times a day.
*reube some ove Visse **oïnnt**meunte onntou Ve baïtse Fri: taïmze e deï*
Appliquez cette pommade sur les piqûres trois fois par jour.

➤ Mon enfant est tombé dans la rue.
My child fell down in the street.
maï tchaïlde fèle daoune ine Ve stri:te

⮜ I suggest this ointment to heal scratches.
*aï seu**djèste** Visse **oïnnt**meunte to Hi:le **skra**tchize*
Je vous conseille cette pommade pour soigner les écorchures.

➤ Est-ce que ce médicament est recommandé pour un enfant/ une femme enceinte ?
Can a child/a pregnant woman take this medicine?
*kane e tchaïlde/e **prèg**nannte **wou**meune teïke Visse **mèd**sine*

L'ANGLAIS dans tous ses ÉTATS

Manières de dire

• Si vous avez besoin d'acheter des médicaments c'est un **drugstore** ou **pharmacy** et non un **chemist's (shop)** qu'il vous faut trouver aux États-Unis.

• Le terme **pharmacy** désigne plus précisément le comptoir où l'on retire les médicaments qui ne s'obtiennent que sur ordonnance.

• **Drug** et **medecine** signifient tous deux « médicaments ». Mais attention **drug** a aussi le sens de « drogue » et **to do drugs** se traduit par « se droguer ».

Expression

L'expression ***a drugstore cowboy*** (« un cowboy de drugstore ») désigne un homme particulièrement apprêté qui arpente les lieux publics dans l'espoir de séduire la gent féminine. Ce surnom est inspiré des films de cowboys. Dans son accoutrement de séducteur, le **drugstore cowboy** ne peut guère monter sur autre chose qu'un tabouret de **drugstore**.

Citation

'An ounce of prevention is worth a pound of cure.'

Cette phrase célèbre de Benjamin Franklin, homme politique américain (1706-1790), a le même sens que notre proverbe « *Mieux vaut prévenir que guérir* ».

CHEZ LE MÉDECIN 1 : rendez-vous

going to the doctor's

Les mots pour le dire

un médecin	a doctor	*e **dok**teu*
un généraliste	a GP	*e dji: pi:*
un dentiste	a dentist	*e **dènn**tiste*
un ophtalmologiste	an ophthalmologist	*eune oFtal**mo**leudjiste*
un dermatologue	a dermatologist	*e deurmeu**to**leudjiste*
un gynécologue	a gynaecologist	*e guaïneu**ko**leudjiste*
un pédiatre	a paediatrician	*e pidieu**tri**cheune*
un spécialiste	a specialist	*e **spè**cheuliste*
un rendez-vous	an appointment	*eune eu**poïnn**tmeunte*
prendre rendez-vous	to make an appointment	*tou meïke eune eu**poïnnt**meunte*
un cabinet médical	a surgery	*e **seur**djeuri*
la salle d'attente	the waiting room	*Ve **oueï**tinng roume*
la salle de consultation	the consultation room	*Ve konnseul**teï**cheune roume*
ausculter	to examine	*tou ig**za**mine*
s'allonger	to lie down	*tou laï daoune*
respirer	to breathe	*tou bri:Ve*
inspirer	to breathe in	*tou bri:Ve ine*
expirer	to breathe out	*tou bri:Ve aoute*
pèse-personne	scales	*skeïlz*
prendre la tension	to check the blood pressure	*tou tchèke **Ve** bleude **prè**cheu*
un traitement	treatment	***tri:t**meunte*
une ordonnance	a prescription	*e près**krip**cheune*
prescrire	to prescribe	*tou pris**kraïbe***
se faire vacciner	to get vaccinated	*tou guète vaksi**neï**tide*

note

Attention aux différences orthographiques suivantes entre l'anglais britannique et l'anglais américain : gynaecologist (GB)/ gynecologist (US), paediatrician (GB)/ pediatrician (US).

➤ S'exprimer ⮜ Comprendre

➤ Je voudrais prendre rendez-vous avec le docteur Evans.
I'd like to make an appointment with Dr Evans.
*aïde laïke tou meïke eune eu**poïnnt**meunte ouiVe dokteu **è**veunse*

➤ Quels sont les horaires de consultation ?
What are the surgery hours?
*ouate a:re Ve **seur**djeuri aoueuz*

⮜ The medical centre is open from eight am to six pm.
*Ve **mè**dikeule **sènn**teu ize **Eou**peune frome eïte eï ème tou sikse pi: ème*
Le cabinet médical est ouvert de 8 heures à 18 heures.

➤ C'est une urgence, serait-il possible d'obtenir un rendez-vous aujourd'hui ?
It's an emergency, could I get an appointment today?
*itse eune i**meur**djènnsi koude aï guète eune eu**poïnnt**meunte **tou**dè*

⮜ The doctor can go to your hotel if need be.
*Ve dokteu kane gueou tou ioure **Heou**teule ife ni:de bi:*
Le docteur peut se déplacer jusqu'à votre hôtel si nécessaire.

➤ C'est urgent, c'est pour un enfant/une femme enceinte.
It's urgent, it's for a child/a pregnant woman.
*itse **eur**djeunte itse fo:re e tchaïlde/e **prèg**nannte **wou**meune*

⮜ Do you have an appointment?
*diou Have eune eu**poïnnt**meunte*
Avez-vous rendez-vous ?

➤ Non, je n'ai pas de rendez-vous. Est-ce que le docteur peut me recevoir tout de même ?
No, I don't. Could I see the doctor all the same?
*neou aï donnte koude aï si: Ve **dok**teu o:le Ve seïme*

⮜ What's the matter?
*ouatse Ve **ma**teu*
Que se passe-t-il ?

CHEZ LE MÉDECIN 1 : rendez-vous

≺ Where does it hurt?
ouère doze ite Heurte
Où avez-vous mal ?

≺ How long have you been feeling ill?
*Haou lonng Have iou bi:ne **fi:l**inng ile*
Depuis combien de temps vous sentez vous mal ?

➤ Depuis trois jours/Depuis hier soir.
For three days/Since last night.
fo:re Fri: deïze/sinnse la:ste naïte

≺ Take off your shirt, I'm going to examine you.
*teïke ofe ioure cheurte aïme **gueou**inng tou ig**za**mine iou*
Enlevez votre chemise, je vais vous ausculter.

≺ Take a deep breath. Breathe slowly.
*teïke e di:pe brèFe bri:Ve **sleou**li*
Prenez une profonde respiration. Respirez lentement.

➤ Pourriez-vous prendre ma tension ?
Could you take my blood pressure?
*koude iou teïke maï bleude **prè**cheure*

≺ Open your mouth and stick your tongue out.
***eou**peune ioure maouFe eunde stike ioure tonngue aoute*
Ouvrez la bouche et tirez la langue.

➤ Faut-il que je prenne rendez-vous avec un spécialiste ?
Do I need to make an appointment with a specialist?
*dou aï ni:de tou meïke eune eu**poïnnt**meunte ouiVe e **spè**cheuliste*

≺ You must go to the casualty department immediately.
*iou meuste gueou tou Vi **ka**jouculti di**part**meunt i**mi**dieulli*
Vous devez aller immédiatement aux urgences.

➤ Pourrais-je avoir un justificatif pour la sécurité sociale ?
Could I have a certificate for my social security insurance?
*koude aï Have e seur**ti**fikeïte fo:re maï **seou**cheule sè**kiou**riti in**chou**reunse*

≺ You must go and have x-rays at the hospital.
*iou meust gueou eunde Have ikse reïze ate Ve **Hos**piteule*
Vous devez aller faire une radio à l'hôpital.

L'ANGLAIS dans tous ses ÉTATS

Manières de dire

• **A surgery** n'est pas le cabinet d'un chirurgien mais un *cabinet médical*. Aux États-Unis c'est le terme **doctor's office** qu'il faut employer.

• Ne soyez pas surpris si l'on vous conseille de prendre rendez-vous chez **a physician**, il ne s'agit pas d'un physicien mais tout simplement d'un *généraliste*. Si celui-ci vous parle d'**infirmary**, il ne vous invite pas à vous rendre à l'infirmerie mais dans une clinique. Notez également que **a nurse** n'est pas « une nourrice » mais « une infirmière ».

• Si le médecin emploie le terme **stomach**, sachez que celui-ci désigne à la fois le *ventre* et *l'estomac*. Et non, il ne confond pas sa liste de courses et votre ordonnance lorsqu'il y inscrit le mot **tablet** qui veut dire « comprimé ». *Une tablette de chocolat* se dit **a bar of chocolate**.

Expression

'An apple a day keeps the doctor away.'
(littéralement « Une pomme par jour tient le docteur à distance. »). Cet ancien proverbe est trompeur. Certes les vertus de la pomme ne sont plus à démontrer mais, en vieil anglais, le mot **apple** désignait n'importe quel fruit de forme ronde poussant dans un arbre. L'expression se décline à loisir : ***'An onion a day keeps everyone away.'*** («Un oignon par jour tient tout le monde à distance. ») est une variante plus récente et moins sérieuse de ce même proverbe.

CHEZ LE MÉDECIN 2 : symptômes

symptoms

Les mots pour le dire

la tête	the head	*Ve Hède*
le visage	the face	*Ve feïsse*
la bouche	the mouth	*Ve maouFe*
une dent	a tooth	*e touFe*
les yeux	the eyes	*Vi eïz*
la gorge	the throat	*Ve Freoute*
un bras	an arm	*eune a:rme*
un coude	an elbow	*eune* ***è****lbeou*
une main	a hand	*e Hannde*
un poignet	a wrist	*e rouiste*
l'estomac	the stomach	*Ve* ***sto****meuke*
le ventre	the stomach	*Ve* ***sto****meuke*
une jambe	a leg	*e lègue*
un pied	a foot	*e foute*
une cheville	an ankle	*eune* ***ann****keule*
être douloureux	to hurt	*tou Heurte*
une douleur	a pain	*e peïne*
avoir mal au ventre	to have a stomach ache	*tou Have e* ***sto****meuke eïke*
vomir	to be sick	*tou bi: sike*
se sentir fatigué	to feel tired	*tou fi:le* ***taï****eude*
avoir mal à la gorge	to have a sore throat	*to Have e so:re Freoute*
avoir la diarrhée	to have diarrhoea	*tou Have* ***daï****eurieu*
avoir une entorse	to have a sprained ankle	*tou Have e spreïnnde* ***ann****keule*

note

Le pluriel de tooth est teeth */ti:Fe/*, et celui de foot, feet */fi:te/*.

⮚ S'exprimer ⮘ Comprendre

➤ J'ai très mal au bras/à la poitrine.
My arm/chest hurts a lot.
maï a:rme/tchèste Heurts e lote

➤ Il a un terrible mal de tête.
He has a terrible headache.
*He Haze e **tè**ribeule **Hèd**eïke*

◄ Did you take your temperature?
*dide iou teïke ioure **tèmm**preutcheure*
Avez-vous pris votre température ?

➤ Oui, j'ai de la fièvre depuis hier soir.
Yes, I've had a temperature since last night.
*iësse aïve Hade e **tèmm**preutcheure sinnse la:ste naïte*

➤ Il a très mal à la gorge.
He has a very sore throat.
Hi Haze e vèri so:re Freoute

➤ J'ai des douleurs dans la nuque/le genou droit.
My neck/right knee is painful.
*maï nèke/raïte ni: ize **peïnn**foule*

➤ Elle a la tête qui tourne.
She feels dizzy.
*chi fi:lz **di**zi*

◄ Since when?
sinnsse ouène
Depuis combien de temps ?

➤ Depuis hier/ce matin.
Since yesterday/this morning.
*sinsse **iès**teudè/Visse **mo:r**ninng*

➤ J'ai passé la matinée à vomir.
I've been sick all morning.
*aïve bi:ne sike o:le **mo:r**ninng*

➤ Il a vomi deux fois après le repas.
He vomited twice after lunch.
*Hi **vo**mitide touaïsse a:fteu leunche*

CHEZ LE MÉDECIN 2 : symptômes

◄ You have to take a blood test.
iou Have tou teïke e bleude tèste
Il faut que vous fassiez une prise de sang.

➤ Je suis diabétique/asthmatique.
I'm diabetic/I have asthma.
*aïme daïeu**bè**tike/aï Have **as**meu*

◄ You have high blood pressure.
*iou Have Haï bleude **prè**cheure*
Vous avez de la tension.

➤ Je suis cardiaque.
I have a heart condition.
*aï Have e Ha:rte keun**di**cheune*

➤ Je me suis foulé la cheville en tombant dans les escaliers.
I fell down the stairs and twisted my ankle.
*aï fèle daoune Ve stèrz eunde **touis**tide maï **ann**keule*

➤ Elle est tombée sur la tête.
She fell down on her head.
chi fèle daoune one Heure Hède

➤ Il s'est fait piquer par une méduse.
He was bitten by a jellyfish.
*Hi oueuze **bi**teune baï e **djè**lifiche*

➤ Mon pied est enflé depuis deux jours.
My foot has been swollen for two days.
*maï foute Haze bi:ne **swo**leune fo:re tou deïz*

➤ Il est tombé en faisant du vélo.
He fell off his bike.
Hi fèle ofe Hize baïke

➤ Est-ce grave ?
Is it serious?
*ize ite **si**rieusse*

➤ Je suis enceinte de 6 mois.
I'm six months pregnant.
*aïme siks monnFse **prèg**nannte*

L'ANGLAIS dans tous ses ÉTATS

Manières de dire

• Pour un diagnostic sans erreur, il est bon de savoir que l'un des sens de **to be sick** en anglais britannique est « vomir », les Américains utilisant le verbe **to vomit**. À l'origine **sick** et **ill** avaient la même signification, **sick** vient du vieil anglais tandis que **ill** vient d'un mot utilisé par les Vikings (ancien scandinave).

• Pour mesurer votre température, sachez que 100 degrés Fahrenheit correspondent à environ 37,5 degrés Celsius. Un bon 39 de température équivaut à 102,2 degrés Fahrenheit.

Le saviez-vous ?

Le terme **medecine man** désigne un chef spirituel chez les Indiens d'Amérique. Il est utilisé non pas par les Indiens mais par les Européens et suggère le mystère. Un **medecine man** est en effet censé entretenir des liens spirituels avec les animaux et la nature. Il joue plusieurs rôles dont celui de protecteur et de guérisseur.

Expression

'To be out of sorts' signifie « se sentir mal » ou « ne pas être dans son assiette ». Le mot **sorts** désigne au XVIIe siècle les lettres utilisées par les typographes. *'To be out of sorts'* signifiait à l'origine que les lettres étaient mélangées. Par extension l'expression a pris le sens de ne pas être dans son état normal.

SITUATIONS D'URGENCE

emergency situations

Les mots pour le dire

aider	to help	*tou Hèlpe*
appeler	to call	*tou ko:le*
appeler au secours	to call for help	*tou ko:l fore Hèlpe*
signaler	to report	*tou ri**po:rte***
décrire	to describe	*tou dis**kraïbe***
premiers secours	first aid	*feurste aïde*
bouche-à-bouche	mouth-to-mouth resuscitation	*maouFe tou maouFe resseussi**teï**cheune*
un massage cardiaque	a heart massage	*e Ha:rte **massa:**je*
une ambulance	an ambulance	*eune **èmm**biouleunse*
les pompiers	the firemen	*Ve **faï**eumène*
la police	the police	*Ve peu**lisse***
aller aux urgences	to go to the casualty department	*tou gueou tou Ve **ka**joueulti di**part**meunt*
aller à l'hôpital	to go to hospital	*to gueou tou **Hos**piteule*
Au secours !	Help!	*Hèlpe*
Au voleur !	Stop thief!	*stope Fi:fe*
Au feu !	Fire!	*faïeu*
Attention !	Watch out!	*ouotche aoute*
une urgence	an emergency	*eune i**meur**djènnsi*
perdre connaissance	to pass out	*tou pa:sse aoute*
un blessé	an injured person	*eune **in**djeude **peur**seune*
être blessé(e)	to be injured	*to bi: **in**djeude*
un accident	an accident	*eune **aK**sideunte*
se noyer	to drown	*tou draoune*
une crise d'épilepsie	an epileptic seizure	*eune èpi**lèp**tike **si:**jeu*
une crise d'asthme	an asthma attack	*eune asmeu eut**ake***
l'ambassade	the embassy	*Vi **èmm**beussi*
rapatrier	to repatriate	*tou ri:**pa**trieïte*

➤ S'exprimer ⮜ Comprendre

➤ Pourriez-vous m'aider ?
Could you help me?
koude iou Hèlpe mi:

➤ J'ai besoin d'aide.
I need help.
aï ni:de Hèlpe

⮜ Do you want me to call an ambulance?
diou ouannte mi: tou ko:le eune ***èmm****biouleunse*
Voulez-vous que j'appelle une ambulance ?

➤ Pourriez-vous nous emmener à l'hôpital ?
Could you take us to the hospital?
koude iou teïke eusse tou Ve ***Hos****piteule*

⮜ You can use my mobile phone.
iou kane iouze maï ***meou****baïle Feoune*
Vous pouvez utiliser mon téléphone portable.

➤ Je dois contacter l'ambassade de France.
I must contact the French Embassy.
aï meuste konntakte Ve frènnche ***èmm****beussi*

➤ Je me suis fait voler mes papiers.
Someone stole my papers.
some*ouane steoule maï* ***peï****peuz*

➤ Nous avons eu un accident de voiture.
We've had a car crash.
ouive Hade e ka:re krache

⮜ How many casualties are there?
Haou mèni ***ka****joueultize a:re Vère*
Combien y a-t-il de blessés ?

➤ Quatre, je crois.
Four, I think.
fo:re aï Finnke

➤ Mon mari est grièvement/légèrement blessé.
My husband is seriously/slightly injured.
maï Heuzbeunde ize ***si****rieusli/****slaï****tli* ***in****djeude*

⮜ Can he move at all?
kane Hi mouve ate o:le
Peut-il bouger ?

➤ Oui, mais il a du mal à respirer.
Yes, but he can hardly breathe.
*ièse beute Hi kanne **Ha:rd**li bri:Ve*

➤ Elle saigne beaucoup.
She's bleeding a lot.
*chize **bli:**dinng e lote*

➤ Il a fait une crise cardiaque.
He's had a heart attack.
*Hize Hade e Ha:rte eu**take***

⮜ Put the person in the lateral security position.
poute Ve peurseune ine Ve lateureul sikiouriti peuzicheune
Placez la personne en position latérale de sécurité.

➤ La maison est en feu.
The house is on fire.
Ve Haouze ize one faïeu

➤ Où se trouve l'extincteur ?
Where is the fire extinguisher?
ouère ize Ve faïeu ikstinngouicheu

⮜ Is there someone inside?
*ize Vère **some**ouane inn**saïde***
Y a-t-il quelqu'un à l'intérieur ?

➤ Au voleur ! Il m'a volé mon sac !
Stop thief! He's stolen my bag!
*stope Fi:fe Hize **steou**leune maï bague*

➤ Au secours ! Il se noie !
Help! He's drowning!
*Hèlpe Hize **draoun**inng*

Manières de dire

- Les urgences se disent **emergency room** aux États-Unis, en Grande-Bretagne le terme officiel est **A&E (Accident and Emergency)** mais certaines personnes utilisent encore l'expression **casualty** ou **casualty department**.
- En cas d'incendie, composez le numéro du **UK fire service** au Royaume-Uni (numéro unique 999), et de l'**US fire department** aux États-Unis (numéro 911).
- L'équivalent du mot « Samu » est **paramedics** ou tout simplement **ambulance**. « Appelez le SAMU » se dit **Call the paramedics/call an ambulance!**

Le saviez-vous ?

Le signal de détresse '**Mayday**' viendrait de l'appel au secours français « m'aider » un raccourci de « venez m'aider ». Il s'agit d'un SOS émis par les pilotes qui utilisaient des téléphones radiophoniques sur leurs avions.

Expression

L'expression ***safe and sound***, qui se traduit en français par « sain et sauf », vient du vieil anglais (1200) *gesund* qui signifie **sound** ou **safe**, ces deux mots pouvant signifier « sûr » au sens de sécurisé. L'anglais compte de multiples binômes de ce type, appelés également ***Siamese twins*** (« frères siamois »). Citons par exemple ***spick and span*** (« impeccable »), ***assault and battery*** (« coups et blessures »), ***alive and kicking*** (« en pleine forme »), ***sound and fury*** (« le bruit et la fureur »)...

AU COMMISSARIAT

at the police station

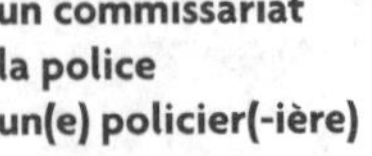

Les mots pour le dire

un commissariat	a police station	*e peu**lisse steï**cheune*
la police	the police	*Ve peu**lisse***
un(e) policier(-ière)	a policeman(woman)	*e peu**lisse**meune (woumeune)*
une victime	a victim	*e **vik**time*
un agresseur	an assailant	*eune eu**ssaï**leunte*
un voleur	a thief	*e Fi:fe*
un témoin	a witness	*e **ouit**nèsse*
un vol	a theft	*e Fèfte*
voler	to steal	*tou sti:le*
une escroquerie	a swindle	*e **souinn**deule*
se faire escroquer	to get fleeced	*tou guète fli:ste*
une agression	an attack	*eune eu**take***
agresser	to mug	*tou meugue*
violer	to rape	*tou reïpe*
un cambriolage	a burglary	*e **beur**gleuri*
fracturer	to break into	*tou breïke inntou*
perdre	to lose	*tou leouze*
faire une déposition	to write a statement	*tou rouaïte e **steït**meunte*
porter plainte	to lodge a complaint	*tou lodje e keum**pleïnnte***
un formulaire	a form	*e fo:rme*
des papiers d'identité	identity papers	*aï**dènn**titi peïpeuz*
remplir	to fill in	*tou file ine*
signer	to sign	*tou saïne*

note

Le mot police est un pluriel. *La police recherche la voiture volée* se dit The police **are** looking for the stolen car.

⮞ S'exprimer ⮜ Comprendre

➤ Où est le commissariat le plus proche ?
Where is the nearest police station?
ouère ize Ve ***ni:****rèste peu****lisse stei****cheune*

➤ Je voudrais porter plainte pour vol.
I'd like to report a theft.
*aïde laïke tou ri****po:rte*** *e Fèfte*

⮜ What happened?
ouate ***Ha****peunde*
Que s'est-il passé ?

➤ La serrure de ma voiture a été forcée.
My car was broken into.
maï ka:re oueuze ***breouk****eune* ***inn****tou*

⮜ When/Where did it happen?
ouène/ouère dide ite ***Ha****peune*
Quand/Où est-ce arrivé ?

➤ Il y a une heure, dans la rue principale.
An hour ago, on the main road.
*eune aoueu eu****gueou*** *one Ve meïne reoude*

➤ On m'a volé ma voiture/mes papiers.
Someone stole my car/my papers.
some*ouane steoule maï ka:re/maï* ***peï****peuz*

⮜ What time was it when it happened?
ouate taïme oueuze ite ouène ite ***Ha****peunde*
À quelle heure est-ce arrivé ?

➤ J'ai été agressé(e) par un homme grand/petit/brun/blond.
I was assaulted by a tall/small/dark-haired/fair-haired man.
*aï oueuze eu****sso:lt****ide baï e to:le/smo:le/da:rke Hèrde/fère Hèrde mane*

⮜ How many of them were there?
Haoou mèni ove Veume ouère Vère
Combien étaient-ils ?

SANTÉ & SÉCURITÉ

➤ What did they look like?
ouate dide Veï louke laïke
Comment étaient-ils ?

➤ Je n'ai pas pu voir leur visage.
I couldn't see their faces.
*aï **kou**deunte si: Vère **feïss**ize*

➤ Ils avaient des armes/des couteaux/des pistolets.
They had weapons/knives/guns.
*Veï Hade **ouè**peunz/naïvz/gueunz*

➤ Ils conduisaient une moto.
They were driving a motorbike.
*Veï ouère **draïv**inng e **meou**teubaïke*

➤ Elle s'est fait agresser par deux hommes.
She was assaulted by two men.
*chi oueuze eu**sso:lt**ide baï tou mène*

➤ Could you sign this statement please?
*koude iou saïne Visse **steït**meunte pli:ze*
Pourriez-vous signer cette déclaration s'il vous plaît ?

➤ J'ai besoin d'une copie pour l'assurance.
I need a copy for my insurance company.
*aï ni:de e **ko**pi fo:re maï inn**chou**reunse **keum**peuni*

➤ Je me suis fait voler mon portefeuille dans la rue.
My wallet was stolen in the street.
*maï **oua**lète oueuze **steou**leune ine Ve stri:te*

➤ What do you keep in your wallet?
*ouate diou ki:pe ine ioure **oua**lète*
Que contient votre portefeuille ?

Manières de dire

• Ne confondez pas **a bobby** et **a cop** : le premier se croise dans les rues d'Angleterre, le second sur les routes américaines ! Aux États-Unis *un commissariat de police* est **a police precinct** et *une amende pour excès de vitesse* **a speeding ticket**. Si les policiers britanniques conduisent des **patrol cars** (*voitures de patrouille*), les policiers américains se déplacent en **cruisers** ou **squad cars**.

• Le mot « vol » peut se traduire par **theft** (qui est un simple vol) mais aussi par **burglary** (*cambriolage*) ou **robbery** (*vol à main armée*).

• Il existe quantité de termes pour qualifier un agresseur : **assailant** et **attacker** sont des termes génériques, **abuser** désigne l'auteur de mauvais traitements, **mugger** un voleur qui fait preuve de violence, **molester** un agresseur sexuel, **slasher** un agresseur armé d'un couteau...

• Attention à ne pas conduire en *état d'ivresse* : **DUI (driving under the influence of alcohol)** ou **DWI (driving while intoxicated)** se paie cher !

Expression

Law and order est une expression miroir composée de deux termes à l'origine synonymes. **Law** vient du vieil anglais et **order** du vieux français. La coexistence de ces deux termes remonte à la conquête de l'Angleterre par les Normands. De nombreux termes relatifs à la justice (à l'époque le domaine des Normands au pouvoir) sont d'ailleurs d'origine française ; c'est le cas par exemple de **prison**, **perjury** et bien entendu de **justice**.

La City de Londres

TROUVER UN EMPLOI

looking for a job

Les mots pour le dire

travailler	to work	*tou oueurke*
un emploi	a job	*e djobe*
un emploi saisonnier	a seasonal job	*e* ***si:****zeuneule djobe*
un stage	an internship, a work placement	*eune* ***inn****teurnchipe, e oueurke* ***pleïs****meunte*
une convention de stage	a work placement agreement	*e oueurke* ***pleïs****meunte eu****gri:****meunte*
une formation	a training course	*e* ***treï****ninng ko:rse*
un rapport de stage	an internship report	*eune* ***inn****teurnchipe ri****po:rte***
candidater, postuler	to apply for a job	*tou eu****plaï*** *fo:re e djobe*
le salaire	the salary, the wages	*Ve* ***sa****leuri, Ve* ***oueï****djize*
un entretien d'embauche	a job interview	*e djobe* ***inn****teuviou*
recruter	to recruit, to hire	*tou rik****route****, tou Haïeu*
un CV	a CV	*e si:vi:*
une lettre de motivation	a covering letter	*e* ***keou****veurinng* ***lè****teu*
une photo d'identité	an identity photo	*eune aï****dènn****titi* ***feou****teou*
les compétences	skills	*skilz*
date de naissance	date of birth	*deïte ove beurFe*
un diplôme	a diploma	*e di****pleou****meu*
l'expérience professionnelle	work experience	*oueurke ik****spi****rieunse*
le bénévolat	volunteer work	*voleun****tieu*** *oueurke*
les centres d'intérêt	leisure interests	***lè****jeu* ***inn****trèstse*
les points forts/faibles	strong/weak points	*stronng/oui:ke poïnntse*

⦿ S'exprimer ⦾ Comprendre

➤ Je m'appelle Claire et je cherche un travail pour l'été.
My name is Claire and I'm looking for a summer job.
*maï neïme ize Claire eunde aïme **louk**inng fo:re e **seu**meu djobe*

⮜ What qualifications do you have?
*ouate koualifi**keï**cheunz diou Have*
Quels diplômes et formation avez-vous ?

➤ J'ai un diplôme d'infirmière.
I have a diploma in nursing.
*aï Have e di**pleou**meu ine **neurs**inng*

⮜ Where did you study?
*ouère dide iou **steu**di*
Où avez-vous fait vos études ?

➤ Je suis diplômé de l'université de Lyon.
I graduated from the university of Lyon.
*aï **gra**diouitide frome Vi iouni**veur**siti ove Lyon*

➤ J'aimerais faire un stage dans votre entreprise.
I'd like to be an intern in your company.
*aïde laïke tou bi: eune inn**teurne** ine ioure **keum**peuni*

➤ Je voudrais postuler à ce poste.
I'd like to apply for this post.
*aïde laïke tou eu**plaï** fo:re Visse poste*

⮜ What experience have you got as a sales assistant?
*ouate iks**pi**rieunse Have iou gote aze e seïlze eu**ssis**teunte*
Qu'avez-vous comme expérience en qualité de vendeur ?

➤ J'ai deux ans d'expérience comme caissière.
I have two years' experience as a cashier.
*aï Have tou ieurz iks**pi**rieunse aze e ka**chire***

➤ Je n'ai pas d'expérience mais j'apprends vite.
I don't have any experience but I'm a quick learner.
*aï donnte Have èni iks**pi**rieunse beute aïme e kouike **leur**neu*

➤ Je parle allemand couramment.
I can speak German fluently.
*aï kane spi:ke **djeur**meune **flou**euntli*

❮ What computing skills do you have?
*ouate keum**piout**inng skilz diou Have*
Quelles connaissances avez-vous en informatique ?

❮ Why should I hire you?
ouaï choude aï Haïeu iou
Pourquoi devrais-je vous embaucher ?

➤ Je suis ponctuel/travailleur/organisé/fiable.
I'm punctual/hardworking/organised/dependable.
*aïme **peungk**tioueule/**Ha:rd**oueurkinng/**o:r**gueunaïzde/ di**pènn**deubeule*

❮ We need copies of your diplomas.
*oui ni:de **ko**pize ove ioure di**pleou**meuz*
Nous avons besoin des photocopies de vos diplômes.

❮ When can you start?
ouène kane iou sta:rte
Quand pouvez-vous commencer ?

❮ Do you have any questions?
*diou Have èni **kouès**tcheunz*
Avez-vous des questions ?

➤ Quels seront mes horaires de travail ?
What hours will I be working?
*ouate aoueuz ouile aï bi: **oueur**kinng*

➤ Est-ce que je toucherai un salaire hebdomadaire ou mensuel ?
Will I get paid weekly or monthly?
*ouile aï guète peïde **oui:k**li o:re **monnF**li*

❮ You will be paid hourly.
*Iou ouile bi: peïde **aoueu**li*
Vous serez payé à l'heure.

➤ Peut-on parler des avantages ?
Can we talk about perks?
*kanne oui to:ke eu**baoute** peurks*

❮ There is a performance reward.
*vère ize e peur**fo:**rmannse ri**vouo :rde***
Il y a une prime aux résultats.

L'ANGLAIS dans tous ses ÉTATS

Manières de dire

• Attention à ne pas tomber dans le piège des faux amis au moment de rédiger votre CV ou de passer un entretien d'embauche. **An application** est *une candidature* et **applicant** ne désigne pas quelqu'un d'appliqué mais *un candidat*. **Qualification** signifie diplôme et formation.

• *CV* se dit **CV** en Grande-Bretagne, mais **résumé** aux États-Unis. **A refresher course** n'est pas *une course rafraîchissante* mais un « stage de remise à niveau ». **Clerk** est *un employé* ou *un vendeur* et **clerical work** désigne ce type de métier.

• « Salaire » peut se traduire par **salary** ou **wages**. **Salary** désigne un traitement fixe versé chaque mois indépendamment du nombre d'heures effectuées tandis que **wages** correspond à une paie susceptible de varier en fonction des heures travaillées.

• Les abréviations suivantes peuvent vous être utiles : **BA - Bachelor of Arts** (licence en sciences humaines), **BS - Bachelor of Science** (licence en sciences), **MA - Master of Arts** (master en sciences humaines).

Expression

L'expression *'Put your shoulder to the wheel'* (littéralement « pousser la roue avec son épaule ») signifie « se donner du mal, faire des efforts ». Cette expression remonte à l'époque des pionniers aux États-Unis. Ceux-ci traversaient le pays en chariot et s'aidaient de leurs épaules pour pousser les roues de leurs véhicules coincés dans boue.

VOYAGE D'AFFAIRES

business trip

Les mots pour le dire

un partenaire	a partner	*e **pa:r**tneu*
un(e) collègue	a colleague	*e **koli**:gue*
une équipe	a team	*e ti:me*
un(e) client(e)	a client	*e **klaï**eunte*
un bureau	an office	*eune **o**fisse*
une entreprise	a company	*e **keum**peuni*
une foire commerciale	a trade fair	*e treïde fère*
la salle de réunion	the meeting room	*Ve **mi:t**inng roume*
un rendez-vous	an appointment	*eune eu**poïnnt**meunte*
une réunion	a meeting	*e **mi:t**inng*
une téléconférence	a conference call	*e **konn**feureunse ko:le*
un repas d'affaires	a business lunch	*e **biz**nèsse leunche*
l'ordre du jour	the agenda	*Vi eu**djènn**deu*
des chiffres	figures	***fi**gueuz*
un powerpoint	a powerpoint presentation	*e **paoueu**poïnnte priseun**teï**cheune*
un compte rendu	a report	*e ri**po:rte***
un dossier	a file	*e faïle*
un graphique	a graph	*e gra:fe*
des statistiques	statistics	*steu**tis**tikse*
un budget prévisionnel	a forecast budget	*e **fo:r**kaste **beu**djite*
une carte de visite	a business card	*e **biz**nèsse ka:rde*
une serviette	a briefcase	*e **bri:f**keïsse*
un costume	a suit	*e soute*
une cravate	a tie	*e taï*

attention aux faux amis

The agenda c'est l'ordre du jour ou le programme et non *un agenda*. *Un agenda* se dit a diary (GB) ou a datebook (US).

➤ S'exprimer ◄ Comprendre

◄ What is the purpose of your trip?
*ouate ize Ve **peur**peusse ove ioure tripe*
Quel est le motif de votre voyage ?

➤ Je suis en voyage d'affaires.
I'm on a business trip.
*aïme one e **biz**nèsse tripe*

◄ Have you got a business card?
*Have iou gote e **biz**nèsse ka:rde*
Avez-vous une carte de visite ?

◄ What line of business are you in?
*ouate laïne of **biz**nèsse a:re iou ine*
Dans quel domaine travaillez-vous ?

➤ Je suis à mon compte, je travaille dans le marketing.
I'm self-employed, I'm in marketing.
*aïme sèlfe imm**ploïde** aïme ine **ma:r**kètinng*

➤ Je travaille pour une entreprise de téléphonie.
I work for a telephone company.
*aï oueurke fo:re e **tè**lifeoune **keum**peuni*

◄ Who do you have an appointment with?
*Hou diou Have eune eu**poïnnt**meunte ouiVe*
Avec qui avez-vous rendez-vous ?

➤ Avec le directeur commercial/des ressources humaines.
With the Sales manager/the head of human resources.
*ouiVe Ve seilz **ma**nidjeu/Ve Hède ove **Hiou**meune ri**zo:**rsize*

◄ He's on the phone, he will receive you in a minute.
*Hize one Ve feoune He ouile ri**ssi:ve** iou ine e **mi**nite*
Il est au téléphone, il vous recevra dans un instant.

➤ Toutes mes excuses pour mon retard, il y avait un embouteillage.
I'm sorry I'm late, there was a traffic jam.
*aïme **so**ri aïme leïte Vère oueuze e **tra**fike djame*

< The conference/The seminar starts at 9 am.
*Ve **konn**feureunse/Ve **sè**mineu sta:rtse ate naïne eï ème*
La conférence/Le séminaire commence à 9 heures.

> Où se trouve la salle de réunion ?
Where is the meeting room?
*ouère ize Ve **mi:t**inng roume*

< Do you need a French-speaking interpreter?
*diou ni:de e frènnche **spi:k**inng inn**teu**priteu*
Avez-vous besoin d'un interprète en français ?

> Où puis-je imprimer ce dossier/ce document?
Where can I print this file/this document?
*ouère kane aï prinnte Visse faïle/Visse **do**kioumeunte*

> Il faut que je recharge mon ordinateur portable.
I need to recharge my laptop.
*aï ni:de tou ri**tcha:rdje** maï **lap**tope*

< What does your project consist in?
*ouate doze ioure **pro**djècte keun**siste** ine*
En quoi consiste votre projet ?

> Où y a-t-il une fontaine à eau ?
Where can I find a water fountain?
*ouère kane aï faïnnde e **ouo**teu **faoun**tine*

< Have you received my email?
*Have iou ri**ssi:vde** maï **i:**meïle*
Avez-vous reçu mon courriel ?

> J'ai besoin de passer un appel.
I need to make a phone call.
aï ni:de tou meïke e feoune ko:le

< We will get in contact with you as soon as possible.
*oui ouile guète ine **konn**takte ouiVe iou aze soune aze **po**ssibeule*
Nous vous contacterons dès que possible.

L'ANGLAIS dans tous ses ÉTATS

Manières de dire

• Il existe plusieurs mots pour traduire « une entreprise » : **a company** est une entreprise ou une société, **a business** se traduit également par « une affaire », **a firm** peut faire référence à « un cabinet ». **Enterprise** a comme sens premier « esprit d'initiative ».

• Attention à ne pas commettre d'impairs en vous adressant à vos interlocuteurs de langue anglaise : **PA (Personal Assistant)** est un *assistant (de direction)*, **MD (Managing Director)** le *directeur général*. Les abréviations suivantes sont américaines mais leur usage se généralise de plus en plus : **VP - Vice President, SVP - Senior Vice President, CMO - Chief Marketing Officer, CFO - Chief Financial Officer, CEO - Chief Executive Officer**.

Expression

'Men in suits' désigne les hommes d'affaires, les bureaucrates et les militaires. Dans les années 1930, ce sont tout d'abord les sportifs que l'on nomme de la sorte, le costume étant leur tenue de sport. Trente ans plus tard, John Lennon utilise le terme pour qualifier les personnes qui s'occupaient de 'manager' les Beatles.

Citation

"A business that makes nothing but money is a poor business."

Une entreprise qui ne produit rien d'autre que de l'argent est une mauvaise entreprise.

Henry Ford

(1863-1947), industriel américain

Crédits photos

Transports : p. 25 : Shutterstock/alice-photo, p. 26 : Shutterstock/lightpoet, p. 30 : Shutterstock/ChameleonsEye, p. 34 : Shutterstock/Leonard Zhukovsky, p. 38 : Shutterstock/Arena Photo UK, p. 42 : Shutterstock/northallertonman

Boissons et nourriture : p. 47 : Shutterstock/Deymos.HR, p. 48 : Shutterstock/baibaz, p. 52 : Fotolia/Yves Damin, p. 56 : Shutterstock/Srdjan Fot, p. 60 : Shutterstock/wavebreakmedia, p. 64 : Shutterstock/Anna Levan, p. 68 : Shutterstock/Christian Mueller, p. 72 : Shutterstock/Paul Cowan, p. 76 : Shutterstock/Elena Veselova, p. 80 : Shutterstock/margouillat photo, p. 84 : Shutterstock/Peredniankina, p. 89 : Shutterstock/pedrosala

Hébergement : p. 97 : Shutterstock/mathildeb52, p. 98 : Shutterstock/Peter Gudella, p. 102 : Shutterstock/Ron Ellis

Achats : p. 107 : Fotolia/Cedric Weber, p. 108 : Shutterstock/Michaelpuche, p. 112 : Shutterstock/John Gomez

Sorties et activités : p. 117 : Shutterstock/PlusONE, p. 118 : Shutterstock/george studio, p. 122 : Shutterstock/photo.ua, p. 126 : Shutterstock/Lissandra Melo, p. 130 : Shutterstock/Boris Sosnovyy, p. 134 : Shutterstock/Deatonphotos, p. 138 : Shutterstock/Menzl Guenter, p. 142 : Shutterstock/nito, p. 146 : Shutterstock/nikolpetr

Services et infos pratiques : p. 151 : Shutterstock/Route66, p. 152 : Shutterstock/MJTH, p. 156 : Shutterstock/yurchello108, p. 160 : Shutterstock/Chrissie Shepherd

Santé et sécurité : p. 165 : Shutterstock/Birute Vijeikiene, p. 166 : Shutterstock/ISchmidt, p. 170 : Shutterstock/Jozef Sowa, p. 174 : Shutterstock/R3BV, p. 178 : Shutterstock/Oksana Kuzmina, p. 182 : Shutterstock/wavebreakmedia, p. 186 : Shutterstock/BasPhoto, p. 190 : Shutterstock/Wolf Matthias

Travail : p. 195 : Shutterstock/S.Borisov, p. 196 : Shutterstock/Constantine Pankin, p. 200 : Shutterstock/fotohunter.

LE MOT QU'IL VOUS FAUT

à *prép* • (vers) to *tou* • (lieu où l'on est) at *ate*, in *ine* • (heure, moment précis) at *ate*

abandonner *vb* to abandon *tou eu**bann**deune*

abbaye *nf* abbey ***a**bi*

abdomen *nm* abdomen ***ab**deumeune*

abdominal(e) *adj* abdominal *abd**o**mineule*

abeille *nf* bee *bi:*

abîmé(e) *adj* damaged ***da**midjde*

abîmer *vb* to damage *tou **da**midje*

abonné(e) *nm/f* subscriber *seub**skraï**beu* ◇ **être abonné à** to have a subscription to *to Have e seub**skrip**cheune tou*

abonner (s') à *vb* to subscribe to *tou seub**skraïbe** tou*

abord (d') *loc* firstly ***feurst**li*

abordable *adj* (prix, objet) affordable *a**fo:rd**eubeule*

aboyer *vb* to bark *tou ba:rke*

abréviation *nf* abbreviation *eubri:vi**eï**cheune*

abribus *nm* bus shelter *beusse **chèl**teu*

abricot *nm* apricot ***eï**prikote*

absent(e) *adj* absent ***ab**seunte*

absolument *adv* absolutely *abseu**loutl**i*

absurde *adj* absurd *ab**seurde***

accélérateur *nm* accelerator *ak**sè**leureïteu*

accélérer *vb* to accelerate *tou ak**sè**leureïte*

accent *nm* accent ***ak**seunte*

accepter *vb* to accept *tou euk**sèpte***

accessoire *nm* accessory *ak**sès**seuri*

accident *nm* accident ***ak**sideunte*

accompagner *vb* to accompany *tou eu**keum**peuni*

accord *nm* agreement *eu**gri:**meunte* ◇ **être d'accord** to agree *tou eu**gri:***

accoucher *vb* to give birth *tou give beurFe*

accrocher *vb* to hang *tou Hanng* (hung, hung *Heung, Heung*)

accueil *nm* welcome ***ouèl**keume* • (lieu) reception *ris**sèp**cheune*

accueillir *vb* to welcome *tou **ouèl**keume*

accuser *vb* to accuse *tou eu**kiouze***

achat *nm* purchase ***peur**tchisse*

acheter *vb* to buy *tou baï* (bought, bought *bo:te, bo:te*)

acheteur(-euse) *nm/f* buyer ***baï**eu*

acide *adj* sour *saoueu*

acier *nm* steel *sti:le*

acné *nf* acne ***ak**ni*

acompte *nm* deposit *di**po**zite*

acteur *nm* actor ***ak**teure*

actif(-ve) *adj* active ***ak**tive*

action *nf* action ***ak**cheune*

activité *nf* activity *ak**ti**vity*

actrice *nf* actress ***ak**trèsse*

actuel(le) *adj* current ***keu**reunte*

actuellement *adv* currently ***keu**reuntli*

adaptateur *nm* adaptor *eu**dap**teu*

adapté(e) *adj* adapted *eu**dapt**ide*

addition *nf* (restaurant) bill (GB) *bile*, check (US) *tchèke*

admettre *vb* to admit *tou eud**mite***

admirer *vb* to admire *tou eud**maï**eu*

adolescent(e) *nm/f* teenager ***ti:**neïdjeu*

adopter *vb* to adopt *tou eu**dopte***

adorable *adj* adorable *eu**do:**reubeule*
adorer *vb* to adore *tou eu**do:re***
adresse *nf* address *eu**drèsse***
adresser *vb* • (écrire l'adresse) to address *tou eu**drèsse*** • (envoyer) to send *tou sènnde* (sent, sent *sènnte, sènnte*), *tou eu**drèsse*** ◇ **s'adresser à** to talk to *tou to:k tou*
adulte *adj, nmf* adult ***a**deulte*, grown-up *graoune eupe*
aérobic *nm* aerobics *è**reou**bikse*
aéroport *nm* airport ***è**rpo:rte*
affaire *nf* • (litige) case *keïsse* • (entreprise, transaction) business ***biz**nèsse*
affectueux(-euse) *adj* affectionate *eu**fèk**cheunite*
affiche *nf* poster ***pos**teu*
affranchir *vb* to stamp *tou stammp*
affreux(-euse) *adj* awful ***aou**foule*
africain(e) *adj* African ***a**frikeune*
agacer *vb* to irritate *tou **i**riteïte*
âge *nm* age *eïdje*
âgé(e) *adj* aged ***eïdj**de* ◇ **les personnes âgées** elderly people ***èl**deuli **pi:**peule* ◇ **je suis âgé de 15 ans** I'm 15 years old
agence *nf* agency ***eï**djeunsi*
agenda *nm* • (carnet) diary (GB) ***daï**euri*, datebook (US) ***deïtt**bouke* • (activité) schedule ***ché**dioule*
agent *nm* agent ***eï**djeunte* ◇ **agent d'escale** check-in agent ***tchè**kine eïdjeunte*
aggraver *vb* to make worse *tou meïke oueurse* ◇ **s'aggraver** to worsen *tou **oueur**seune*
agir *vb* to act *tou akte*
agité(e) *adj* agitated *eu**jiteït**ide*
agneau *nm* lamb *lame*
agréable *adj* pleasant ***plè**seunte*
agresser *vb* to aggress *eu**grèsse***
agressif(-ve) *adj* aggressive *eu**grès**sive*
agression *nf* aggression *eu**grè**cheune*
agriculteur(-trice) *nm/f* farmer ***fa:r**meure*
agriculture *nf* agriculture *agrikeultcheure*
aide *nf* help *hèlpe*
aider *vb* to help *tou hèlpe*
aigu, aigüe *adj* • (accent, douleur) acute *eu**kioute*** • (son, note) high-pitched ***Haï**pitchte*
aiguille *nf* needle ***ni:**deule*
ail *nm* garlic ***ga:r**like*
aile *nf* wing *ouinngue* • (de voiture) wing (GB) *ouinngue*, fender (US) ***fènn**deu*
aimable *adj* kind *kaïnde*
aimant *nm* magnet ***mag**nète*
aimer *vb* to like *tou laïke* • (d'amour) to love *tou love*
aîné(e) *adj* oldest *oldeuste*, eldest *èldeuste*
ainsi *adv* thus *Veusse*
air *nm* • (oxygène) air *ère* • (apparence) look *louke*
aire *nf* • (d'autoroute) area ***eï**ri:eu* • (de jeu) ground *graounde*
aise (à l') *loc* at ease *ate i:ze*
ajouter *vb* to add *tou ade*
ajuster *vb* to adjust *tou eud**jeuste***
alarme *nf* alarm *eu**la:rme***
alcool *nm* alcohol ***al**keuhole*
alcoolique *adj, nmf* alcoholic *alkeu**ho**like*
alcoolisé(e) *adj* alcoholic *alkeu**ho**like*
algue *nf* seaweed ***si:**oui:de*
aliments *nm* food (indénombrable) *foude*
alimentation *nf* • (nourriture) food *foude* • (régime alimentaire) diet *daïeute*
allée *nf* • (chemin) path *pa:Fe* • (passage) aisle *aïle*
aller *vb* to go *tou gueou* (went, gone *ouènnt, gone*)
allergie *nf* allergy ***a**leudji*
allergique *adj* allergic *a**leur**djike*
allo *interj* hello ***Hè**leou*
allumer *vb* to light *tou laïte* (lit, lit *lite, lite*)

allumette *nf* match *ma:tche*
allure *nf* • (vitesse) speed *spi:de* • (apparence) look *louke*
alors *adv* • (dans ce cas) then *Veune* • (en conséquence) so *seou*
alphabet *nm* alphabet ***al**feubète*
alpin(e) *adj* alpine ***al**païne*
alpinisme *nm* mountaineering *maountin**ieur**inng*
altitude *nf* altitude ***al**titioude*
aluminium *nm* aluminium *eu**lou**minieume*
amande *nf* almond ***a:**meunde*
ambassade *nf* embassy ***èmm**beussi*
ambiance *nf* atmosphere ***at**meusfire*
ambulance *nf* ambulance ***amm**biouleunse*
améliorer *vb* to improve *tou immp**rouve***
amende *nf* fine *faïne*
amener *vb* to bring *tou brinng* (brought, brought *bro:te, bro:te*)
amer(-ère) *adj* bitter ***bi**teu*
américain(e) *adj* American *eu**mé**rikeune* ▪ *nm/f* ◇ **Américain(e)** American *eu**mé**rikeune*
Amérique *npr* America *eu**mè**rikeu*
ami(e) *nm/f* friend *frènnde*
amitié *nf* friendship ***frènnd**chipe*
amour *nm* love *love*
amoureux(-euse) *adj* in love *ine love* ▪ *nm/f* lover ***lo**veu*
ampoule *nf* • (peau) blister ***blis**teu* • (électrique) light bulb *laïte beulbe*
amusant(e) *adj* amusing *eu**miou**zinng*
amuser (s') *vb* to have fun *tou Have feune*
an *nm* year *yire*
analgésique *nm* painkiller ***païnn**kileu*
analyse *nf* analysis *eu**na**lississe*
ananas *nm* pineapple ***païnn**apeule*
anchois *nm* (frais) anchovy ***ann**tcheuvi*
ancien(ne) *adj* old *eoulde*, ancient ***eïnn**cheunte*
anémie *nf* anaemia *eu**ni:**mieu*
anesthésiant *nm* anaesthetic *anis**Fè**tike*
angine *nf* ◇ **avoir une angine** to have a sore throat *touo Have e sore Freoute*
anglais(e) *adj* English ***inng**liche* ▪ *nm/f* ◇ **Anglais(e)** Englishman ***inng**lichmeune* English woman ***inng**liche woumeune*
Angleterre *npr* England ***inng**leunde*
anguille *nf* eel *i:le*
animal *nm* animal ***a**nimeule* ◇ **animal domestique** pet *pète*
animé(e) ▪ *adj* (affairé) busy ***bi**zi*, lively ***laï**vli*
anneau *nm* ring *rinng*
année *nf* year *yire*
anniversaire *nm* • (d'une personne) birthday ***beurF**deï* • (d'un événement) anniversary *ani**veur**seuri*
annonce *nf* • (nouvelle) announcement *eu**naouns**meunte* • (avis, publicité) advertisement *ad**veur**tissmeunte*
annoncer *vb* to announce *tou eu**naounse***
annuaire *nm* directory *daï**rèk**teuri* • (informel) phone book *feoune bouke*
annuel(le) *adj* annual ***a**nioueule*, yearly ***jeur**li*
annulation *nf* cancellation *kannseu**leï**cheune*
annulé(e) *adj* cancelled ***kann**seulde*
annuler *vb* to cancel *tou **kann**seule*
antalgique *nm* analgesic *aneul**dji:**zike*

FRANÇAIS-ANGLAIS

antibiotique *nm* antibiotic *anntibaïotike*
antihistaminique *nm* antihistaminic *anntiHistami:nike*
antimoustique *nm* insect repellent *innsèkte ripèleunte*
antipathique *adj* unpleasant *eunplèzeunte*
antiquité *nf* • (période historique) antiquity *anntikouiti* • (objet ancien) antique *annti:ke*
antiseptique *adj* antiseptic *anntisèptike*
antivol *nm* • (de voiture) steering wheel lock *sti:rinng oui:le loke* • (de vélo) bike lock *baïke loke* • (de vêtement) security tag *sèkiouriti tague*
anxiété *nf* anxiety *anngzaïeuti*
août *nm* August *ogueuste*
apéritif *nm* aperitif *eupèritife*, pre-dinner drinks *pri-dineu drinnkse*
apparaître *vb* to appear *tou eupire*
appareil *nm* • (gadget) device *divaïsse* • (électroménager) appliance *euplaïeunse* • (avion) aircraft *èrkrafte*
apparemment *adv* apparently *eupareuntli*
appartement *nm* flat (GB) *flate*, apartment (US) *eupa:rtmeunte*
appartenir à *vb* to belong to *tou bilonngue tou*
appel *nm* call *ko:le*
appeler *vb* to call *tou ko:le*
appendicite *nf* appendicitis *eupènndissaïtisse*
appétit *nm* appetite *apitaïte* ◇ **bon appétit !** enjoy your meal! *ènndjoï ioure mi:le*
apporter *vb* to bring *to brinng* (brought, brought *bro:te, bro:te*)
apprendre *vb* • (s'instruire) to learn *tou leurne* (learnt, learnt *leurnt, leurnt*) • (enseigner) to teach *tou ti:che* (taught, taught *to:te, to:te*)
apprentissage *nm* • (acquisition de connaissances) learning *leurninng* • (formation) apprenticeship *euprènntissechipe*
approximatif(-ive) *adj* (nombre, prix) approximate *euproksimeute*
approximativement *adv* approximately *euproksimeutli*
appuyer *vb* (presser) to press *tou prèsse*
après *adv* after *a:fteu* ◇ **après que** after *a:fteu*
après-demain *adv* the day after tomorrow *Ve deï a:fteu teumoreou*
après-midi *nm ou f* afternoon *a:fteunoune*
après-rasage *nm* after-shave *a:fteu cheïve*
aquatique *adj* aquatic *eukouatique*
araignée *nf* spider *spaïdeu*
arbre *nm* tree *tri:*
arbuste *nm* shrub *chreube*
arc-en-ciel *nm* rainbow *reïnnbeou*
archéologique *adj* archeological *a:rkieulodjikeule*
architecte *nmf* architect *a:rkitèkte*
architecture *nf* architecture *a:rkitèktcheu*
arête *nf* fishbone *fichebeoune*
argent *nm* • (monnaie) money *meuni* • (matériau) silver *silveu*
arme *nf* weapon *ouèpeune*
armé(e) *adj* armed *a:rmde*
armée *nf* army *a:rmi*
armoire *nf* wardrobe *ouo:rdreube*
arnaque *nf* swindle *souinndeule*
arracher *vb* (sac) to snatch *tou snatche*
arranger *vb* • (disposer) to arrange *tou eureïnndje* • (régler un problème) to settle *tou sèteule*
arrêt *nm* (d'autobus) bus stop *beusse stope*
arrêter *vb* to stop *tou stope* ◇ **s'arrêter** to stop

arrière *adj* back *bake* ▪ *nm* • (de voiture) back *bake* • (de train) rear *ri:re*
arrivée *nf* arrival *eu**raï**veule*
arriver *vb* • (quelque part) to arrive *tou eu**raï**ve* • (événement) to happen *tou **Ha**peune* ◇ **arriver à faire** to manage to do *tou **ma**nidje tou dou*
arroser *vb* to water *tou ouoteu*
art *nm* art *a:rte*
artichaut *nm* artichoke *a:rtitcheouke*
article *nm* • (objet) item ***aï**teume* • (de journal) article ***a:r**tikeule*
artisan *nm* craftsman ***kra:fts**meune*
artisanat *nm* craftsmanship ***kra:fts**meunchipe*
artiste *nmf* artist ***a:r**tiste*
artistique *adj* artistic *a:r**tis**tike*
arythmie *nf* arrhythmia *eu**riF**mieu*
ascenseur *nm* lift (GB) *lifte*, elevator (US) ***è**lèveïteu*
aspect *nm* aspect ***as**pèkte*
asperge *nf* asparagus *eus**pa**reugueusse*
aspirateur *nm* vacuum cleaner ***va**kioume **kli:**neu*
aspirine *nf* aspirin ***as**prine*
assaisonnement *nm* seasoning ***si:**zeuninng*
assaisonner *vb* to season *tou **si:**zeune*
assassiner *vb* to murder *tou **meur**deure*
asseoir (s') *vb* to sit down *tou site daoune* (sat, sat *sate, sate*)
assez *adv* enough *i**neu**Fe*
assiette *nf* plate *pleïte*
assis(e) *adj* seated ***si:**tide*
assistance *nf* (aide) assistance *eu**ssis**teunse*
assistant(e) *nm/f* assistant *eu**sis**teunte*
assister à *vb* to attend *tou eu**tènn**de*
associé(e) *nm/f* partner ***pa:rt**neure*
assurance *nf* insurance *inn**chou**reunse* ◇ **assurance annulation** cancellation insurance *kannseu**leï**cheune inn**chou**reunse*
assurer *vb* • (certifier) to assure *tou eu**choure*** • (véhicule) to insure *tou inn**choure***
asthmatique *nmf, adj* asthmatic *as**ma**tike*
asthme *nm* asthma ***as**meu*
atelier *nm* workshop ***oueurk**chope*
athée *adj, nmf* atheist ***eï**Fiiste*
athlète *nmf* athlete ***a**Fli:te*
athlétique *adj* athletic *aF**lè**tike*
Atlantique *npr* Atlantic *eu**tlann**tike*
atlas *nm* atlas ***at**leusse*
athlétisme *nm* athletics *aF**lè**tikse*
atmosphère *nf* atmosphere ***at**meusFire*
attacher *vb* (ceinture de sécurité) to fasten *tou **fa:**sseune*
attaque *nf* attack *eu**take***
attaquer *vb* to attack *tou eu**take***
attendre *vb* to wait *tou oueïte*
attentat *nm* terrorist attack ***tè**reuriste eu**take***
attente *nf* wait *oueïte* • (espoir) expectation *èkspèk**teï**cheune*
attention *nf* attention *eu**tènn**cheune* ◇ **faire attention** to be careful *tou bi: **kèr**foule*
atterrir *vb* to land *tou lannde*
atterrissage *nm* landing ***lannd**inng*
attirer *vb* to attract *tou eu**trakte***
attitude *nf* attitude ***a**titioude*
attraction *nf* attraction *eu**trak**cheune*
attraper *vb* to catch *tou ka:tche* (caught, caught *ko:te, ko:te*)
aube *nf* dawn *do:ne*
auberge *nf* inn *ine*

aubergine *nf* aubergine (GB) ***eou**beujine*, eggplant (US) ***è**gplannte*
aucun(e) *adj, pron* none *none*
audioguide *nm* audio guide ***o:**dieou gaïde*
augmentation *nf* increase ***inn**krisse*
augmenter *vb* to increase *tou inn**krisse***
aujourd'hui *adv* today *teu**deï***
au revoir *interj* goodbye *goude**baï***
Australie *npr* Australia *os**treï**lieu*
auteur(e) *nm/f* author ***o:**Feu*
authentique *adj* authentic *o:**Fènn**tike*
autobus *nm* bus *beusse* ◇ **autobus à impériale** double-decker ***deu**beule dèkeu*
autocollant *nm* sticker ***sti**keu*
automatique *adj* automatic *o:teu**ma**tike*
automne *nm* autumn (GB) ***o:**teume*, fall (US) *fo:le*
automobiliste *nmf* car driver *kare **draï**veu*
autorisation *nf* authorisation *o:Feuraïzeïcheune*
autorisé(e) *adj* authorised ***o:**Feuraïzde*
autoriser *vb* to authorise *tou **o:**Feuraïze*, to allow *tou eu**laou***
autoroute *nf* motorway (GB) ***meou**teuoueï*, highway (US) ***Haï**oueï*
auto-stop *nm* hitch-hiking ***Hitche** Haïkinng* ◇ **faire de l'auto-stop** to hitch-hike *tou **Hitche** Haïk*
autour de *prép* around *eu**raounde***
autre *adj* other ***o**Veu* ▪ *nmf* ◇ **un(e) autre** another one *eu**no**Veu ouone*
autrement *adv* • (sinon) otherwise ***o**Veuouaïze* • (différemment) differently ***di**freuntli*
autruche *nf* ostrich ***os**tritche*
avalanche *nf* avalanche ***a**veula:nnche*
avaler *vb* to swallow *tou **soua**leou*
avance *nf* (d'argent) advance *eud**va:nnse*** ◇ **être en avance** to be early *tou bi: **eur**li*
avant *adv* before *bi**fo:re*** ▪ *adj* front *fronnte*
avantage *nm* advantage *eud**va:nn**tidje*
avant-hier *adv* the day before yesterday *Ve deï bi**fo:re** **iès**teudeï*
avec *prép* with *ouiVe*
avenir *nm* future ***fiou**tcheu*
avenue *nf* avenue ***a**veuniou*
avion *nm* plane *pleïne*
aviron *nm* (sport) rowing ***reou**inng*
avis *nm* opinion *eu**pi**nieune*
avocat *nm* (fruit) avocado *aveu**ka:**deou*
avoir *vb* to have *tou Have* (had, had *Hade, Hade*)
avortement *nm* abortion *eu**bo:r**cheune*
avril *nm* April ***eï**preule*
bac *nm* • (bateau) ferry ***fè**ri* • (récipient) tray *treï* ◇ **bac à sable** sandpit (GB) ***sannd**pite*, sandbox (US) ***sannd**bokse*
bagage *nm* baggage ***ba**guidje*, piece of luggage *pi:sse ove **leu**guidje*
bagarre *nf* fight *faïte*
bague *nf* ring *rinng*
baigner (se) *vb* • (nager) to swim *tou souime* (swam, swum *souame, soueume*) • (se laver) to have a bath *tou Have e ba:Fe*
baignoire *nf* bath (GB) *ba:Fe*, tub (US) *teube*
bain *nm* bath *ba:Fe*
baisser *vb* to lower *tou **leou**eu* ◇ **se baisser** to bend down *tou bènnde daoun* (bent, bent *bènnte, bènnte*)
balai *nm* broom *broume*
balançoire *nf* swing *souinng*
balcon *nm* balcony ***bal**keuni*
balisé(e) *adj* (chemin) marked ***ma:r**kte*
balle *nf* ball *bo:le*
ballet *nm* ballet ***ba**leï*
ballon *nm* ball *bo:le*
banane *nf* banana *beu**na:**neu* ◇ **(sac) banane** bumbag ***beum**bague*
banc *nm* bench *bènnche*
bancaire *adj* banking ***bann**kinng*
bandage *nm* bandage ***bènn**didje*

bande *nf* • (bandage) strip *stripe* band *bènnde* • (de personnes) group *groupe* ◇ **bande-annonce** trailer ***treï**leu* ◇ **bande dessinée** comic book ***ko**mike bouke*

banlieue *nf* suburbs ***seu**beubz*

banque *nf* bank *bènnke*

baptême *nm* baptism ***bap**tizeume* ◇ **baptême de l'air** first flight *Feurste flaïte*

bar *nm* • (établissement) bar *ba:re* • (poisson) bass *ba:sse*

barbe *nf* beard *birde*

barbecue *nm* barbecue ***ba:r**beukiou*

barman *nm* barman ***ba:r**meune*

baroque *adj* baroque *beu**roke***

barque *nf* small boat *smo:le beoute*

barquette *nf* (de fruits) punnet ***peu**nite*

barrage *nm* (d'eau) dam *dame*

barre *nf* bar *ba:re* • (de bateau) helm *Hèlme*

barreau *nm* bar *ba:re*

bas(se) *adj* low *leou* ▪ *nmpl* (collant) stockings ***sto:**kinngz*

basilic *nm* basil ***ba**zeule*

basilique *nf* basilica *beu**zi**likeu*

basket-ball *nm* basketball ***ba:**skèttba:le*

bassin *nm* (petit étang), pond *ponnde* (piscine), pool *poule*

bateau *nm* boat *bo:te*

bâtiment *nm* building ***bi:l**dinng*

batterie *nf* • (accumulateur) battery ***ba**teuri* • (instrument de musique) drums *dreumze*

baume *nm* (à lèvres) lip balm *lipe ba:me*

bavette *nf* (de bœuf) flank steak *flannke steïke*

beau, belle *adj* beautiful ***biou**tifoule* • (homme) handsome ***Hann**seume*

beaucoup *adv* a lot *e lote*, much *meutche* ◇ **beaucoup de** a lot of

beau-frère *nm* stepbrother ***stèp**broVeu* • (par alliance) brother-in-law ***bro**Veu ine lo:*

beau-père *nm* stepfather ***stèp**fa:Veu* • (par alliance) father-in-law ***fa:**Veu ine lo:*

beaux-arts *nmpl* fine arts *faïne a:rtse*

belle-mère *nf* stepmother ***stèp**moVeu* • (par alliance) mother-in-law ***mo**Veu ine lo:*

belle-sœur *nf* stepsister ***stèp**sisteu* • (par alliance) sister-in-law ***sis**teu ine lo:*

bébé *nm* baby ***beï**bi*

beignet *nm* fritter ***fri**teu* • (rond et sucré) doughnut ***deou**neute*

belge *adj* Belgian ***bèl**djeune*

Belgique *npr* Belgium ***bèl**djeume*

bénévolat *nm* volunteer work *voleun**ti:re** oueurke*

bénévole *nm/f* volunteer *voleun**ti:re***

besoin *nm* need *ni:de* ◇ **avoir besoin de** to need *tou ni:de*

béton *nm* concrete *konn**kri:te***

betterave *nf* beetroot ***bi:**troute*

beurre *nm* butter ***beu**teu*

biberon *nm* (baby's) bottle *(**beï**bize)* ***beu**teule*

bibliothèque *nf* library ***laï**breuri*

bicyclette *nf* bicycle ***baï**ssikeule*

bidon *nm* can *kane*

bien *adv* well *ouèle* ▪ *adj* good *goude*

bientôt *adv* soon *soune*

bienvenu(e) *adj* welcome ***ouèl**keume*

bière *nf* beer *bi:re*

bijou *nm* jewel ***djou**eule*

bijouterie *nf* jewellery ***djou**eulri*

billet *nm* ticket ***ti**kite* ◇ **billet de banque** banknote (GB) ***bann**kneoute*, bill (US) *bile*

FRANÇAIS-ANGLAIS

billetterie *nf* ticket office *tikite ofisse* ◇ **billetterie automatique** ticket machine *tikit meuchi:ne*
bio *adj* organic *o:rganike*
biologique *adj* biological *baïeulodjikeule*
biscuit *nm* biscuit *biskite*
bise *nf* **bisou** *nm* kiss *kisse*
bizarre *adj* strange *streïnndje*
blanc(he) *adj* white *ouaïte*
blé *nm* wheat *oui:te* ◇ **blé noir** buckwheat *beukoui:te*
blessé(e) *adj* injured *indjeude*
blesser *vb* to hurt *tou heurte* (hurt, hurt *heurte, heurte*)
blessure *nf* injury *indjeuri*
bleu(e) *adj* (couleur) blue *blou* ▪ *nm* (hématome) bruise *brouze*
blond(e) *adj* fair *fère*, blond *blonnde*
bloquer *vb* to block *tou bloke*
blouson *nm* jacket *djakète*
bœuf *nm* • (viande) beef *bi:fe* • (animal) ox (pl oxen) *o:kse, okseune*
boire *vb* to drink *tou drinnke* (drank, drunk *drannke, dreunke*)
bois *nm* (matériau) wood *woude*
boisson *nf* drink *drinnke*, beverage *bèvridje*
boîte *nf* box *bokse* ◇ **boîte de nuit** nightclub *naïtekleube*
bon(ne) *adj* good *goude* • (au goût) tasty *teïsti*
bonbon *nm* sweet *souite*
bonjour *nm* • (le matin) good morning *goude mo:rninng* • (l'après-midi) good afternoon *good afteunoune*
bonnet *nm* woolly hat *wouli Hate*
bord *nm* edge *èdje* ◇ **au bord de la route** by the roadside *baï Ve reoudesaïde* ◇ **à bord** on board *one bo:rde*
bordeaux *nm* claret *klarète*
bosse *nf* (à la tête) bump *beumpe*
botte *nf* boot *boute*

bouche *nf* mouth *maouFe*
bouché(e) *adj* (canalisation) clogged *klogde*
boucher(-ère) *nm/f* butcher *boutcheu*
boucherie *nf* butcher's (shop) *boutcheuze (choppe)*
bouchon *nm* • (de bouteille) cork *ko:rke* • (embouteillage) traffic jam *trafike djame*
bouchonné(e) *adj* (vin) corked *ko:rkte*
boucle d'oreille *nf* earring *i:rinng*
bouclé(e) *adj* curly *keurli*
boucler *vb* (ceinture) to fasten *tou fa:sseune*
bouée *nf* • (pour nager) rubber ring *reubeu rinng* • (de sauvetage) lifebelt *laïfebèlte* • (balise) buoy *boï*
bouger *vb* to move *tou mouve*
bougie *nf* • (chandelle) candle *kanndeule* • (de voiture) spark plug *spa:rke pleugue*
bouillir *vb* to boil *tou boïle*
bouillon *nm* broth *broFe*
boulanger(-ère) *nm/f* baker *beïkeu*
boulangerie *nf* baker's shop *beïkeuze chope*
boule *nf* ball *bo:le* • (de glace) scoop *skoupe*
boulette de viande *nf* meatball *mi:ttbo:le*
bouquet *nm* (de fleurs) bunch of flowers *beunche ofe flaoueuze*
boussole *nf* compass *kommpeusse*
bouteille *nf* bottle *boteule*
boutique *nf* shop (GB) *chope*, store (US) *sto:re*
bouton *nm* • (de vêtement) button *boteune* • (cutané) spot *spote* • (interrupteur) switch *souitche*
bracelet *nm* bracelet *breïslite*
braguette *nf* fly *flaï*
branche *nf* branch *branntche*
branché(e) *adj* • (relié au courant) plugged in *pleugde ine* • (à la mode) trendy *trènndi*

brancher *vb* to plug in *tou pleugue ine*
bras *nm* arm *a:rme*
bravo *excl* well done *ouèle done*
brebis *nf* ewe *iou*
bretelles *nfpl* braces (GB) ***breï**ssize*, suspenders (US) *seu**spènn**deuz*
briquet *nm* lighter ***laï**teu*
britannique *adj* British ***bri**tiche* ▪ *nm/f* ◇ **Britannique** British person ***bri**tiche peurseune*
brochette *nf* • (broche) skewer ***skiou**eu* • (plat) kebab *keu**babe***
brochure *nf* leaflet ***li:**flète*
brocoli *nm* brocoli ***bro**keuli*
bronchite *nf* bronchitis *bronn**kaï**teusse*
bronze *nm* bronze *bronnze*
bronzé(e) *adj* tanned *tannde*
bronzer *vb* to get a tan *tou guète e tane*
brosse *nf* brush *breuche*
brosser *vb* to brush *tou breuche*
brouillard *nm* fog *fogue*
bruit *nm* noise *noïze*
brûlé(e) *adj* burnt *beurnte*
brûler *vb* to burn *tou beurne* (burnt, burnt *beurnte, beurnte*)
brûlure *nf* burn *beurne*
brume *nf* mist *miste*
brumeux(-euse) *adj* misty ***mis**ti*
brun(e) *adj* (cheveux) dark-haired *da:rke Hèrde*
Bruxelles *npr* Brussels ***breu**sseulze*
bruyant(e) *adj* noisy ***noï**zi*
buffet *nm* (au restaurant) buffet ***bou**feï*
bureau *nm* • (local) office ***o**fisse* • (meuble) desk *dèske* ◇ **bureau de tabac** tobacconist's *teu**ba**keunistse*
bus *nm* bus *beusse*
ça *pron dém* it *ite* that *Vate*
cabine *nf* cabin ***ka**bine* ◇ **cabines d'essayage** fitting rooms (GB) ***fi**tinng roumz*, dressing rooms (US) ***drè**ssinng roumz*
cabinet *nm* ◇ **cabinet médical** surgery ***seur**djeuri*
câble *nm* wire *ouaïeu*
cacahuète *nf* peanut ***pi:**neute*
cachet *nm* (médicament) tablet ***ta**blète*
caddie *nm* trolley (GB) ***tro**li*, caddy (US) ***ka**di*, cart (US) *ka:rte*
cadeau *nm* gift *guifte*, present ***pré**zeunte*
cadenas *nm* padlock ***pad**loke*
cadre *nm* frame *freïme* • (personne) executive *ig**zé**kioutive*, manager ***ma**nadjeu*
cafard *nm* (insecte) cockroach ***kok**reoutche*
café *nm* • (boisson) coffee ***ko**fi* • (lieu) café ***ka**feï*
cahier *nm* copybook ***ko**pibouke*
calamar *nm* squid *skouide*
calculatrice *nf* calculator ***kal**kiouleïteu*
calèche *nf* horse-drawn carriage *Ho:rse dro:ne **ka**ridje*
caleçon *nm* boxer shorts (GB) ***bok**seu cho:rtse*, shorts (US) *cho:rtse*
calendrier *nm* calendar ***ka**leundeu* • (programme) schedule ***ché**dioule*
caler *vb* (voiture) to stall *tou sto:le*
calme *adj* calm *ka:me* ▪ *nm* quiet *kouaïeute*
cambrioler *vb* to burgle *tou **beur**gueule*
caméra *nf* film camera *filme **kamm**reu*
camion *nm* lorry (GB) ***lo**ri*, truck (US) *treuke*
camionnette *nf* van *vanne*
campagne *nf* (paysage) countryside ***keun**trisaïde*

camping *nm* • (activité) camping ***kamm**pinng* • (lieu) campsite ***kammp**saïte*
camping-car *nm* camper (GB) ***kamm**peu*, motorhome (US) ***meou**teuHeoume*
Canada *npr* Canada ***Ka**neudeu*
canadien(ne) *adj* Canadian *keu**neï**dieune*
canapé *nm* sofa ***seou**feu*, settee *sé**ti:***
canard *nm* duck *deuke*
cancer *nm* cancer ***kann**seu*
candidat(e) *nm/f* candidate ***kann**dideïte*, applicant ***a**plikeunte*
candidater *vb* to apply for a job *tou eu**plaï** fo:r e djobe*
candidature *nf* application *apli**keï**cheune*
canette *nf* can *kane*
canif *nm* pocket knife ***po**kite naïfe*
canne *nf* walking stick ***ouo:k**inng stike*
cannelle *nf* cinnamon ***si**neumeune*
canoë-kayak *nm* kayak ***kaï**ake*
canot *nm* ◇ **canot de sauvetage** lifeboat ***laïf**beoute*
capitale *nf* capital ***ka**piteule*
capot *nm* bonnet (GB) ***bo**neute*, hood (US) *Houde*
caractère *nm* (de personne) character ***ka**rèkteu*
carafe *nf* jug *djeugue*
caramel *nm* toffee ***to**fi*
carburant *nm* fuel *fioule*
cardiaque *adj* cardiac ***ka:r**diake* ◇ **être cardiaque** to have a heart condition
carie *nf* dental cavity ***dènn**teule **ka**viti*
carnaval *nm* carnival ***ka:r**neuveule*
carnet *nm* notepad ***neoutt**pade*
carotte *nf* carrot ***ka**reute*
carré(e) *adj, nm* square *skouère*
carrefour *nm* crossroads ***kross**reoudz*
carte *nf* • (menu) menu ***mè**niou* • (géographique) map *mape* • (jeu) card *ka:rde*

cartouche *nf* (de cigarettes) carton ***ka:r**teune*
cascade *nf* waterfall ***ouo**teufo:le*
casier *nm* (de vestiaire) locker ***lo**keu*
casino *nm* casino *keu**ssi**neou*
casque *nm* helmet ***Hèl**meute* ◇ **casque audio** headset ***Hèd**sète*
casquette *nf* cap *kape*
cassé(e) *adj* broken ***breou**keune*
casse-noix *nm* nutcracker ***neutt**krakeu*
casser *vb* to break *tou breïke* (broke, broken *breouke*, ***breou**keune*)
casserole *nf* saucepan ***seouss**peune*
cassis *nm* blackcurrant ***blak**keureunte*
catalogue *nm* catalogue ***ka**teulogue*
cathédrale *nf* cathedral *keu**Fi**dreule*
catholique *adj, nmf* Catholic ***ka**Feulike*
caution *nf* (argent) deposit *di**po**zite*
CD *nm* CD *si: di:*
ce, cet, cette *adj dém* this *Visse*, that *Vate*
ceinture *nf* belt *bèlte* ◇ **ceinture de sécurité** seat belt *si:te bèlte*
célèbre *adj* famous ***feï**meusse*
célibataire *adj* single ***sinn**gueule*
céleri *nm* celery ***sè**leuri*
celui-ci, celle-ci *pron dém* this one *Visse ouane*
celui-là, celle-là *adj dém* that one *Vate ouane*
cendrier *nm* ashtray ***ach**treï*
cent *adj num* hundred ***Heun**drède*
centième *adj num* hundredth ***Hun**drèdFe*
centimètre *nm* centimetre (GB), centimeter (US) ***sènn**timiteu*
centre *nm* centre (GB), center (US) ***sènn**teu*
céramique *nf* ceramics *si**ra**mikse*
cercle *nm* circle ***seur**keule*
céréales *nfpl* cereals ***si**rieulze*
cerf-volant *nm* kite *kaïte*
cerise *nf* cherry ***tchè**ri*

certain(e) *adj* (sûr) certain *seurteune*
certificat *nm* certificate *seurtifikeute*
certifié(e) *adj* certified *seurtifaïde*
c'est *loc* this is *Visse ize*
chacun(e) *pron* each (one) *i:tche (ouone)*
chaîne *nf* • (de vélo) chain *tcheïne* • (de télévision) channel *tchaneule* • (de magasins) chain *tcheïne*
chaise *nf* chair *tchère*
chaleur *nf* heat *Hi:te*
chambre *nf* bedroom *bèdroume*
champ *nm* field *filde*
champagne *nm* champagne *cha:mmpeïne*
champignon *nm* mushroom *meuchroume* • (mycose) fungal infection *feungueule innfèkcheune*
chance *nf* luck *leuke* • (probabilité) chance *tcha:nnse*
change *nm* ◇ **(taux de) change** exchange rate *èkstcheïnndje reïte*
changement *nm* • (modification) change *tcheïnndje* • (transports) connection *konèkcheune*
changer *vb* to change *tou tcheïnndje* ◇ **se changer** to change (clothes) *tou tcheïnndje (kleouVze)*
chanson *nf* song *sonngue*
chanter *vb* to sing *tou sinngue* (sang, sung *sanngue, seungue*)
chanteur(-euse) *nm/f* singer *sinngueu*
chapeau *nm* hat *Hate*
chapelle *nf* chapel *tchapeule*
chaque *adj* each *i:tch*, every *èvri*
charcuterie *nf* (viande) cooked pork meats *koukte po:rk mi:tse*
charge *nf* • (poids) load *leoude* • (mission) task *ta:ske*
chargeur *nm* charger *tcha:rdjeu*
chariot *nm* trolley *troli* ◇ **chariot à bagages** luggage trolley (GB) *leuguidje troleï*, luggage cart (US) *leuguidje ka:rte*
charmant(e) *adj* charming *tcha:rminng*
charme *nm* charm *tcha:rme*
chasse (d'eau) *nf* toilet flush *toïlète fleuche*
chat *nm* • (animal) cat *kate* • (par internet) chat *tchate*
châtaigne *nf* chestnut *tchèsneute*
château *nm* castle *kasseule*
chatter *vb* to chat *tou tchate*
chaud(e) *adj* • (boisson, température, nourriture) hot *Hote* • (climat, vêtement) warm *ouo:rme*
chaudière *nf* boiler *boïleu*
chauffage *nm* heating *Hi:tinng*
chauffe-eau *nm* water-heater *ouo:teu Hi:teu*
chauffer *vb* to heat (up) *tou Hi:te (eupe)*
chauffeur *nm* driver *draïveu*
chaussée *nf* road (GB) *reoude*, pavement (US) *peïvmeunte*
chausser *vb* to put on *tou poute one* ◇ **se chausser** to put one's shoes on
chaussette *nf* sock *soke*
chaussure *nf* shoe *chou* ◇ **chaussure de sport** trainer *treïneu*
chauve *adj* bald *bo:lde*
chef *nmf* boss *bosse*
chemin *nm* path *pa:Fe* • (direction) way *oueï*
cheminée *nf* • (foyer) fireplace *faïeupleïsse* • (sur le toit) chimney *tchimni*
chemise *nf* shirt *cheurte*
chêne *nm* oak *eouke*
cher(-ère) *adj* • (prix) expensive *èkspènnsive* • (chéri) dear *di:re*

FRANÇAIS-ANGLAIS

chercher *vb* to look for *tou louke fore*
chercheur(-euse) *nm/f* (personne) researcher *riseurtcheu*
cheval *nm* horse *Ho:rse*
cheveu *nm* hair *Hère* ◇ **ses cheveux sont noirs** his/her hair is black *Hize/Hère ize blake*
cheville *nf* ankle ***ann**keule*
chèvre *nf* goat *gueoute*
chic *adj* smart *sma:rte*
chien(ne) *nm/f* dog *dogue*
chiffre *nm* number ***neum**beu*
chips *nfpl* crisps (GB) *krispsse*, chips (US) *tchipsse*
choc *nm* shock *choke*
chocolat *nm* chocolate ***tcho**klite* ◇ **chocolat noir/au lait** dark/milk chocolate *da:rk/milke **tcho**klite*
choisir *vb* to choose *tou tchouze* (chose, chosen *tcheouze*, ***tcheou**zeune*)
choix *nm* choice *tchoïsse*
chômage *nm* unemployement *eunèmm**ploï**meunte* ◇ **être au chomâge** to be unemployed *tou bi: eunèm**ploïde***
chorégraphie *nf* choreography *kori**o**greufi*
chose *nf* thing *Finng*
chou *nm* cabbage ***ka**bidje*
chou-fleur *nm* cauliflower ***ko**liflaoueu*
chrétien(ne) *adj* Christian ***krist**cheune*
chute *nf* fall *fo:le*
cicatrice *nf* scar *ska:re*
cicatriser *vb* to heal *tou Hi:le*
cidre *nm* cider (GB) ***saï**deu*, hard cider (US) *Ha:rde **saï**deu*
ciel *nm* sky *skaï*
cigare *nm* cigar *si**ga:re***
cigarette *nf* cigarette ***si**gueurète*
cils *nmpl* eyelashes ***aï**lachize*
cinéma *nm* • (art) cinema ***si**neumeu* • (salle) cinema (GB) ***si**neumeu*, movie theater (US) ***mou**vi **Fi**euteu*
cinq *adj num* five *faïve*
cinquante *adj num* fifty *fifti*
cinquantième *adj num* fiftieth ***fif**tife*
cinquième *adj num* fifth *fifVe*
cintre *nm* coat hanger *keoute **Hann**jeu*
cintré(e) *adj* close-fitting ***kleousse**fitinng*
cirage *nm* shoe polish *chou **po**liche*
cirer *vb* to polish *tou **po**liche*
circuit *nm* (parcours) tour *toure* ◇ **un circuit organisé** a guided tour *e gaïdide toure*
circulation *nf* traffic ***tra**fike*
cirque *nm* circus ***seur**keusse*
ciseaux *nmpl* scissors ***si**zeusse*
citron *nm* lemon ***lè**meune*
citrouille *nf* pumpkin ***peum**pkine*
clair(e) *adj* light *laïte*
classe *nf* class *kla:sse* ▪ *adj* (élégant) classy ***kla:**ssi*
classique *adj* • (habituel) classic ***kla**ssike* • (musique) classical ***kla**ssikeule*
clavier *nm* keyboard ***ki:**bo:rde*
clé *nf* (pour ouvrir) key *ki:* ◇ **fermer à clé** to lock *tou loke*
clémentine *nf* clementine ***klè**meuntaïne*
client(e) *nm/f* client ***klaï**eunte* • (de magasin) customer ***keuss**teumeu*
clignotant *nm* indicator ***inn**dikeïteu*
climat *nm* climate ***klaï**meute*
climatisation *nf* air conditioning *ère keun**di**cheuninng*
climatisé(e) *adj* air conditioned *ère keun**di**cheunde*
club *nm* club *kleube* ◇ **club de golf** golf club *golfe kleube*
cochon *nm* pig *pigue* • (viande) pork *po:rke*
cocktail *nm* cocktail ***kok**teïle*
code *nm* code *keoude* ◇ **code postal** postcode (GB) ***post**keoude*, zip code (US) *zipe keoude* ◇ **code confidentiel** PIN number *pine **neumb**beu*

cœur *nm* heart *Ha:rte*
coffre *nm* • (de voiture) boot (GB) *boute*, trunk (US) *treunke* • (de banque) safe *seïfe*
coiffeur(-euse) *nm/f* hairdresser ***Hèr**drèsseu*
coiffure (salon de) *nm* hairdresser's ***Hèr**dresseuze*
coin *nm* corner ***ko:r**neu* • (endroit) spot *spote*
coing *nm* quince *kouinnse*
col *nm* • (de vêtement) collar ***ko**leu* • (de montagne) pass *pa:sse*
colère *nf* anger ***ann**gueu*
colin *nm* hake ***Heï**ke*
colis *nm* parcel ***pa:r**seule*
collants *nmpl* tights (GB) *taïtse*, panty hose (US) ***pann**ti Heouze*
colle *nf* glue *glou*
collège *nm* secondary school (GB) ***sè**keundeuri skoule*, junior high school (US) ***djou**nieu Haï skoule*
collègue *nmf* colleague ***ko**li:gue*
coller *vb* to stick *tou stike* (stuck, stuck *steuke, steuke*)
collier *nm* necklace ***nè**kleïsse*
colline *nf* hill *Hile*
collision *nf* crash *krache*
colloque *nm* colloquium *keu**leou**kouieume*
collyre *nm* eyedrops ***aï**dropse*
colocataire *nmf* flatmate (GB) ***flatt**meïte*, roommate (US) ***roum**meïte*
colonne *nf* column ***ko**leume*
combien *adv* how much *Haou meutche*, how many *Haou **mè**ni*
combinaison *nf* • (de plongée) diving suit ***daï**vinng soute* • (de coffre-fort) combination *kommbi**neï**cheune*
comédie *nf* comedy ***ko**mèdi* ◊ **comédie musicale** musical ***miou**zikeule*
comédien(ne) *nm/f* actor ***ak**teu*, actress ***ak**trèsse* • (comique) comedian *keu**mi:**dieune*
comique *adj* funny ***feu**ni* ▪ *nmf* comedian *keu**mi:**dieune*
commande *nf* order ***o:r**deu* ◊ **passer commande** to order *tou **o:r**deu*
commander *vb* to order *tou **o:r**deu*
comme *conj* (tel) like *laïke*
commencer *vb* to start *tou sta:rte*, to begin *tou bi**guine*** (began, begun *bi**guane**, bi**gueune***)
comment *adv* how *Haou*
commerce *nm* • (activité) trade *treïde* • (affaires) business ***biz**nèsse* • (magasin) shop (GB) *chope*, store (US) *sto:re*
commissariat de police *nm* police station *peu**lisse steï**cheune*
commode *nf* chest of drawers *tchèste ofe **dro:**euze* ▪ *adj* convenient *keun**vi:**nieunte*
commotion cérébrale *nf* concussion *keun**keu**cheune*
communication *nf* communication *keumiouni**keï**cheune*
compagnie *nf* company ***komm**peuni* ◊ **compagnie d'assurance** insurance company *inn**chou**eureunse **keum**peuni*
compartiment *nm* compartment *keum**pa:rt**meunte*
compatible *adj* compatible *keum**pa**tibueule*
compétence *nf* competence ***komm**péteunsse* ◊ **avoir des compétences en** to be competent in *tou bi: **komm**péteunte ine*
compétent(e) *adj* competent ***komm**péteunte*
complet(-ète) *adj* (plein) full *foule*

compote *nf* stewed fruit *stioude froute*
comprendre *vb* (intellectuellement) to understand *tou eundeu**stannde*** (understood, understood *eundeu**stoude**, eundeu**stoude***)
compresse *nf* compress *keum**prèsse***
comprimé *nm* pill *pile*
compris(e) *adj* (inclus) included *inn**kloud**ide*
compatibilité *nf* compatibility *keumpateu**bi**liti*
comptable *nmf* accountant *eu**kaoun**teunte*
compte *nm* account *eu**kaounnte***
compter *vb* to count *tou **ka**ounte*
compteur *nm* (de vitesse) speedometer *spi**do**miteu*
comptoir *nm* • (de bar) bar *ba:re* • (de magasin) counter ***kaoun**teu* ◊ **comptoir d'enregistrement** check-in desk ***tchè**kine dèske*
concert *nm* concert ***konn**seute*
concombre *nm* cucumber ***kiou**keumbeu*
concours *nm* (examen) competitive exam *komm**pè**titive ig**zame***
conducteur(-trice) *nm/f* driver ***draï**veu*
conduire *vb* to drive *tou draïve* (drove, driven *dreouve, **dri**veune*)
conduite *nf* (de véhicule) driving ***draï**vinng*
conférence *nf* conference ***konn**fèreunse*
confiance *nf* trust *treuste*
confirmer *vb* to confirm *tou keun**feurme***
confiture *nf* jam *djame*
confortable *adj* comfortable ***kommf**teubeule*
congé *nm* • (vacances) holiday (GB) ***Ho**lideï*, vacation (US) *veu**keï**cheune* • (arrêt de travail) leave *li:ve*
congélateur *nm* freezer ***fri:**zeu*
conjonctivite *nf* conjunctivitis *keundjeunk**ivaï**tisse*
connaissance *nf* • (savoir) knowledge ***no**lidje* • (personne) acquaintance *eu**koueïn**teunse* ◊ **avoir des connaissances en** to have some knowledge of ◊ **avoir de bonnes connaissances en espagnol** to have a good command of Spanish ◊ **perdre connaissance** to pass out *tou pa:sse aoute*
connaître *vb* to know *tou neou* (knew, known *niou, neoune*)
connecter *vb* to connect *tou keu**nèkte*** ◊ **se connecter à internet** to connect to the Internet *tou keu**nèkte** tou Vi **inn**teunète*
connexion *nf* connection *keu**nèk**cheune* ◊ **connexion internet** Internet connection ***inn**teunète keu**nèk**cheune*
conseil *nm* piece of advice *pi:sse ofe eud**vaï**sse*
conseiller *vb* to advise *tou eud**vaïze***
consigne *nf* (de bagages) left-luggage (office) (GB) *lèfte **leu**guidje (**o**fisse)*, checkroom (US) ***tchèk**roume*
consommation *nf* consumption *keun**seumm**cheune* • (boisson) drink *drinnke*
consommé *nm* consommé *konn**so**meï*
consommer *vb* • (nourriture, boisson) to have *tou Have* (had, had *Hade, Hade*) • (essence) to use *tou iouze*
constat (à l')amiable *nm* accident report ***ak**sideunte ri**po:rte***
constipé(e) *adj* constipated ***konn**stipeïtide*
construction *nf* building ***bild**inng*
construire *vb* to build *tou bilde* (built, built *bilte, bilte*)
consul(e) *nm/f* consul ***konn**seule*
consulat *nm* consulate ***konn**siouleute*

consulter *vb* • (un médecin, un dictionnaire) to consult *tou keunseulte* • (e-mails, répondeur) to check *tou tchèke*

contact *nm* contact *konntakte* • (moteur) ignition *ignicheune*

contacter *vb* to contact *tou konntakte*

contagieux(-euse) *adj* contagious *konnteïdjeusse*

contaminer *vb* to contaminate *tou keuntamineïte*

contemporain(e) *adj* contemporary *konntèmmpeureuri*

content(e) *adj* happy *Hapi*

continental(e) *adj* continental *konntinènnteule*

continuation *nf* continuation *keuntinioueïcheune*

contraception *nf* contraception *kontreusèpcheune*

contraire *adj, nm* opposite *opeuzite*

contrat *nm* contract *konntrakte*

contravention *nf* (PV) parking ticket *pa:rkinng tikite*

contretemps *nm* setback *sèttbake*

contrôleur *nm* ticket inspector *tikite innspèkteu*

convenir *vb* ◇ **convenir à** to suit *tou soute* ◇ **convenir de** to agree on *tou eugri:*

coordonnées *nfpl* contact details *konntakt di:tèlz*

copain, copine *nm/f* friend *frènnde* • (petit ami) boyfriend *boïfrènnde* • (petite amie) girlfriend *gueurlfrènnde*

copie *nf* copy *kopi*

copier *vb* to copy *tou kopi*

coq *nm* cockerel *kokeureule*

coquillage *nm* shell *chèle* • (animal) shellfish *chèlfiche*

coquilles Saint-Jacques *nfpl* scallops *skaleupse*

cor *nm* (durillon) callus *kaleusse*

cordonnerie *nf* shoe mender's *chou mènndeuze*

coriandre *nf* coriander *koria:nndeu*

cornichon *nm* gherkin *gueurkine*

corps *nm* body *bodi*

correct(e) *adj* • (exact) correct *korèkte* • (convenable) proper *propeu*

correspondance *nf* • (transports) connection *konèkcheune* • (lettres) letters *lèteuze*

costume *nm* • (de ville) suit *soute* • (déguisement) costume *kostioume*

côte *nf* • (rivage) coast *ko:ste* • (pente) slope *sleoupe* • (os) rib *ribe* • (de veau, de porc) chop *tchope* • (de bœuf) rib *ribe*

côté *nm* side *saïde*

côtelette *nf* chop *tchope*

coton *nm* cotton *koteune*

cou *nm* neck *nèke*

couche *nf* (de bébé) nappy (GB) *napi*, diaper (US) *daïeupeu*

coucher (se) *vb* to go to bed *tou gueou tou bède*

couchette *nf* (de train) bunk *beunke*

coude *nm* elbow *èlbeou*

couleur *nf* colour (GB) *koleu*, color (US) *koleu*

couloir *nm* corridor *koridore* • (d'avion) aisle *aïle*

coup *nm* knock *noke*

coupable *adj* guilty *guilti* ▪ *nmf* culprit *keulprite*

coupe *nf* • (de champagne) glass *gla:sse* • (de cheveux) haircut *Hèrkeute*

coupé(e) *adj* (raccourci) cut *keute*

coupe-ongles *nm* nail clippers *neïle klipeuze*

couper *vb* to cut *tou keute* (cut, cut *keute, keute*)

coupe-vent *nm* windbreaker *ouinndbreïkeu*

couple *nm* couple *keupeule*
cour *nf* • (intérieure) courtyard *ko:rtia:rde* • (royale) court *ko:rte*
courage *nm* (bravoure) courage *keuridje*
courant(e) *adj* common *komeune*
courant *nm* • (eau) current *keureunte* • (électricité) electric current *ilèktrike keureunte* ◇ **couper le courant** to cut off the power *tou keute ofe Ve paoueu*
courbatures *nfpl* aches *eïkse*
courgette *nf* courgette (GB) *kourjète*, zucchini (US) *zoukini*
courir *vb* to run *tou reune* (ran, run *ranne, reune*)
courriel *nm* email *i:meïle*
courrier *nm* (lettres) post (GB) *peoust*, mail (US) *meïle* ◇ **courrier électronique** email *i:meïle*
cours *nm* lesson *lèsseune*, class *kla:sse* ◇ **des cours du soir** evening classes *i:vninng kla:ssize* ◇ **donner des cours particuliers** to give private lessons ou tuition *tou give praïveute lèsseunz - touïcheune*
course *nf* race *reïsse*
courses *nfpl* (commissions) shopping *chopinng*
court *nm* (de tennis) court *chorte*
court(e) *adj* short *cho:rte*
cousin(e) *nm/f* cousin *keuzeune*
coussin *nm* cushion *koucheune*
coût *nm* cost *koste*
couteau *nm* knife (pl knives) *naïfe, naïvz*
coûter *vb* to cost *tou koste* (cost, cost *koste, koste*)
coutume *nf* custom *keusteume*
couvent *nm* convent *konnveunte*
couvert(e) *adj* covered *koveude*
couverts *nmpl* cutlery *keutleuri*
couverture *nf* blanket *blannkite*
couvrir *vb* to cover *tou koveu*
crabe *nm* crab *krabe*
craie *nf* chalk *tcho:ke*
crampe *nf* cramp *krammpe*
crayon *nm* pencil *pènnseule*
crédit *nm* credit *krèdite*
crème *nf* cream *kri:me* ◇ **crème solaire** sun cream *seune kri:me*
crémeux(-euse) *adj* creamy *kri:mi*
creux(-euse) *adj* hollow *Holeou*
crevaison *nf* puncture *peunktcheu*
crever *vb* (pneu) to have a puncture *tou Have e peunktcheu*
crevette *nf* • (rose) prawn *pro:ne* • (grise) shrimp *chrimmpe*
cri *nm* shout *chaoute*
cric *nm* jack *djake*
crier *vb* to shout *tou chaoute*
crise *nf* crisis *kraïssisse* ◇ **crise de rire** fit of laughter *fite ofe la:Fteu*
cristal *nm* crystal *kristeule*
critique *adj* critical *kritikeule* ▪ *nf* criticism *kritissizeume* • (d'une œuvre) review *riviou*
crocodile *nm* crocodile *krokeudaïle*
croire *vb* to believe *tou bili:ve* • (penser) to think *tou Finnke* (thought, thought *Fo:te, Fo:te*)
croisement *nm* (carrefour) junction *djeunkcheune*
croisière *nf* cruise *krouze*
croix *nf* cross *krosse*
croquant(e) *adj* crunchy *kreunchi*
croquette *nf* croquette *kreoukète* ◇ **croquettes pour chiens** dry dogfood *draï doguefoude*
croûte *nf* crust *kreuste*
croyant(e) *nm/f* believer *bili:veu*
cru(e) *adj* raw *ro:*
crudités *nfpl* raw vegetables *ro: vèdjteubeulze* ◇ **salade de crudités** mixed salad *mikste saleude*
crustacés *nmpl* shellfish *chèlfiche*
cuillère *nf* spoon *spoune*
cuir *nm* leather *lèVeu*
cuire *vb* (aliments) to cook *tou kouke*

cuisine *nf* kitchen *kitcheune* • (activité) cooking ***kou**kinng*
cuisiner *vb* to cook *tou kouke*
cuisinier(-ière) *nmf* cook *kouke* ▪ *nf* (appareil) cooker (GB) *koukeu*, stove (US) *steouve*
cuisse *nf* thigh *Faï* • (de poulet) leg *lègue*
cuit(e) *adj* cooked *koukte* • (viande) done *donne*
cuivre *nm* copper ***ko**peu*
culotte *nf* pants (GB) *panntse*, underpants (US) ***eun**deupanntse*
culte *nm* worship ***oueur**chipe*
cultivé(e) *adj* • (personne) learned ***leur**nède* • (champ) cultivated ***keul**tiveïtide*
curé *nm* priest *pri:ste*
cure-dent *nm* toothpick ***touF**pike*
curieux(-euse) *adj* curious ***kiou**rieusse*
curriculum vitae *nm* CV (GB) *si: vi:*, résumé (US) ***reï**zioumeï*
curry *nm* curry ***keu**ri*
CV *nm* CV *si: vi:*
cybercafé *nm* cybercafé ***saï**beu kafeï*
cyclisme *nm* cycling ***saï**klinng*
cycliste *nmf* cyclist ***saï**kliste*
cyberespace *nm* cyberspace ***saï**beuspeïsse*
dame *nf* lady ***leï**di*
danger *nm* danger ***dènn**jeu*
dangereux(-euse) *adj* dangerous ***dènn**jeureusse*
dans *prép* in *ine*
danse *nf* dance *da:nnse*
danser *vb* to dance *tou da:nnse*
danseur(-euse) *nm/f* dancer ***da:nn**seu*
date *nf* date *deïte*
datte *nf* date *deïte*
daurade *nf* sea bream *si: bri:me*
dé *nm* (à jouer) die (pl dice) *daï, daïsse*
debout *adj, adv* standing ***stann**dinng* • (levé) up *eupe* ◇ **se mettre debout** to stand up *tou stannde eupe* ◇ **debout !** get up! *guète eupe*
début *nm* beginning *bi**guinn**inng*
débutant(e) *nm/f* beginner *bi**gui**neu*
décaféiné(e) *adj* decaffeinated *di**ka**fineïtide*
décalage horaire *nm* time difference *taïme **di**freunse* ◇ **souffrir du décalage horaire** to be jetlagged *tou bi: **djètt**laguede*
décapotable *adj* convertible *keun**veur**teubeule*
décapsuleur *nm* bottle opener ***bo**teule eou**peu**neu*
décembre *nm* December *di**sèmm**beu*
décharger *vb* to unload *tou **eun**leoude*
déchirer *vb* to tear *tou tère* (tore, torn *tore, torne*)
déchirure *nf* tear *tère* • (sur vêtement) rip *ripe*
décider *vb* to decide *tou di**ssaï**de*
déclaration *nf* • (d'accident, de perte) notification *neuoutifi**keï**cheune* • (en douane) declaration *dikleu**reï**cheune*
déclarer *vb* to declare *tou di**klère*** • (délit) to report *tou ri**po:rte***
décollage *nm* take-off *teïke ofe*
décoller *vb* (avion) to take off *tou teïke ofe*
découvert *nm* overdraft ***eou**veudra:fte*
découverte *nf* discovery *dis**ko**veuri*
découvrir *vb* to discover *tou dis**ko**veu*

FRANÇAIS-ANGLAIS

décrire *vb* to describe *tou dis**kraïbe***
dedans *adv* inside ***inn**saïde*
déesse *nf* goddess ***go**dèsse*
défaut *nm* defect ***di:**fèkte*, fault *fo:lte*
dégonfler *vb* to deflate *tou di**fleïte***
dehors *adv* outside ***aout**saïde*
déjà *adv* already *o:l**rè**di*
déjeuner *nm* lunch *leunche* ▪ *vb* to have lunch *tou Have leunche*
délicieux(-euse) *adj* delicious *dè**li**cheusse*
délit *nm* offence (GB), offense (US) *eu**fènnse***
deltaplane *nm* hang-glider *Hanng glaïdeu*
demain *nm* tomorrow *teu**mo**reou*
demande *nf* request *ri**kouèste***
demander *vb* to ask *tou a:ske*
démangeaison *nf* itching ***it**chinng*
démanger *vb* to itch *tou itche*
démaquillant *nm* make-up remover *meïke eupe ri**mou**veu*
démarrage *nm* start *sta:rte*
démarrer *vb* to start *tou sta:rte*
demi(e) *adj* (moitié) half *Ha:fe* ◇ **une demi-heure** half an hour *Ha:fe eune aoueu* ◇ **faire demi-tour** to do a U-turn *tou dou e iou teurne*
dénoncer *vb* to denounce *tou di**naounn**se*
dent *nf* tooth (pl teeth) *touFe, ti:Fe*
dentifrice *nm* toothpaste ***touF**peïste*
dentiste *nmf* dentist ***dènn**tiste*
déodorant *nm* deodorant *di**eou**deureunte*
dépanneuse *nf* breakdown lorry (GB) ***breïk**daoune **lo**ri*, tow truck (US) *teou treuke*
départ *nm* departure *di**pa:r**tcheu* ◇ **les trains au départ de Londres** trains (departing) from London *treïnz di**pa:r**tinng frome **lone**done*
dépasser *vb* (véhicule) to overtake *tou eouveu**teïke*** (overtook, overtaken *eouveu**touke**, eouveu**teï**keune*)
dépêcher (se) *vb* to hurry up *tou **Heu**ri eupe*
dépendre *vb* to depend *tou di**pènnde***
dépenser *vb* to spend *tou spènnde* (spent, spent *spènnte, spènnte*)
dépliant *nm* leaflet ***li:**flète*
depuis *prép* • (durée) for *fo:re* • (point de départ) since *sinnse*
déranger *vb* to disturb *tou dis**teurbe***
dérailleur *nm* derailleur *di**reï**lieu*
dermatologue *nmf* dermatologist *deurmeu**ta**leudjiste*
dernier(-ère) *adj* last *la:ste*
derrière *adv* behind *bi**Haïnnde***
des *art* (généralement non traduit) some *some* ◇ **des pommes** (some) apples *(some) **a**peulz*
désagréable *adj* unpleasant *eun**plè**zeunte*
descendre *vb* to go down *tou gueou daoune* • (d'un véhicule) to get off *tou guète ofe*
désert *nm* desert ***dè**zeute*
désinfectant(e) *adj* disinfectant *dissinn**fèk**teunte*
désinfecter *vb* to disinfect *tou dissinn**fèkte***
désirer *vb* • (vouloir) to want *tou ouannte* • (convoiter) to desire *tou di**zaï**eu*, to crave for *tou kreïve fore*
dessert *nm* dessert *di**zeurte***
dessin *nm* drawing ***dro:**inng*
dessiner *vb* to draw *tou dro:* (drew, drawn *drou, dro:ne*)
dessous *adv* underneath *eundeu**ni:Fe*** • (plus bas) below *bi**leou***
dessus *adv* (sur) on it *one ite* ◇ **au-dessus** • (sur) on top *one tope* • (à l'étage supérieur) upstairs *eup**stèrz***
destinataire *nmf* addressee *adrè**ssi:***
détendre (se) *vb* to relax *tou ri**la:kse***

étester *vb* to hate *tou Heïte*

eux *adj num* two *tou* ◇ **couper en deux** to cut in two *tou keute 'ne tou*

evant *adv* in front of *ine fronnte ɔfe*

évelopper *vb* to develop *to ɬivèleupe*

éveloppement *nm* development *ɬivèleupmeunte*

éviation *nf* diversion (GB) *ɬaïveurcheune*, detour (US) *di:toure*

evoir *nm* duty *diouti* ▪ *vb* • (argent) 'o owe *tou eou* • (être obligé) must *neuste*, to have to *tou Have tou*

iabète *nm* diabetes *daïeubi:ti:ze*

iabétique *adj* diabetic *'aïeubètike*

iarrhée *nf* diarrhea *daïeurieu*

ictionnaire *nm* dictionary *ɬikcheuneuri*

iesel *nm* diesel *dizeule*

iète *nf* diet *daïeute*

ieu *nm* god *gode*

ifférent(e) *adj* different *difreunte*

ifficile *adj* difficult *difikeulte*

igestif *nm* digestive *daïdjèstive*

imanche *nm* Sunday *seundè*

inde *nf* turkey *teurki*

iner *nm* dinner *dineu* ▪ *vb* to have ɬinner

iplôme *nm* diploma *dipleoumeu*

ire *vb* to say *seï* (said, said *sède, ède*)

irect(e) *adj* direct *daïrèkte*

irectement *adv* directly *daïrèktli*

irecteur(-trice) *nm/f* director *aïrèkteu*, manager *manadjeu*

irection *nf* (déplacement) direction *aïrèkcheune*

iriger *vb* (équipe) to manage *tou ıanidje* ◇ **se diriger vers** to make ɔr *tou meïke fo:re*

discothèque *nf* night club *naïte kleube*

disjoncteur *nm* circuit breaker *seurkite breïkeu*

disparaître *vb* to disappear *tou disseupire*

disponible *adj* available *euveïleubeule*

disque *nm* record *rèkeurde*

distance *nf* distance *disteunnse*

distributeur *nm* (de billets) cash machine (GB) *kache meuchi:ne*, ATM (US) *eï ti: ème* ◇ **distributeur automatique** vending machine *vènndinng meuchi:ne*

diviser *vb* to divide *tou divaïde*

divorcé(e) *adj* divorced *divo:rste*

dix *adj num* ten *tène*

dix-huit *adj num* eighteen *eïti:ne*

dixième *adj num* tenth *tènnFe*

dix-neuf *adj num* nineteen *naïnnti:ne*

dix-sept *adj num* seventeen *sèveunti:ne*

docteur *nmf* doctor *dokteu*

document *nm* document *dokioumeunnte*, paper *peïpeu*

documentaire *nm* documentary *dokioumènnteuri*

documentation *nf* documentation *dokioumeunteïcheune*

doigt *nm* finger *finngueu* ◇ **doigt de pied** toe *teou*

dollar *nm* dollar *doleu*

dommage *loc* ◇ **quel dommage !** what a shame! *ouate e cheïme*, what a pity! *ouate e piti*

donner *vb* to give *guive* (gave, given *gueïve, guiveune*)

doré(e) *adj* golden *gueouldeune*

dormir *vb* to sleep *tou sli:pe* (slept, slept *slèpte, slèpte*)

dos *nm* back *bake*

dossier *nm* • (d'inscription) file *faïle* • (de classement) folder ***fold**eu*
douane *nf* customs ***keus**teumze*
double *adj* double ***deu**beule*
doucement *adv* • (délicatement) gently ***djènn**tli* • (lentement) slowly ***sleou**li*
douche *nf* shower ***chaou**eu*
douleur *nf* pain *peïne*
doux(-ouce) *adj* • (au toucher) soft *softe* • (geste, personne) gentle ***djènn**teule*
douze *adj num* twelve *touèlve*
drap *nm* sheet *chi:te*
drapeau *nm* flag *flague*
drogue *nf* drug *dreugue*
droit *nm* (prérogative) right *raïte* ▪ *adv* ◇ **aller tout droit** to go straight on *tou gueou streïte one*
droit(e) *adj* (rectiligne) straight *streïte*
droite *nf* (position) right *raïte* ◇ **à droite, sur la droite** on the right *one Ve raïte*
drôle *adj* funny ***feu**ni*
dur(e) *adj* hard *Ha:rde*
durer *vb* to last *tou la:ste*
durillon *nm* callus ***ka**leusse*
duvet *nm* (sac de couchage) sleeping bag ***sli:**pinng bague*
DVD *nm* DVD *di: vi: di:*
eau *nf* water *ouo:teu*
échalote *nf* shallot *cheu**lote***
échanger *vb* to exchange *tou èks**tcheïnndje***
écharpe *nf* scarf (pl scarves) *ska:rfe, ska:rvz*
échec *nm* failure ***feïl**ieur*
échecs *nmpl* (jeu) chess *tchèsse*
échelle *nf* ladder ***la**deu*
échographie *nf* ultrasound ***eul**treusaounde*
éclairage *nm* lighting ***laït**inng*
école *nf* school *skoule*
écologique *adj* ecological *i:keou**lo**djikeule*
écossais(e) *adj* Scottish ***sko**tiche*
Écosse *npr* Scotland ***skott**leunde*
écouter *vb* to listen (to) *tou **lis**seune (tou)*
écran *nm* screen *skri:ne*
écrire *vb* to write *to raïte* (wrote, written *reoute, **ri**teune*)
écriture *nf* writing ***raï**tinng*
écrivain(e) *nm/f* writer ***raï**teu*
écureuil *nm* squirrel ***skoui**reule*
éducation *nf* education *èdiou**keï**cheune*
effet *nm* effect *i**fèkte***
égal(e) *adj* equal ***i:**koueule*
église *nf* church *tcheurtche*
égratignure *nf* scratch *skratche*
élection *nf* election *i**lèk**cheune*
électricité *nf* electricity *ilèk**tris**siti*
électrique *adj* electrical *i**lèk**trikeule*
électronique *adj* electronic *ilèk**tro**nik*
élève *nmf* pupil ***piou**peule*
élire *vb* to elect *tou **ilèkte***
elle *pron* • (sujet) she *chi* • (complément) her *Heur* ◇ **elles** • (sujet) they *Veï* • (complément) them *Vème*
e-mail *nm* email ***i:**meïle*
emballer *vb* to wrap *tou rape*
embarquement *nm* boarding ***bo:r**dinng* ◇ **carte d'embarquement** boarding pass ***bo:r**dinng pa:sse* ◇ **port d'embarquement** boarding gate ***bo:r**dinng gueïte*
embarquer *vb* (passager) to board *tou bo:rde*, to go aboard *tou gueou eu**bo:rd***
embêter *vb* to bother *tou **bo**Veu*
embouteillage *nm* traffic jam ***tra**fike djame*
embrasser *vb* to kiss *tou kisse*
embrayage *nm* clutch *kleutche*
émission *nf* (de radio, de télévision) programme ***preou**grame*
emmener *vb* • (emporter) to take *tou teïke* (took, taken *touke, **teï**keune*) • (inviter) to take along *tou teïke eu**lonng***

empirer *vb* to get worse *tou guète oueurse*
emplacement *nm* place *pleïsse* • (site) site *saïte*
emploi *nm* • (métier) job *djobe* • (usage) use *iousse*
employé(e) *nm/f* employee *èmmploïi:*
employeur *nm* employer *èmmploïeu*
emprunter *vb* to borrow *tou boreou*
encas *nm* snack *snake*
enceinte *adj f* pregnant *prègneunte*
enchanté(e) *adj* delighted *dilaïtide* • (présentation) nice too meet you *naïsse tou mi:te iou*
encore *adv* (à nouveau) again *euguène*
encre *nf* ink *innke*
endive *nf* chicory (GB) *tchikeuri*, endive (US) *ènndaïve*
endormir (s') *vb* to fall asleep *tou fo:le eusli:pe*
endroit *nm* place *pleïsse*
enfant *nmf* child (pl children) *tchaïlde, tchildreune*
enfer *nm* hell *Hèle*
enfin ! *excl* at last! *ate la:ste*
enflé(e) *adj* swollen *soueouleune*
enlever *vb* to take off *tou teïke ofe* • (tache) to remove *tou rimouve*
ennuyer (s') *vb* to get bored *tou guète bo:rde*
ennuyeux(-euse) *adj* boring *bo:rinng*
enquête *nf* investigation *innvèstigueïcheune*
enquêter *vb* to investigate *tou innvèstigueïte*
enregistrement *nm* • (de bagages) check-in *tchèkine* • (de fichier, musique) recording *riko:rdinng*
enregistrer *vb* • (les bagages) to check in *tou tchèke ine* • (fichier informatique, musique) to record *tou riko:rde*
enrhumé(e) *adj* ◊ **être enrhumé** to have a cold *tou Have e kolde*
enseignant(e) *nm/f* teacher *ti:tcheu*
enseignement *nm* teaching *ti:tchinng*
ensemble *adv* together *touguèVeu*
ensuite *adv* then *Vène*
entendre *vb* to hear *tou Hire* (heard, heard *Heurde, Heurde*)
entier(-ère) *adj* complete *keumpli:te*
entorse *nf* sprain *spreïne*
entracte *nm* interval *innteuveule*
entre *prép* between *bitoui:ne*
entrecôte *nf* rib steak *ribe steïke*
entrée *nf* entry *ènntri* • (de bâtiment) entrance *èenntreunsse* • (plat) starter *sta:rteu* ◊ **"entrée"** "way in" *oueï inne*
entreprise *nf* company *keumpeuni*
entrer *vb* to enter *tou ènnteu*
entresol *nm* mezzanine *mèzeuni:ne*
enveloppe *nf* envelope *ènnveuleoupe*
envie *nf* desire *dizaïeu* ◊ **avoir envie de** to want *tou ouante* ◊ **avoir envie de faire** to feel like doing *tou fi:le laïke douinng*
environ *adv* about *eubaoute*, around *euraounde*
environnement *nm* environment *ènnvaïreunmeunte*
environs *nmpl* surroundings *seuraoundinngze* ◊ **dans les environs** in the vicinity *ine Ve visiniti*
envoyer *vb* to send *tou sènnde* (sent, sent *sènnte, sènnte*)

FRANÇAIS-ANGLAIS

épaule *nf* shoulder ***chaoul**deu*
épeler *vb* to spell *tou spèle*
épicé(e) *adj* spicy ***spaï**ssi*
épicerie *nf* grocer's (shop) ***greou**sseuze (chope)*
épices *nfpl* spices ***spaï**ssize*
épidémie *nf* epidemic *èpi**dè**mike*
épileptique *adj* epileptic *èpi**lèp**tike*
épinards *nmpl* spinach ***spi**nitche*
épine *nf* thorn *Fo:rne*
éplucher *vb* to peel *tou pi:le*
éponge *nf* sponge *sponndje*
équipage *nm* crew *krou*
équipe *nf* team *ti:me*
équipement *nm* equipment *è**kouip**meunte*, gear *guire*
équitation *nf* horse-riding *Horse **raï**dinng*
éruption cutanée *nf* rash *rache*
escalade *nf* climbing ***klaïmm**inng*
escalader *vb* to climb *tou klaïme*
escalator *nm* escalator ***ès**keuleïteu*
escale *nf* (en avion) stopover (GB) ***stope**ouveu*, layover (US) ***leï**eouveu*
escalier *nm* staircase ***stèr**keïsse* ◇ **escalier mécanique** ou **roulant** escalator ***ès**keuleïteu*
escalope *nf* escalope *èskeu**lope***
escargot *nm* snail *sneïle*
Espagne *npr* Spain *speïne*
espagnol(e) *adj* Spanish ***spa**niche*
espèce *nf* (sorte) sort *so:rte*, kind *kaïnnde*
espèces (en) *loc* in cash *ine kache*
espérer *vb* to hope *tou Heoupe*
essai *nm* (test) test *tèste* ◇ **à l'essai** (personne) on trial *one traïeule*
essayer *vb* to try *tou traï*
essence *nf* petrol (GB) ***pè**treule*, gas (US) *gasse*
essuie-glace *nm* windscreen wiper ***ouinnd**skri:ne **ouaï**peu*
essuyer *vb* to wipe *tou ouaïpe*

est *nm* east *i:ste*
estomac *nm* stomach ***sto**meuke*
estragon *nm* tarragon ***ta**reugueune*
et *conj* and *ènnde, eunde*
étage *nm* floor *flo:re*, storey (GB) story (US) ***sto:**ri*
étagère *nf* shelf (pl shelves) *chèlve, chèlvz*
étang *nm* pond *ponnde*
état *nm* state *steïte* ◇ **état des lieux** inventory check ***inn**veunteuri tchèke*
États-Unis *npr* United States *iou**naï**tide steïtse*
été *nm* summer ***seu**meu*
éteindre *vb* to turn off *tou teurne ofe*
éternuer *vb* to sneeze *tou sni:ze*
étiquette *nf* label ***leï**beule* • (de prix) price tag *praïsse tague*
étoile *nf* star *sta:re*
étonner *vb* to surprise *tou seur**praïze***
étrange *adj* strange ***streïnn**dje*
étranger(-ère) *adj* foreign ***fo:**rène* ▪ *nm/f* • (d'un autre pays) foreigner ***fo:**reuneu* • (inconnu) stranger ***streïnn**djeu* ▪ *nm* ◇ **à l'étranger** abroad *eu**breoude***
être *vb* to be *tou bi:* (was, were, been *ouo:ze, ouère, bi:ne*)
étroit(e) *adj* narrow *neu**reou***
étude *nf* study ***steu**di* ◇ **faire des études (de)** to study *tou **steu**di*
étudiant(e) *nm/f* student ***stiou**deunte*
étudier *vb* to study *tou **steu**di*
euro *nm* euro ***iou**reou*
Europe *nf* Europe ***iou**reupe*
européen(ne) *adj* European *ioureu**pi**eune*
eux *pron pers* • (sujet) they *Veï* • (complément d'objet) them *Veume*
évanouir (s') *vb* to faint *tou feïnnte*
éventail *nm* fan *fane*
évier *nm* sink *sinnke*

examen *nm* • (scolaire) exam *igzame* • (médical) examination *igzamineïcheune* ◇ **passer un examen** • (scolaire) to take an exam *tou teïke eune igzame* • (médical) to have an examination *tou Have eune igzamineïcheune*
excédent *nm* excess *èksèsse*
excéder *vb* (être en trop) to exceed *tou iksi:de*
excellent(e) *adj* excellent *èksèleunte*
excursion *nf* trip *tripe*
excuse *nf* apology *eupoleudji* ◇ **toutes mes excuses !** sorry! *sori*
excuser (s') *vb* to apologize *tou eupoleudjaïze*
exemple *nm* example *ègzammpeule*
expéditeur(-trice) *nm/f* sender *sènndeu*
expérience *nf* • (personnelle, professionnelle) experience *ikspirieunse* • (test, scientifique) experiment *ikspérimeunte*
expirer *vb* • (respiration) to breathe out *tou bri:Ve aoute* • (date, passeport) to expire *tou ikspaïeu*
expliquer *vb* to explain *tou èkspleïne*
exposition *nf* (d'art) exhibition *ègzibicheune*
expresso *nm* espresso *èsprèsseou*
exprimer *vb* to express *tou èksprèsse*
extérieur(e) *adj, nm* (dehors) outside *aoutsaïde* ◇ **à l'extérieur** *aoutsaïde*
extincteur *nm* fire extinguisher *faïeu ikstinngouicheu*
extraordinaire *adj* extraordinary *ikstro:dineuri*
fabriqué(e) *adj* made *meïde*
face *nf* (côté) side ◇ **en face (de)** opposite *opeuzite*
fâché(e) *adj* angry *ènngri*
fâcher (se) *vb* to get angry *to guète ènngri*
facile *adj* easy *i:zi*
facilement *adv* easily *i:zili*
facteur(-trice) *nm/f* postman, postwoman *peoustmeune, peoustwoumeune*
facture *nf* bill *bile*, invoice *innvoïsse*
facturer *vb* to charge *tou tcha:rdje*
fade *adj* (sans saveur) tasteless *teïstlèsse*
faible *adj* weak *oui:ke*
faim *nf* hunger *Heungueu* ◇ **avoir faim** to be hungry *tou bi: Heungri*
faire *vb* to do *tou dou* (did, done *dide, done*) • (fabriquer) to make *tou meïke* (made, made *meïde, meïde*)
fait(e) *adj* done *done*, made *meïde*
falaise *nf* cliff *klife*
familial(e) *adj* family *famili*
famille *nf* family *famili*
fantastique *adj* fantastic *fanntastike*
farce *nf* • (plaisanterie) practical joke *praktikeule djeouke* • (culinaire) stuffing *steufinng*
farine *nf* flour *flaoueu*
fatal(e) *adj* fatal *feïteule*
fatigué(e) *adj* tired *taïeude*
fatiguer *vb* to tire *tou taïeu*
faune *nf* fauna *fo:neu*
faute *nf* • (erreur) mistake *misteïke*, error *èrreu* • (responsabilité) fault *fo:lt*
fauteuil *nm* armchair *a:rmtchère* ◇ **fauteuil roulant** wheelchair *oui:ltchère*
faux, fausse *adj* wrong *ronng* ▪ *nm* • (contrefaçon) fake *feïke*
favori(te) *nm/f, adj* favourite (GB), favorite (US) *feïvrite*
félicitations *nfpl* congratulations *keungratiouleïcheunz*

féliciter *vb* to congratulate *tou keungratiouleïte*
féminin(e) *adj* feminine *fèminine*
femme *nf* woman (pl women) *woumeune, wimine* • (épouse) wife (pl wives) *ouaïfe, ouaïvz*
fêlé(e) *adj* cracked *krakte*
fenêtre *nf* window *ouinndeou*
fenouil *nm* fennel *fèneule*
fer *nm* iron *aïreune* ◇ **fer à repasser** iron *aïreune*
férié(e) *adj* ◇ **jour férié** public holiday *peublike Holideï*
ferme *nf* farm *fa:rme*
fermé(e) *adj* closed *kleouzde*
fermer *vb* to close *tou kleouze*
fermeture *nf* closing *kleouzinng* **fermeture éclair** zip *zipe*
ferry *nm* ferry *fèri*
fesses *nfpl* bottom *boteume*
festival *nm* festival *fèstiveule*
fête *nf* party *pa:rti*
feu *nm* fire *faïeu* ◇ **feux** (de voiture) (car) lights ◇ **feux de détresse** hazard lights *Hazeude laïtse* ◇ **feux de signalisation** traffic lights *trafik laïtse*
feuille *nf* leaf (pl leaves) *li:fe, li:vz*
fève *nf* broad bean *bro:de bi:ne*
février *nm* February *Fèbroueuri*
fiable *adj* dependable *dipènndeubeule*, reliable *rilaïeubeule*
fiancé(e) *adj* engaged *inngueïdje*
fièvre *nf* fever *fiveu* ◇ **avoir de la fièvre** to run a temperature *tou reune e tèmmpritcheu*
figure *nf* face *feïsse*
fil *nm* thread *Frède*
file *nf* (voie) lane *leine* ◇ **file (d'attente)** queue (GB) *kiou*, line (US) *laïne*
filet *nm* • (viande) fillet *filit* • (de pêche) net *nète*
fille *nf* • (de quelqu'un) daughter *do:teu* • (opposé à garçon) girl *gueurle*
film *nf* film *filme*
filmer *vb* to film *tou filme*
fils *nm* (opposé à fille) son *seune*
fin *nf* end *ènnde*
fin(e) *adj* (en épaisseur) thin *Fine*
final(e) *adj* final *faïneule*
financier(-ère) *adj* financial *faïnanncheule*
finir *vb* to finish *tou finiche*, to end *tou ènnde*
fixe *adj* fixed *fikste* ◇ **(téléphone) fixe** landline *lanndlaïne*
flamme *nf* flame *fleïme*
flan *nm* flan *flane*
flash *nm* flash *flache*
fléchettes *nfpl* darts *da:rtse*
fleur *nf* flower *flaoueu*
fleuriste *nm* (magasin) flower shop *flaoueu chope*
fleuve *nm* river *riveu*
flore *nf* flora *flo:reu*
foie *nm* liver *liveu*
fois *nf* time *taïme* ◇ **une fois** once *oueunse* ◇ **deux fois** twice *touaïsse*
fonctionner *vb* to work *tou oueurke*
fond *nm* bottom *boteume* • (d'une salle) far end *fa:re ènnde*
football *nm* football (GB) *fouttbo:le*, soccer *so:keu*
footing *nm* running *reuninng*
forcer *vb* • (contraindre) to force *tou fo:rse* • (porte, serrure) to force (open) *tou fo:rse (eoupeune)*
forêt *nf* forest *fo:rèste*
forfait *nm* • (de ski) pass *pa:sse* • (de téléphone) contract *konntrakt*
formation *nf* (apprentissage) training *treïninng* ◇ **suivre une formation en informatique** to do a computer training course *tou dou e keumpiouteu treïninng ko:rse*
forme *nf* shape *cheïpe*
former *vb* (entraîner) to train *tou treïne* ◇ **se former** to train *tou treïne*

formidable *adj* great *greïte*
formulaire *nm* form *fo:rme*
fort(e) *adj* strong *stronng* • (gras) big *bigue*
fou, folle *adj* crazy ***kreï**zi*
foudre *nf* lightning ***laït**tninng*
foulard *nm* scarf (pl scarves) *ska:rfe, ska:rvz*
fouler (se) *vb* to sprain *tou spreïne*
four *nm* oven ***o**veune*
fourchette *nf* fork *fo:rke*
fourmi *nf* ant *annte*
fourrière *nf* pound *paounde*
fracture *nf* fracture ***frak**tcheu*
fracturer *vb* to fracture *tou **frak**tcheu* • (porte) to break open *tou breïke **eou**peune*
frais, fraîche *adj* fresh *frèche*
fraise *nf* strawberry ***stro:**beuri*
framboise *nf* raspberry ***razz**beuri*
français(e) *adj* French *Frènnche* ▪ *nm/f* ◇ **Français(e)** Frenchman, Frenchwoman ***frènnch**mane, **frènnch**woumeune*
France *npr* France *frannse*
frapper *vb* to hit *tou hite* (hit, hit *hite, hite*)
frein *nm* brake *breïke*
freiner *vb* to brake *tou breïke* • (ralentir) to slow down *tou sleou daoun*
fréquence *nf* frequency ***fri**kouènnsi*
fréquent(e) *adj* frequent ***fri**koueunte*
frère *nm* brother ***bro**Veu*
friandise *nf* sweet *soui:te*, candy (US) *kanndi*
frigo *nm* fridge *fridje*
frire *vb* to fry *to fraï*
frissons *nmpl* shivers ***chi**veuze*
frit(e) *adj* fried *fraïde*
frites *nfpl* chips (GB) *tchipse*, French fries (US) *frènnche fraïze*
friture *nf* fried food *fraïde foude*
froid(e) *adj* cold *ko:lde* ▪ *nm* cold *ko:lde* ◇ **il fait froid** it's cold *itse ko:lde*
fromage *nm* cheese *tchi:ze*
front *nm* forehead ***fo:r**Hède* ◇ **front de mer** sea front *si: fronte*
frontière *nf* border ***bo:r**deu*
fruit *nf* fruit *froute* ◇ **fruit confit** candied fruit ***kènn**dide froute* ◇ **fruit rouge** red berry *rède **bè**ri* ◇ **pâte de fruit** fruit jelly *froute **djè**li*
fuite *nf* leak *li:ke*
fumé(e) *adj* smoked *smeoukte*
fumée *nf* smoke *smeouke*
fumer *vb* to smoke *tou smeouke*
fumeur(-euse) *adj* smoker ***smeou**keu*
furieux(-euse) *adj* furious ***fiou**rieusse*
futur(e) *adj, nm* future ***fiou**tcheu*
gagner *vb* to win *tou ouine* (won, won *ouone, ouone*)
galerie *nf* gallery ***ga**leuri*
galet *nm* pebble ***pè**beule*
Galles (pays de) *npr* Wales *oueïlze*
gallois(e) *adj* Welsh *oueïlche* ▪ *nm/f* ◇ **Gallois(e)** Welsh person *ouèlche peurseune*
gamme *nf* (choix) range ***reïnn**dje*
gant *nm* glove *glove*
garage *nm* garage ***ga**ra:je*
garagiste *nm* mechanic *mi**ka**nike*
garantie *nf* guarantee *gareun**ti***
garantir *vb* to guarantee *tou gareun**ti***
garçon *nm* boy *boï*
garde (de) *loc* on duty *one **diou**ti*
garde-boue *nm* mudguard *meude garde*
garder *vb* to keep *tou ki:pe* (kept, kept *kèpte, kèpte*)

FRANÇAIS-ANGLAIS

gardien(ne) *nm/f* • (d'immeuble) caretaker ***kèr**teïkeu* • (de parking) watchman ***ouo:tch**meune* • (sport) goalkeeper ***gueuoul**kipeu*
gare *nf* station ***steï**cheune* ◇ **entrer en gare** to approach platform *tou eu**pro:tche plat**tfo:rme*
garer *vb* to park *tou pa:rke* ◇ **se garer** to park *tou pa:rke*
gastro-entérite *nf* gastroenteritis *gastreouènnteu**raï**tisse*
gâteau *nm* cake *keike*
gauche *nf* left *lèfte* ◇ **sur la gauche, à gauche** on the left *one Ve lèfte*
gaucher(-ère) *adj* left-handed *lèfte **Hann**dide*
gaufre *nf* waffle ***oua**feule*
gaz *nm* gas *gasse*
gaze *nf* gause *go:ze*
gazeux(-euse) *adj* (boisson) fizzy ***fi**zi*
gazole *nm* diesel fuel ***di**zeule fioule*
gel *nm* gel *djèle* ◇ **gel douche** shower gel ***chaou**eu djèle*
gelée *nf* • (gel) frost *froste* • (à manger) jelly ***djè**li*
gendre *nm* son-in-law *sone ine lo:*
gêner *vb* to bother *tou **bo**Veu*
généraliste *nmf* (médecin) general practitioner ***djènn**ro:l prak**ti**cheune,* GP (GB) *dji: pi:*
génial(e) *adj* brilliant ***bri**lieunte*
genou *nm* knee *kni:*
gens *nmpl* people ***pi**peule*
gentil(le) *adj* nice *naïsse*
gilet *nm* • (cardigan) cardigan ***ka:r**digueune* • (de costume) waistcoat (GB) ***ouèst**keoute,* vest (US) *vèste* ◇ **gilet de sauvetage** life jacket *laïfe **dja**kète*
gingembre *nm* ginger ***djinn**djeu*
gîte rural *nm* holiday cottage ***Ho**lideï **ko**tidje*
glace *nf* • (à manger) ice cream *aïsse kri:me* • (gel) ice *aïsse* • (miroir) mirror ***mi**reu*
glaçon *nm* ice cube *aïsse kioube*
glissant(e) *adj* slippery ***sli**peri*
gluten *nm* gluten ***glu:**teune*
golf *nm* golf *golfe*
golfe *nm* gulf *gueulfe*
gorge *nf* throat *Freoute*
gothique *adj* Gothic ***go**Fike*
gourde *nf* flask *flaske*
goût *nm* taste *teïste* ◇ **avoir le goût de** to taste like *tou teïste laïke*
goûter *nm* snack *snake* ▪ *vb* to taste *tou teïste*
goutte *nf* drop *drope*
goyave *nf* guava ***goua:**veu*
grain *nm* grain *greïne* ◇ **grain de beauté** mole *meoule*
graisse *nf* grease *gri:sse*
graisseux(-euse) *adj* greasy ***gri:**ssi*
gramme *nm* gram(me) *grame*
grand(e) *adj* big *bigue,* tall *to:le* ◇ **grand magasin** department store *di**pa:rt**meunte sto:re*
Grande-Bretagne *npr* Great Britain ***greïte bri**teun*
grand-mère *nf* grandmother ***grannd**moVeu*
grand-père *nm* grandfather ***grannd**faVeu*
grands-parents *nmpl* grandparents ***grannd**pèreuntse*
gras(se) *adj* fat *fate* • (mains, cheveux) greasy ***gri:**ssi* ▪ *nm* fat
gratte-ciel *nm* skyscraper ***skaï**skreïpeu*
gratuit(e) *adj* free *fri:*
gratuitement *adv* for free *for fri:*
grave *adj* serious ***si**rieusse*
gravement *adv* seriously ***si**rieussli*
grêle *nf* hail *Heïle*
grenouille *nf* frog *frogue*
grève *nf* strike *straïke* ◇ **en grève** on strike *one straïke*
griffer *vb* to scratch *tou skratche*
griffure *nf* scratch *skratche*

grillé(e) *adj* grilled *grilde*
grille-pain *nm* toaster ***teous**teu*
grippe *nf* flu *flou*
grippé(e) *adj* ◇ **être grippé** to have the flu *tou Have Ve flou*
gris(e) *adj* grey *greï*
gros(se) *adj* big *bigue*, fat *fate*
groseille *nf* redcurrant ***rèdd**keureunte*
grotte *nf* cave *keïve*
groupe *nm* group *groupe* • (de musiciens) band *bènnde*
guêpe *nf* wasp *ouaspe*
guérir *vb* to cure *tou kioure* • (blessure) to heal *tou Hi:le* • (personne) to recover *tou ri**ko**veu*
guichet *nm* counter ***kaoun**teu*, ticket office ***ti**kite **o**fisse*
guide *nmf* (personne) guide *gaïde* ▪ *nm* (livre) guide book *gaïde bouke*
guidé(e) *adj* guided ***gaï**dide*
guidon *nm* handlebar ***Hann**deulba:re*
gymnase *nm* gym(nasium) *djim(**neï**zieume)*
gymnastique *nf* gymnastics *djiml**nass**tikse*
gynécologue *nmf* gynaecologist *gaïneu**ko**leudjiste*
habiller (s') *vb* to get dressed *tou guète drèste*
habiter *vb* to live *tou live*
habitude *nf* habit ***Ha**bite*
habitué(e) *adj* ◇ **être habitué à (faire)** to be used to (doing) *tou bi: iouzde tou (douinng)*
haie *nf* hedge *Hèdje*
halal *adj* halal *Heu**la:l***
handball *nm* handball ***Hannd**bo:le*
handicapé(e) *adj* disabled *dis**seï**beulde*, handicapped ***Hann**dikapte* ▪ *nm,f* disabled person *dis**seï**beulde **peur**seune*
hareng *nm* herring ***Hè**rinng*
haricot *nm* bean *bi:ne* ◇ **haricots verts** French beans (GB) *frènnche bi:nz*, string beans (US) *strinng bi:nz* ◇ **haricots rouges** red kidney beans *rède **kid**ni bi:nz*
hasard *nm* chance *tcha:nse* ◇ **par hasard** by chance *baï tcha:nse*
haut(e) *adj* high *Haï* ◇ **tout en haut** at the top *ate Ve tope* ▪ *nm* (vêtement) top
hauteur *nf* height *Haïte*
hébergement *nm* accommodation *eukomeu**deï**cheune*
héberger *vb* to accommodate *tou eu**ko**meudeïte*, to put up *tou poute eupe*
hélicoptère *nm* helicopter ***Hè**likopteu*
hémorragie *nf* haemorrhage ***hè**meuridje*, bleeding ***bli:d**inng*
hémorroïdes *nfpl* piles *païlze*
hépatite *nf* hepatitis *Hèpeu**taï**tisse*
heure *nf* hour *aoure* ◇ **être à l'heure** to be on time *tou bi: one taïme* ◇ **heures d'ouverture** opening hours ***eou**peuninng aourz*
heureusement *adv* fortunately ***fo:r**tcheuneutli*
heureux(-euse) *adj* happy ***Ha**pi*
hier *adv* yesterday ***iès**teudeï*
histoire *nf* • (récit) story ***sto:**ri* • (science) history ***His**tri*
hiver *nm* winter ***ouinn**teu*
homard *nm* lobster ***lob**steu*
homme *nm* man (pl men) *mane, mène*
homosexuel(le) *adj, nm/f* homosexual *Homeu**sèk**choueule*
hôpital *nm* hospital ***Hos**piteule* ◇ **aller à l'hôpital** to go to hospital *tou gueou tou **Hos**piteule*
horaire *nm* (transport) timetable ***taïmm**teïbeule*, schedule ***chè**djoule*

horodateur *nm* parking meter *pa:rkinng **mi:**teu*
horrible *adj* horrible ***Ho**ribeule*
hors *prép* ◇ **hors service** out of order *aoute ofe **o:r**deu*
hors-d'œuvre *nm* starter ***sta:r**teu*
hôte *nmf* host *Hoste*
hôtel *nm* hotel *Heou**tèle***
hôtesse *nf* (de l'air, d'accueil) hostess ***Host**èsse*
huile *nf* oil *oïle* ◇ **niveau d'huile** oil level *oïl **lè**veule*
huit *adj num* eight *eïte*
huitième *adj* eighth *eïtFe*
huître *nf* oyster ***oïs**teu*
humide *adj* damp *dammpe* • (et chaud) humid ***Hiou**mide*
humidité *nf* dampness ***dammp**nèsse* • (avec chaleur) humidity *Hiou**mi**diti*
humoriste *nmf* comedian *keu**mi**dieune*
humour *nm* humour (GB), humor (US) ***Hiou**meu*
ici *adv* here *Hire*
icône *nf* icon ***aï**kone*
idée *nf* idea *aï**dï**eu*
identifiant *nm* login ***lo**guine*
identifier *vb* to identify *tou aï**dèn**ntifaï*
identité *nf* identity *aï**dèn**ntiti* ◇ **carte d'identité** identity ou ID card *aï**dèn**ntiti kar:de*
il *pron* • (personne) he *Hi* • (objet, animal) it *ite* ◇ **ils** they *Veï*
il y a *loc* • (+ singulier) there is *Vère ize* • (+ pluriel) there are *Vère a:re* • (temps) ago *eu**geou*** ◇ **il y a un spectacle ce soir** there is a show tonight *Vère ize e cheou **tou**naïte* ◇ **il y a des billets à la réception** there are tickets at the reception *Vère a:re **ti**kitse ate Ve ris**sèp**cheune* ◇ **il y a deux jours** two days ago *tou deïze eu**gueou***
île *nf* island ***aï**leunde*
illimité(e) *adj* unlimited *eun**li**mitide*

immatriculation *nf* (numéro de véhicule) registration number *rèdjis**treï**cheune **neum**beu*
immédiatement *adv* immediately ***imi:**dieutli*
immeuble *nm* building ***bil**dinng*
immobilier(-ère) *adj* property ***pro**peuti* ▪ *nm* real estate *rieule ès**teï**te*
immunité *nf* immunity *i**miou**niti*
impatienter (s') *vb* to lose patience *tou louze **peï**cheunse*
imperméable *adj* waterproof ***ouo**teuproufe* ▪ *nm* raincoat ***reïnn**keoute*
impoli(e) *adj* rude *roude*
importance *nf* importance *imm**po:r**teunse*
important(e) *adj* important *imm**po:r**teunte*
impossible *adj* impossible *imm**po**ssibeule*
impressionnant(e) *adj* impressive *imm**prè**ssive*
imprimante *nf* printer ***prinn**teu*
imprimer *vb* to print *tou prinnte*
incendie *nm* fire ***faï**eu*
inclure *vb* to include *tou inn**kloude***
inclus(e) *adj* included *inn**kloud**ide*
inconfortable *adj* uncomfortable *eun**keumm**feuteubeule*
inconvénient *nm* drawback ***dro:**bake*
indicatif *nm* (téléphonique) dialling code ***daï**eulinng keoude*
indigestion *nf* indigestion *inndi**djès**tcheune*
indiqué(e) *adj* indicated ***inn**dikeïtide*
indiquer *vb* to indicate *tou **inn**dikeïte*
indisponible *adj* unavailable *euneu**veï**leubele*
individuel(le) *adj* individual *inndi**vi**dioueule* ◇ **chambre individuelle** single room ***sinn**gueule roume*
infarctus *nm* heart attack *Ha:rte eu**take***

infecter *vb* to infect *tou* ***innfèkte***
infection *nf* infection *innfèkcheune*
infirmier(-ère) *nm/f* nurse *neurse*
inflammation *nf* inflammation *innfleumeïcheune*
informaticien(ne) *nm/f* computer engineer *keumpiouteu ènndjini:re*
information *nf* (renseignement) piece of information *pisse ove innfo:rmeïcheune* ◇ **informations** (journalistiques) news *niouze*
informatique *adj* computer *keumpiouteu* ▪ *nf* computer science *keumpiouteu saïeunse* ◇ **avoir des compétences en informatique** to have computing skills
infusion *nf* herbal tea *Heurbeule ti:*
ingénieur *nmf* engineer *ènndjini:re*
ingrédient *nm* ingredient *inngri:dieunte*
initial(e) *adj, nf* initial *inicheule*
initier (s') *vb* to become initiated *tou bikome inichieïtide*
innocent(e) *adj* innocent *ineusseunte*
inquiéter *vb* to worry *tou oueuri* ◇ **s'inquiéter** to worry *tou oueuri*
inscription *nf* registration *rèdjistreïcheune*
inscrire (s') *vb* • (dans un club, sur une liste) to join *tou djoïne* • (à l'université) to register *tou rèdjisteu*
insecte *nm* insect *innsèkte*
insecticide *nm* insecticide *innsèktissaïde*
insolation *nf* sunstroke *seunstreouke*
inspirer *vb* (respiration) to breathe in *tou bri:Ve ine*
installations *nfpl* facilities *feussilitiz*
installer *vb* to establish *tou èstabliche* • (programme informatique) to install *tou innsto:le* ◇ **s'installer** (dans un logement) to settle in *tou sèteule ine*
instructeur(-trice) *nm/f* instructor *innstreukteu*
instrument *nm* instrument *innstreumeunte*
insuline *nf* insuline *innsiouline*
intelligent(e) *adj* clever *klèveu*, smart *sma:rte*
intention *nf* intention *inntènncheune*
interdiction *nf* ◇ **"interdiction de stationner"** "no parking" *neou pa:rkinng*
interdit(e) *adj* forbidden *feubideune*
intéressant(e) *adj* interesting *inntrèstinng*
intérieur(e) *adj* inner *inneu* • (vol) domestic *domèstike* ▪ *nm* inside *innsaïde*
international(e) *adj* international *innteunacheuneule*
internet *nm* the Internet *Vi innteunète*
interrupteur *nm* switch *souitche*
intestin *nm* intestine *inntèstine*
intimité *nf* intimacy *inntimeussi*
intoxication alimentaire *nf* food poisoning *foude poïzninng*
inutile *adj* useless *iousslèsse*
invitation *nf* invitation *innviteïcheune*
inviter *vb* to invite *tou innvaïte*
irlandais(e) *adj* Irish *aïriche* ▪ *nm/f* ◇ **Irlandais(e)** Irish person *aïriche peurseune*
Irlande *np* Ireland *aïleunde* ◇ **Irlande du Nord** Northern Ireland *no:rVeurne aïleunde*
irritation *nf* irritation *iriteïcheune*

Islam *nm* Islam *izlame*
itinéraire *nm* route *route*
jaloux(-ouse) *adj* jealous ***djè**leusse*
jamais *adv* never ***nè**veu*
jambe *nf* leg *lègue*
jambon *nm* ham *Hame* ◇ **jambon cru** ou **fumé** cured ham *kiourde Hame*
jante *nf* rim *rime*
janvier *nm* January ***dja**noueuri*
jardin *nm* garden ***ga:r**deune*
jardinière *nf* (plat) mixed vegetables *mikste **vè**djiteubeulze*
jaune *adj* yellow ***iè**leou*
jazz *nm* jazz *djaze*
je *pron* I *aï*
jean *nm* jeans *dji:nnze*
jetable *adj* disposable *dis**peou**zeubeule*
jeter *vb* to throw away *tou Freou euoueï* (threw, thrown *Frou, Freoune*)
jeu *nm* game *gueïme*
jeudi *nm* Thursday ***Feurz**dè*
jeun (à) *loc* ◇ **être à jeun** • (n'avoir rien mangé) to have eaten nothing *tou Have iteune **no**Finng* • (n'avoir rien bu) to have drunk nothing *tou Have dreunke **no**Finng* • (ne pas être ivre) to be sober *tou bi: **seou**beu*
jeune *adj* young *ieunngue*
jeunesse *nf* youth *iouFe*
jogging *nm* (course) jogging ***djogu**inng*
joie *nf* joy *djoï*
joindre *vb* (contacter qn) to reach *tou ri:tche*
joli(e) *adj* pretty ***pri**ti*
joue *nf* cheek *tchi:ke*
jouer *vb* to play *tou pleï*
jouet *nm* toy *toï*
joueur(-euse) *nm/f* player ***pleï**eu*
jour *nm* day *deï* ◇ **tous les jours** every day ***è**vri deï*
journal *nm* newspaper *niouz**peï**peu* ◇ **journal télévisé** news bulletin *niouz **bou**letine*

journaliste *nmf* journalist ***djeur**neuliste*
journée *nf* day *deï*
joyeux(-euse) *adj* joyful ***joï**foule*
judo *nm* judo ***djou**deou*
juge *nmf* judge *djeudje*
juif(-ve) *adj* Jewish ***djou**iche*
juillet *nm* July ***djou**laï*
juin *nm* June *djoune*
jumeau(-elle) *nm/f* (frère, sœur) twin *touine*
jumelles *nfpl* (lunettes) binoculars *bi**no**kiouleuze*
jupe *nf* skirt *skeurte*
juridique *adj* legal ***li:**gueule*
juriste *nmf* jurist ***djoueu**riste*
jus *nm* juice *djousse*
jusque *prép* • (lieu) as far as *aze fa:re aze* • (dans le temps) until *eun**tile***
juste *adj* right *raïte* ▪ *adv* just *djeuste*
justice *nf* justice ***djeus**tisse*
juteux(-euse) *adj* juicy ***djou**ssi*
karaoké *nm* karaoke *ka:ri**eou**ki*
kasher *adj* kosher ***keou**cheu*
kayak *nm* kayak ***kaï**ake*
kilo *nm* kilo ***ki**leou*
kilométrage *nm* mileage ***maï**lidje*
kilomètre *nm* kilometre (GB), kilometer (US) *ki**lo**miteu*
kiné *nmf* physio ***fi**zieou*
kiosque *nm* booth *bouFe*, stand *stannde*
kit *nm* kit *kite* ◇ **kit mains-libres** hands-free kit *Hanndze fri: kite*
kitesurf *nm* kite-surfing *kaïte **seur**finng*
kiwi *nm* kiwi ***ki**oui*
klaxon *nm* horn *Ho:rne*
klaxonner *vb* to hoot *tou Houte*
Kleenex *nm* tissue ***ti**chou*
la *art* the *Ve* ▪ *pron* • (personne) her *Heure* • (objet, animal) it *ite*
là *adv* there *Vère* ◇ **là-bas** over there ***eou**veu Vère*
lac *nm* lake *leïke*
lacet *nm* (de chaussure) lace *leïsse*

lacté(e) *adj* ◇ **produits lactés** milk products *milke* ***pro****deuktsse*
là-haut *adv* up there *eupe Vère*
laid(e) *adj* ugly ***eu****gli*
laine *nf* wool *woule* ◇ **laine polaire** fleece *fli:sse*
laisser *vb* to leave *tou li:ve* (left, left *lèfte, lèfte*) • (+ infinitif) to let *tou lète* (let, let *lète, lète*)
lait *nm* milk *milke* ◇ **lait en poudre** powdered milk ***paou****deude milke*
laitage *nm* dairy product ***dè****ri* ***pro****deukte*
laitue *nf* lettuce ***lè****tisse*
lampe *nf* lamp *lammpe* ◇ **lampe de poche** torch *to:rtche*
lancer *vb* to throw *tou Freou* (threw, thrown *Frou, Freoune*)
langer *vb* to change *tou tcheïnndje*
langouste *nf* lobster ***lob****steu*
langue *nf* • (langage) language ***lann****gouidje* • (partie du corps) tongue *teungue*
lapin *nm* rabbit ***ra****bite*
lard *nm* fat *fate*
lardons *nmpl* diced bacon *daïste* ***beï****keune*
large *adj* wide *ouaïde* • (ample) loose *louze*
largeur *nf* width *ouidF*
larmes *nfpl* tears *ti:rze*
laurier *nm* laurel ***lo****reule*
lavable *adj* washable ***ouo****cheubeule*
lavabo *nm* washbasin (GB) ***ouoche****beïssine*, bathroom sink (US) ***ba:****Froume sinnke*
lave-linge *nm* washing machine ***ouo****chinng meu****chi:ne***
laver *vb* to wash *tou ouoche* ◇ **laver à la main** to handwash *tou* ***Hannd****ouoche*
laverie *nf* laundrette (GB) ***lo:nn****drite*, laundromat (US) ***lo:nn****dreumate*
lave-vaisselle *nm* dishwasher ***dich****ouocheu*
laxatif(-ve) *adj, nm* laxative ***la:k****seutive*
le *art* the *Ve* ▪ *pron* • (homme) him *Hime* • (objet, animal) it *ite*
lequel, laquelle *pron* which *ouitche* • (interrogatif) which one
leçon *nf* lesson ***lè****sseune*
lecteur *nm* ◇ **lecteur de CD** CD-player *si: di:* ***pleï****eu* ◇ **lecteur MP3** MP3 player *ème pi: Fri:* ***pleï****eu*
léger(-ère) *adj* light *laïte* • (blessure) minor ***maï****neu*
légume *nm* vegetable ***vè****djiteubeule*
lendemain *nm* ◇ **le lendemain** the day after *Ve deï* ***a:f****teu*
lent(e) *adj* slow *sleou*
lentement *adv* slowly ***sleou****li*
lentille *nf* (alimentaire) lentil ***lènn****tile* ◇ **lentille (de contact)** contact lens ***konn****takte lènnse*
les *art* the *Ve* ▪ *pron* them *Vème*
lesquels, lesquelles *pron* which *ouitche* • (interrogatif) which ones
lessive *nf* • (produit) washing powder ***ouo****chinng* ***paou****deu* • (lavage) washing ***ouo****chinng*
lettre *nf* letter ***lè****teu*
leur(s) *adj poss* their *Vère* ◇ **le (la) leur, les leurs** theirs *Vèrz*
lever (se) *vb* to stand up *tou stannde eupe* • (du lit) to get up *tou guète eupe* • (soleil) to rise *tou raïze* (rose, risen *reouze,* ***ri****zeune*)
levier *nm* lever ***li:****veu* ◇ **levier de vitesses** gear lever (GB) *gui:re* ***li:****ve*, gearshift (US) ***gui:r****chifte*
lèvre *nf* lip *lipe*
lézard *nm* lizard ***li:****zeude*
librairie *nf* bookshop (GB) ***bouk****chope*, bookstore (US) ***bouk****sto:re*

FRANÇAIS-ANGLAIS

libre *adj* free *fri:* • (chambre, poste) vacant *veïkeunte* ◇ **"chambres libres"** "vacancies" *veïkeunssiz*
librement *adj* freely *fri:li*
lien *nm* link *linnke*
lieu *nm* (endroit) place *pleïsse* ◇ **au lieu de** instead of *innstède ofe*
ligne *nf* line *laïne*
limite *nf* limit *limite*
limité(e) *adj* limited *limitide*
limiter *vb* to limit *tou limite*
limonade *nf* lemonade *lèmeuneïde*
linge *nm* laundry *lo:nndri* ◇ **linge de maison** linen *li:neune*
lingette *nf* towelette *taoueulète*
liqueur *nf* liqueur *likioueu*
liquide *adj* liquid *likouide* ▪ *nm* liquid *likouide* • (argent) cash *kache*
lire *vb* to read *tou ri:de* (read, read *rède, rède*)
lisse *adj* smooth *smou:Ve*
lit *nm* bed *bède* ◇ **lit double** double bed *deubeule bède* ◇ **lits superposés** bunk beds *beunke bèdze*
litre *nm* litre (GB), liter (US) *liteu*
littérature *nf* literature *litrètcheu*
livre *nm* book *bouke*
livrer *vb* (colis) to deliver *tou dèliveu*
local(e) *adj* local *leoukeule* ▪ *nm* premises *prèmissize*
locataire *nmf* tenant *tènneunte*
location *nf* renting *rènntinng* • (maison) rented house *rènntide Haouze*
logement *nm* accommodation *eukomeudeïcheune*
loger *vb* • (logeur) to accommodate *tou eukomeudeïte* • (personne hébergée) to live *tou live*
loi *nf* law *lo:*
loin *adv* far *fa:re*
loisir *nm* • (activité) leisure *lèjeu* • (temps libre) spare time *spère taïme*
long(ue) *adj* long *lonngue*
longtemps *adv* for a long time *fo:re e lonngue taïme*
lotion *nf* lotion *leoucheune*
lotte *nf* monkfish *monnkfiche*
louche *nf* ladle *leïdeule* ▪ *adj* shady *cheïdi*
louer *vb* • (locataire) to rent *tou rènnte* • (propriétaire) to rent out *tou rènnte aoute*
loyer *nm* rent *rènnte*
luge *nf* sledge (GB) *slèdje*, sled (US) *slède*
lui *pron pers* • (homme) him *Hime* • (femme) her *Heure* • (objet, animal) it *ite*
lumière *nf* light *laïte* ◇ **la lumière est allumée** the light is on *Ve laïte ize one*
lumineux(-euse) *adj* bright *braïte*
lundi *nm* Monday *monndè*
lune *nf* moon *moune*
lunettes *nfpl* glasses *gla:ssize* ◇ **lunettes de plongée** diving gogles *daïvinng gougeulze*
lycée *nm* college (GB) *kolidje*, high school (US) *Haï skoule*
ma *adj poss* my *maï*
macaron *nm* macaroon *makeuroune*
macédoine de fruits *nf* diced mixed fruit *daïste mikste froute*
machine *nf* machine *meuchi:ne*
mâchoire *nf* jaw *djo:*
madame *nf* madam *madeume* ◇ **Madame Smith est venue** Mrs Smith came *missize smiFe keïme*
mademoiselle *nf* Miss *misse*
magasin *nm* shop (GB) *chope*, store (US) *sto:re*
magazine *nm* magazine *magueuzi:ne*
magnifique *adj* magnificent *magnifisseunte*
mai *nm* May *meï*
maigre *adj* • (personne) thin *Fine*, skinny *skini* • (viande) lean *li:ne*
maigrir *vb* to lose weight *tou louze oueïte*

maillot de bain *nm* • (pour femme) swimsuit ***souimm**soute* • (pour homme) swimming trunks ***soui**minng treunkse*

main *nf* hand *Hannde*

maintenant *adv* now *naou*

mairie *nf* town hall *taoune Ho:le*

mais *conj* but *beute*

maïs *nm* maïze (GB) *meïze*, corn (US) *ko:rne*

maison *nf* house *Haousse*

maître(sse) *nm/f* master ***ma:s**teu*, mistress ***miss**trèsse*

majeur(e) *adj* (important) major ***meï**djeu* ◇ **être majeur** (personne) to be of age *tou bi: ove eïdje*

majuscule *nf* capital letter ***ka**piteule **lè**teu*

mal *nm* (douleur) pain *peïne* ◇ **avoir mal** to be in pain *tou bi: ine peïne* ▪ *adv* badly ***bad**li* ◇ **je me sens mal** I don't feel well *aï donnte fi:le ouèle*

malade *adj* ill (GB) *ile*, sick (US) *sike*

maladie *nf* illness ***il**nèsse*

malentendu *nm* misunderstanding *misseundeu**stannd**inng*

malheureusement *adv* unfortunately *eun**fo:r**tcheuneïtli*

malheureux(-euse) *adj* (triste) unhappy *eun**Ha**pi*

Manche *npr* English Channel ***inn**gliche tchaneule* ◇ **tunnel sous la Manche** Channel tunnel ***tcha**neule **teu**neule*

manche *nf* • (de vêtement) sleeve *sli:ve* • (de jeu) game *gueïme*

mandarine *nf* tangerine *tanndjer**i:ne***

manger *vb* to eat *tou i:te* (ate, eaten *eïte*, ***i:**teune*)

mangue *nf* mango ***mann**gueou*

manifestation *nf* demonstration *dimeun**streï**cheune* • (culturelle) event *i**vènnte***

manquer *vb* • (faire défaut) to be lacking *tou bi: **la**kinng* • (un moyen de transport) to miss *tou misse* ◇ **il manque deux sacs** two bags are missing *tou bagz a:re **mi**ssinng*

manteau *nm* coat *keoute*

manucure *nf* manicure ***ma**nikioueu*

manuel(le) *adj* manual ***ma**nioueule*

maquereau *nm* mackerel ***ma**kreule*

marchand(e) *nm/f* (magasin) shopkeeper ***chop**ki:peu*

marchander *vb* to bargain *tou **ba:r**guine*

marché *nm* market ***ma:r**kite* ◇ **marché aux puces** flea market *fli: **ma:r**kite*

marche *nf* • (action) walking ***ouo**kinng* • (d'un escalier) step *stèpe*

marcher *vb* to walk *tou ouoke*

mardi *nm* Tuesday ***tiouz**dè*

mare *nf* pool *poule*

marée *nf* tide *taïde*

mari *nm* husband ***Heuz**beunde*

mariage *nm* • (institution) marriage ***ma**ridje* • (cérémonie) wedding ***ouè**dinng*

marié(e) *adj* married ***ma**ride* ▪ *nm* bridegroom ***braïdd**groume* ▪ *nf* bride *braïde*

marinade *nf* marinade ***ma**rineïde*

marque *nf* • (trace) trace *treïsse* • (de voiture) make *meïke* • (de produit) brand *brannde* • (de vêtement) label ***leï**beule*

marron *adj* brown *braoune* ▪ *nm* (fruit) chestnut ***tchèst**neute*

mars *nm* March *ma:rtche*

marteau *nm* hammer ***Ha**meu*

masculin(e) *adj* masculine ***ma:s**kiouline*

masque *nm* mask *ma:ske* ◇ **masque à oxygène** oxygen mask ***o**ksidjeune ma:ske*

massage *nm* massage ***ma**ssa:je*

FRANÇAIS-ANGLAIS

masser *vb* to massage *tou **massa**:je*
master *nm* Master's degree ***ma:s**teuze digri:*
match *nm* match *matche*, game *gueïme*
matelas *nm* mattress ***mat**rèsse*
◇ **matelas pneumatique** air bed *ère bède*
matériel(-elle) *adj* material *meu**ti**rieule* ▪ *nm* equipment *è**kouip**meunte*
maternelle *nf* nursery school ***neur**seuri skoule*
matière *nf* material *meu**ti**rieule* • (scolaire) subject ***seu**bjèkte*
matin *nm* morning ***mo:r**ninng*
mauvais(e) *adj* bad *bade*
maximum *adj, nm* maximum ***ma**ksimeume* ◇ **vitesse maximum** maximum speed ***ma**ksimeume spi:de*
mayonnaise *nf* mayonnaise *meïeu**neïze***
mécanique *adj* mechanical *mi**ka**nikeule*
médecin *nm* doctor ***dok**teu*
médecine *nf* medecine ***mèd**sine*
médicament *nm* medecine ***mèd**sine*
méditerranéen(ne) *adj* Mediterranean *mèditè**reï**nieune*
méduse *nf* jellyfish ***djè**lifiche*
meilleur(e) *adj* • (comparatif) better ***bè**teu* ◇ **le/la meilleur(e)** • (superlatif) the best *Ve **bèste***
melon *nm* melon ***mè**leune*
même *adj* same *seïme* ◇ **le même livre que le vôtre** the same book as yours *Ve seïme bouke as iourz* ▪ *adv* even ***i**veune*
mémoire *nf* memory ***mè**meuri*
mémoire *nm* (exposé) paper ***peï**peu*, dissertation (GB) *disseur**teï**cheune*
ménage *nm* (nettoyage) housework ***Haouss**oueurke*
mener *vb* to lead *tou li:de* (led, led *lède, lède*)
mensonge *nm* lie *laï*
menthe *nf* mint *minnte*
mentir *vb* to lie *tou laï*
menton *nm* chin *tchine*
menu *nm* menu ***mè**niou*
mer *nf* sea *si:*
merci *nm* thank you *Fènnk iou*, thanks *Fènnkse*
mercredi *nm* Wednesday ***ouènn**zdè*
mère *nf* mother ***mo**Veu*
meringue *nf* meringue *meu**ranngue***
merveilleux(-euse) *adj* wonderful ***oueun**deufoule*
mes *adj poss* my *maï*
message *nm* message ***mè**ssidje*
messagerie *nf* (sur répondeur) voice mail *voïsse meïle* ◇ **messagerie électronique** email ***i:**meïle*
messe *nf* mass *masse*
mesure *nf* measure ***mè**jeu*
mesurer *vb* to measure *tou **mè**jeu*
métal *nm* metal ***mè**teule*
météo *nf* weather forecast ***ouè**Veu **fo:r**ka:ste*
métier *nm* job *djobe*
mètre *nm* metre (GB), meter (US) ***mi:**teu*
métro *nm* • (service) underground (GB) ***eundeu**graounde*, tube (GB) *tioube*, subway (US) ***seu**boueï* • (train) train *treïne*
◇ **station de métro** underground ou tube ou subway station
mettre *vb* to put *tou poute* (put, put *poute, poute*) • (vêtement, chaussure) to put on *tou poute one*
meuble *nm* piece of furniture *pi:sse ove **feur**nitcheu*
meublé(e) *adj* furnished ***feur**nichte*
micro *nm* microphone ***maï**kreufeoune*
micro-ondes *nm* microwave oven ***maï**kreououeïve **o**veune*
miel *nm* honey ***Ho**ni*
mien(ne) *poss* ◇ **le mien, la mienne** mine *maïne*

mieux *adv* better ***bè**teu*
mignon(ne) *adj* cute *kioute*
migraine *nf* headache ***Hèd**eïke*
milieu *nm* middle ***mi**deule* • (environnement) environment *in**vaï**reunmeunte* ◇ **au milieu (de)** in the middle (of) *ine Ve **mi**deule (ove)*
mille *adj num* thousand ***Faou**zeunde*
milliard *nm* billion ***bi**lieune*
millier *nm* thousand ***Faou**zeunde*
million *nm* million ***mi**lieune*
mince *adj* slim *slime*
minéral(e) *adj, nm* mineral ***minn**reule*
mineur(e) *adj* minor ***maï**neu*◇ **être mineur** (personne) to be under age *tou bi: **eun**deu eïdje*
minimum *adj* minimum ***mi**nimeume* ◇ **au minimum** minimum
minuit *nm* midnight ***mid**naïte*
minute *nf* minute ***mi**nite*
miroir *nm* mirror ***mi**reu*
mixte *adj* mixed *mikste*
mobile *adj, nm* ◇ **(téléphone) mobile** mobile (phone) (GB) ***meou**baïle feoune,* cellphone (US) ***sèl**feoune*
mode *nf* fashion ***fa**cheune*
moderne *adj* modern ***mo**deune*
moi *pron* me *mi:*
moindre *adj* • (moins grand) less(er) *lèss(eu)* • (inférieur) lower ***leou**eu* ◇ **le moindre bruit** the slightest noise *Ve **slaï**teuste noïze*
moins *adv* less *lèsse* ◇ **moins... que** less... than *lèsse Vanne* ◇ **le moins...** the least... *Ve li:ste*
mois *nm* month *monnFe*
moitié *nf* half (pl halves) *Ha:fe, Ha:vz* ◇ **à moitié plein** half full *Ha:fe foule*
molaire *nf* molar ***meou**leu*
mollet *nm* calf (pl calves) *ka:fe, ka:vz*
moment *nm* moment ***meou**meunte*
mon, ma *adj poss* my *maï*
monde *nm* • (planète) world *oueurlde* • (personnes) people ***pi:**peule*
moniteur(-trice) *nm/f* instructor *inn**streuk**teu*
monnaie *nf* • (devise) currency ***keu**reunssi* • (pièces) change ***tcheïnn**dje*
monsieur *nm* sir *seure* ◇ **monsieur Smith est venu** Mr Smith came ***mis**teu smi:F keïme*
montagne *nf* mountain ***maoun**teune*
montant *nm* (somme) amount *eu**maounte***
monter *vb* • (des escaliers) to climb up *tou klaïme eupe* • (dans un train, un bus) to get on *tou guète one* • (dans une voiture) to get into *tou guète **inn**tou*
montre *nf* watch *ouotche*
montrer *vb* to show *tou cheou*
monument *nm* monument ***mo**nioumeunte*
morceau *nm* piece *pi:sse*
mordre *vb* to bite *tou baïte* (bit, bitten *bite, **bi**teune*)
mort(e) *adj* dead *dède* ▪ *nf* death *dèFe*
morue *nf* cod *kode*
mosquée *nf* mosque *moske*
mot *nm* word *oueurde* ◇ **mot de passe** password ***pa:ss**oueurde*
moteur *nm* engine ***ènn**djine*
motivation *nf* motivation *meouti**veï**cheune*
motivé(e) *adj* motivated *meouti**veï**tide*
moto *nf* motorbike ***meou**teubaïke*
mou, molle *adj* soft *softe*
mouche *nf* fly *flaï*

mouchoir *nm* handkerchief ***Hann**keutchife*
mouette *nf* seagull ***si:**gueule*
mouillé(e) *adj* wet *ouète*
moule *nf* (fruit de mer) mussel ***meu**sseule*
moule *nm* (de cuisine) baking tin ***beï**kinng tine*
mourir *vb* to die *tou daï*
mousse *nf* (végétation) moss *mosse* ◇ **mousse au chocolat** chocolate mousse ***tcho**klite mousse* ◇ **mousse à raser** shaving foam ***cheï**vinng feoume*
moustache *nf* moustache *mous**ta:che***
moustiquaire *nf* mosquito net *meus**ki**teou nète*
moustique *nm* mosquito *meus**ki**teou*
moutarde *nf* mustard ***meu**steude*
mouton *nm* sheep *chi:pe* • (viande) mutton ***meu**teune*
moyen *nm* means *mi:nze*
moyen(ne) *adj* (en taille) average ***a**vridje*
moyenne *nf* average ***a**vridje*
muet(te) *adj* dumb *deume*
muguet *nm* lily of the valley ***li**li ove Ve **va**li*
mur *nm* wall *ouo:le*
mûr(e) *adj* ripe *raïpe*
muscle *nm* muscle ***meu**sseule*
musclé(e) *adj* muscular ***meuss**kiouleu*
musculation *nf* body-building ***bo**di **bil**dinng*
museau *nm* muzzle ***meu**zeule*
musée *nm* museum *miou**zi**eume*
musical(e) *adj* musical ***miou**zikeule*
musicien(ne) *nm/f* musician *miou**zi**cheune*
musique *nf* music ***miou**zike*
musulman(e) *adj* Muslim ***meu**zlime*
myope *adj* short-sighted ***cho:rt**saïtide*
myrtille *nf* blueberry ***blou**beuri*
nager *vb* to swim *tou souime* (swam, swum *souame, soueume*)
naissance *nf* birth *beurFe*

naître *vb* to be born *tou bi: bo:rne*
nappe *nf* tablecloth ***teï**beulkloFe*
natation *nf* swimming ***soui**minng*
nationalité *nf* nationality *nacheu**na**liti*
nature *nf* nature ***neï**tcheu*
naturel(le) *adj* natural ***na**tchreule*
naturiste *adj* naturist ***neï**tcheuriste*
nausée *nf* nausea ***no:**zieu*
navet *nm* turnip ***teur**nipe*
navette *nf* (bus) shuttle ***cheu**teule*
navigateur *nm* (internet) browser ***braou**zeu*
naviguer *vb* to sail *tou seïle* ◇ **naviguer sur internet** to browse the Internet *tou **braou**z Vi **inn**teunète*
ne *adv* ◇ **ne ... pas** not *note* ◇ **ne ... plus** not...anymore *note èni**mo:re*** • (dans le temps) no...longer *no **lonngu**eu*
nécessaire *adj* necessary ***nè**ssèsseuri*
nécessairement *adv* necessarily *nèsseu**ssè**rili*
nécessité *nf* necessity *nè**ssè**ssiti*
nectarine *nf* nectarine ***nèk**teurine*
neige *nf* snow *sneou*
neiger *vb* to snow *tou sneou*
Néo-Zélandais(e) *nm/f* New Zealander *niou **zi:**leundeu*
nerveux(-euse) *adj* nervous ***neur**veusse*
nettoyage *nm* cleaning ***kli:n**inng*
nettoyer *vb* to clean *tou kli:ne*
neuf *adj num* nine *naïne*
neuf(-ve) *adj* new *niou*
neuvième *adj num* ninth *naïnnFe*
nez *nm* nose *neouze*
ni... ni *conj* neither...nor ***neï**Veu...no:re*
niveau *nm* level ***lè**veule*
nocturne *nf* (de musée, magasin) late night opening *leïte naïte **eou**peuninng*
Noël *nm* Christmas ***kris**meusse* ◇ **Joyeux Noël !** Merry Christmas! *mèri **kris**meusse*
nœud *nm* knot *note* ◇ **nœud papillon** bow tie *beou taï*

noir(e) *adj* black *blake*
noisette *nf* hazelnut ***Heï**zeulneute*
noix *nf* walnut ***ouo:l**neute*
nom *nm* name *neïme* ◇ **nom de famille** family name ***fa**mili neïme*
nombre *nm* number ***neum**beu*
nombreux(-euse) *adj* numerous ***niou**mèreusse*
non *adv* no *neou*
nord *nm* north *no:rFe*
normal(e) *adj* normal ***no:r**meule*
nos *adj poss* our *aoueu*
note *nf* • (facture) bill (GB) *bile*, check (US) *tchèke* • (inscription) note *neoute* • (à l'école) mark (GB) *ma:rke*, grade (US) *greïde*
noter *vb* (écrire) to write down *tou raïte daoune*
notre *adj poss* our *aoueu*
nôtre *poss* ◇ **le (la) nôtre** ours *aourz*
nouilles *nfpl* noodles ***nou**deulze*
nourrice *nf* nanny ***na**ni*
nourriture *nf* food *foude*
nous *pron* • (sujet) we *oui* • (complément) us *eusse*
nouveau(-elle) *adj* new *niou* ◇ **Nouvel An** New Year *niou yire*
nouvelle *nf* • (information) (piece of) news *(pi:sse ofe) niouze* • (court roman) short story *cho:rte* ***sto:**ri*
Nouvelle-Zélande *npr* New Zealand *niou* ***zi:**leunde*
novembre *nm* November *neou**vèmm**beu*
noyau *nm* stone (GB) *steoune*, pit (US) *pite*
noyer (se) *vb* to drown *tou draoune*
nu(e) *adj* naked ***neï**kide*
nuage *nm* cloud *klaoude*
nuageux(-euse) *adj* cloudy ***klaou**di*
nuit *nf* night *naïte*
nul(le) *adj* (mauvais) bad *bade*
numéro *nm* number ***neum**beu*
numéroté(e) *adj* numbered ***neum**beude*
nuque *nf* nape of the neck *neïpe ove Ve nèke*
objectif *nm* • (but) aim *eïme* • (d'appareil photo) lens *lènnze*
objet *nm* object ***ob**jèkte*
obligatoire *adj* compulsory *keum**peul**sseuri*
obligé(e) *adj* ◇ **je suis obligé de le faire** I must do it *aï meuste dou ite*, I have to do it *ï Have tou dou ite*
oblitérer *vb* to stamp *tou stammpe*
obscur(e) *adj* dark *da:rke*
obscurité *nf* darkness ***da:rk**nèss*
occasion *nf* opportunity *opeu**tiou**nity* • (événement) occasion *eu**keï**jeune* ◇ **d'occasion** (de seconde main) second-hand ***sè**keunde Hannde*
Occident *nm* West *ouèste*
occidental(e) *adj* Western ***ouès**teurne*
occupé(e) *adj* busy ***bi**zi* • (place) taken ***teï**keune* • (toilette) engaged *ènn**gueï**dje* ◇ **ça sonne occupé** the line is busy *Ve laïn ize* ***bi**zi*
occuper (s') *vb* to keep busy *tou ki:pe* ***bi**zi* ◇ **s'occuper de** • (gérer) to deal with *tou di:le ouiVe* • (enfant) to look after *tou louke* ***a:f**teu*
océan *nm* ocean ***eou**cheune*
octobre *nm* October *ok**teou**beu*
odeur *nf* smell *smèle*
œil *nm* eye *aï*
œuf *nm* egg *ègue*
œuvre *nf* work *oueurke*
office de tourisme *nm* tourist (information) office ***tou**riste (infeu**meï**cheune)* ***o**fisse*
offre *nf* offer ***o**feu*
offrir *vb* • (proposer) to offer *tou* ***o**feu* • (un cadeau) to give *tou guive* (gave, given *gueïve*, ***gui**veune*)

oie *nf* goose (pl geese) *gousse, gi:sse*
oignon *nm* onion *onieune*
oiseau *nm* bird *beurde*
OK *adj, excl* OK *eou keï*
olive *nf* olive *olive*
ombre *nf* shade *cheïde* • (forme) shadow *chadeou*
omelette *nf* omelette *omleute*
oncle *nm* uncle *eunkeule*
ongle *nm* nail *neïle*
onze *adj num* eleven *ilèveune*
opéra *nm* opera *opreu* • (lieu) opera house *opreu Haousse*
opération *nf* operation *opeureïcheune* • (médicale) surgery *seurdjeuri* • (affaire) deal *di:le*
opérer *vb* to operate *tou opeureïte*
ophtalmologue *nmf* ophthalmologist *ofFalmoleudjiste*
opinion *nf* opinion *eupinieune*
opposition *nf* opposition *opeuzicheune*
opticien *nm* optician *opticheune*
or *nm* gold *gueoulde*
orage *nm* storm *sto:rme*
orageux(-euse) *adj* stormy *sto:rmi*
orange *adj, nf* orange *orinndje*
orchestre *nm* orchestra *o:rkèstreu*
ordinateur *nm* computer *kommpiouteu*
ordonnance *nf* prescription *prèskripcheune*
ordures *nfpl* rubbish (GB) *reubiche*, garbage (US) *ga:rbidje*
oreille *nf* ear *ire*
oreiller *nm* pillow *pileou*
oreillons *nmpl* mumps *meumpse*
organiser *vb* to organise *tou o:rgueunaïze*
orgue *nm* organ *o:rgueune*
Orient *nm* East *i:ste*
oriental(e) *adj* Eastern *i:steurne*
origine *nf* origin *oridjine*
orteil *nm* toe *teou*
os *nm* bone *beoune*
oseille *nm* sorrel *soreule*
ostéopathe *nmf* osteopath *ostieoupa:Fe*
ôter *vb* to remove *tou rimouve* • (vêtement) to take off *tou teïke ofe*
otite *nf* ear infection *ire innfèkcheune*
ou *conj* or *ore*
où *adv* where *ouère*
oubli *nm* oversight *eouveusaïte*
oublier *vb* to forget *tou fo:rguète* (forgot, forgotten *fo:rgote, fo:rgoteune*)
ouest *nm* west *ouèste*
oui *adv* yes *ièsse*
ouïe *nf* hearing *Hirinng*
ouragan *nm* hurricane *Heurikeïne*
oursin *nm* sea urchin *si: eurtchine*
outil *nm* tool *toule*
ouvert(e) *adj* open *eoupeune*
ouverture *nf* opening *eoupeuninng*
ouvre-boîtes *nm* tin-opener *tine eoupeuneu*
ouvrir *vb* to open *tou eoupeune* • (robinet, gaz) to turn on *tou teurne one*
pacifique *adj, npr* Pacific *peussifike* ◇ **l'océan pacifique** the Pacific ocean *Ve peussifike oeucheune*
page *nf* page *peïdje* ◇ **page d'accueil** (de site) homepage *Heumepeïdje*
paiement *nm* payment *peïmeunte*
paille *nf* straw *stro:*
pain *nm* bread *brède* ◇ **pain complet** wholemeat ou wholemeal (GB) bread *Ho:lmi:te Ho:lmi:le brède* ◇ **pain d'épice** ginger bread *djinndjeu brède* ◇ **pain de mie** sandwich bread *sannouidje brède*
paix *nf* peace *pi:sse*
palais *nm* palace *palisse*
pâle *adj* pale *peïle*
palmes *nfpl* (de plongée) flippers *flipeuze*

palmier *nm* palm tree *pa:me tri:*
palourde *nf* clam *klame*
pamplemousse *nm* grapefruit *greïpfroute*
panaché *nm* shandy *channdi*
pané(e) *adj* breaded *brèdide*
panier *nm* basket *ba:sskite*
panne *nf* breakdown *breïkdaoune* ◊ **être** ou **tomber en panne** to break down *tou breïke daoune*
panneau *nm* sign *saïne* ◊ **panneau de signalisation** road sign *reoude saïne*
pansement *nm* bandage *banndidje*
pantalon *nm* trousers (GB) *traouzeuze*, pants (US) *pannts*
papaye *nf* papaya *peupaïeu*
papeterie *nf* stationer's (shop) *steïcheuneuz (chope)*
papier *nm* paper *peïpeu* ◊ **papier d'aluminium** tinfoil *tinnfoïle* ◊ **papier cadeau** gift wrap *guifte rape*
papillon *nm* butterfly *beuteuflaï*
paquebot *nm* liner *laïneu*
Pâques *nfpl* Easter *i:steu*
paquet *nm* • (colis) parcel *pa:rseule* • (de cigarettes) packet *pakite* • (de cartes) pack *pake*
par *prép* by *baï*
paracétamol *nm* paracetamol *pareussi:teumole*
parachutisme *nm* parachuting *pareuchoutinng*
paraître *vb* to appear *tou eupire*
parapente *nm* paragliding *pa:reuglaïdinng*
parapluie *nm* umbrella *eumbrèleu*
parasol *nm* parasol *pareusole*
parc *nm* park *pa:rke* ◊ **parc d'attractions** amusement park *eumiouzmeunte pa:rke*
parce que *loc* because *bikoze*
parcourir *vb* • (distance, trajet) to cover *tou koveu* • (pays) to travel up and down *tou traveule eupe eunde daoune* • (lire) to browse through *tou braouze Frou*
parcours *nm* • (trajet) route *route* • (terrain) course *ko:rse*
pardon *interj* sorry! *sori*
parebrise *nm* windscreen (GB) *ouinndskri:ne*, windshield (US) *ouinndchilde*
parechoc *nm* bumper *beumpeu*
parents *nmpl* parents *pèreuntse*
paresseux(-euse) *adj* lazy *leïzi*
parfait(e) *adj* perfect *peurfèkte*
parfois *adv* sometimes *sommtaïmz*
parfum *nm* • (odeur) perfume *peurfioume*, scent *sènnte* • (saveur) flavour (GB), flavor (US) *fleïveu*
pari *nm* bet *bète*
parking *nm* car park *kare pa:rke*
parler *vb* to speak *tou spi:ke* (spoke, spoken *speouke, speoukeune*), to talk *tou to:ke*
parmi *prép* among *eumonng*
part *nf* piece *pi:sse*
partagé(e) *adj* shared *chèrde*
partager *vb* to share *tou chère*
parti *nm* party *pa:rti*
participer à *vb* to take part (in) *tou teïke pa:rte (ine)*
partie *nf* • (élément) part *pa:rte* • (sport, jeu) game *gueïme*
partir *vb* to go away *tou gueou eoueï*, to leave *tou li:ve* (left, left *lèfte, lèfte*) ◊ **partir en voyage** to go on a trip *tou gueou one e tripe*
partout *adv* everywhere *èvriouère*
pas *nm* step *stèpe* ▪ *adv* not *note*
passage *nm* • (extrait) passage *passidje* • (chemin) way *oueï* ◊ **passage souterrain** subway (GB) *seuboueï*, underpass (US) *eundeupa:sse*

FRANÇAIS-ANGLAIS

passager(-ère) *nm/f* passenger *passinndjeu*
passeport *nm* passport ***pa:sspo:rte***
passer *vb* (du temps) to spend *tou* *spènnde* (spent, spent *spènnte, spènnte*) ◇ **passer par Londres** to go via London *tou gueou vaïeu* ***lonn****deune* ◇ **se passer** (événement) to happen *tou* ***Ha****peune*
passe-temps *nm* hobby ***Ho****bi*
passion *nf* passion ***pa****cheune*
passionné(e) *adj* passionate ***pa****cheunite*
passionner *vb* to fascinate *tou* ***fa****ssineïte*
pastèque *nf* watermelon ***ouo****teumèleune*
pasteur *nm* minister ***mi****nisteu*
pastille *nf* lozenge ***lo****zinndje*
pâte *nf* dough *deou* ◇ **pâte à crêpe** batter ***ba****teu* ◇ **pâte à tarte** pastry ***peïs****tri* ◇ **pâte à tartiner** spread *sprède* ◇ **pâtes (alimentaires)** pasta ***pa:*****s***teu*
pâté *nm* pâté ***pa****teï*
patin *nm* ◇ **patin à glace** ice skate *aïsse skeïte* ◇ **patins en ligne** rollerblades ***reou****leubleïdze* ◇ **patins à roulettes** roller skates ***reou****leu skeïtze*
patinage *nm* ice skating *aïsse* ***skeï****tinng*
patinoire *nf* skating rink ***skeï****tinng rinnke*
pâtisserie *nf* • (gâteau) pastry ***peïs****tri* • (magasin) cake shop *keïke chope*
paupière *nf* eyelid ***aï****lide*
pause *nf* break *breïke*
pauvre *adj* poor *pou:re*
payant(e) *adj* • (spectacle) with an admission charge *ouiVe eune eud****mi****cheune tcha:rdje* • (entrée) not free *note fri:*
payer *vb* to pay *tou peï* (paid, paid *peïde, peïde*)
pays *nm* country ***keun****tri*
paysage *nm* landscape ***lannd****skeïpe*

PCV *nm* ◇ **appel en PCV** reverse-charge call *ri****veurse*** *tcha:dje ko:le*
péage *nm* toll *teoule*
peau *nf* skin *skine*
pêche *nf* • (activité) fishing ***fi****chinng* • (fruit) peach *pi:tche*
pêcher *vb* to fish *tou fiche*
pédale *nf* pedal ***pè****deule*
pédiatre *nmf* paediatrician *pi:dieu****tri****cheune*
peigne *nm* comb *keoume*
peigner *vb* to comb *tou keoume*
peintre *nmf* painter ***peïnn****teu*
peinture *nf* painting ***peïnn****tinng*
pellicules *nfpl* (de cheveux) dandruff ***dann****dreufe*
pelouse *nf* lawn *lo:ne*
pendant *prép* during ***diou****rinng*
pénicilline *nf* penicillin *pèni****ssi****line*
penser *vb* to think *tou Finnke* (thought, thought *Fo:te, Fo:te*)
pension *nf* (hébergement) boarding house ***bo:****rdinng Haouze*
pépin *nm* seed *si:de* ◇ **sans pépins** seedless ***si:d****lèsse*
perdre *vb* to lose *tou louze* (lost, lost *loste, loste*) ◇ **se perdre** to get lost *tou guète loste*
perdu(e) *adj* lost *loste*
père *nm* father ***fa:****Veu*
périmé(e) *adj* • (document) out-of-date *aoute ofe deïte* • (nourriture) past its use-by date *pa:ste itse iouz baï deïte*
permettre *vb* to allow *tou* ***eu****laou*, to permit *tou peur****mite***
permis(e) *adj* allowed *eu****laoude*** permitted *peur****mi****tide*
permis de conduire *nm* driving licence ***draï****vinng* ***laï****sseunse*
persil *nm* parsley ***pa:r****sli*
personne *pron* no one *neou ouane*, nobody ***neou****bodi* ▪ *nf* person ***peur****seune* ◇ **5 personnes** 5 people *faïve* ***pi:****peul*

perte *nf* loss *losse*
peser *vb* to weigh *tou oueï*
pesticide *nm* pesticide ***pès**tissaïde*
petit(e) *adj* small *smo:le*, little ***li**teule* ▪ *nm/f* • (enfant) little one ***li**teule ouane*
petit-déjeuner *nm* breakfast ***breïk**feuste*
petite-fille *nf* granddaughter ***grann**do:teu*
petit-fils *nm* grandson ***grannd**seune*
petits-enfants *nmpl* grandchildren ***grannd**tchildreune*
peu de *loc* • (avec nom indénombrable singulier) little ***li**teule*, not...much *note...meutche* • (avec nom pluriel) few *fiou*, not...many *note...**mè**ni*
peur *nf* fear *fire* ◇ **avoir peur** to be afraid *tou bi: eu**frède*** ◇ **faire peur** to frighten *tou **fraï**teune*
peut-être *adv* maybe ***meï**bi*
phare *nm* • (de voiture) headlight ***Hèd**laïte* • (marin) lighthouse ***laïtt**Haouze*
pharmacie *nf* chemist's (GB) ***kè**mistse*, drugstore (US) ***dreug**sto:re*
phoque *nm* seal *si:le*
photo *nf* photo ***feou**teou*, picture ***pik**tcheu* ◇ **photo d'identité** ID photo *aï di: **feou**teou*
photocopie *nf* photocopy ***feou**teoukopi*
photographe *nmf* photographer *feu**to**greufeu*
photographie *nf* photography *feu**to**greufi*
phrase *nf* sentence ***sènn**teunse*
physique *adj* physical ***fi**zikeule*
pichet *nm* jug *djeugue*
pièce *nf* • (salle) room *roume* • (argent) coin *koïne* ◇ **pièce de théâtre** play *pleï*
pied *nm* foot (pl feet) *foute, fi:te*
pierre *nf* stone *steoune*
piéton(ne) *nm/f* pedestrian *pi**dès**trieune* ▪ *adj* ◇ **zone piétonne** pedestrian precinct *pi**dès**trieune **pri:**ssinngkte*
pignon (de pin) *nm* pine nut *païne neute*
pile *nf* (tas) pile *païle* ◇ **pile (électrique)** battery ***ba**tri*
pilule *nf* pill *pile*
pilote *nmf* pilot ***paï**leute*
piment *nm* pepper ***pè**peu*
pimenté(e) *adj* spicy ***spaï**ssi*
pin *nm* pine (tree) *païne (tri:)*
pince à épiler *nf* tweezers ***toui:**zeuze*
ping-pong *nm* table tennis ***teï**beule **tè**nisse*
pipe *nf* pipe *païpe*
piquant(e) *adj* • (goût, sauce, moutarde) hot *Hote* • (vin) sour *saoueu*
pique-nique *nm* picnic ***pik**nike*
pique-niquer *vb* to picnic *tou **pik**nike*
piquer *vb* • (guêpe) to sting *tou stinngue* (stung, stung *steungue, steungue*) • (insecte, serpent) to bite *tou baïte* (bit, bitten *bite, **bi**teune*) • (médecin) to give an injection to *tou give eun inn**djek**cheune tou*
piquet *nm* (de tente) peg *pègue*
piqûre *nf* bite *baïte* • (injection) injection *in**djèk**cheune*
piscine *nf* swimming-pool ***soui**minng-poule*
pistache *nf* pistachio *pis**ta:**chieou*
piste *nf* track *trake* • (trace) trail *treïle* • (de ski) piste *piste* • (de danse) dance floor *da:nnse flo:re*
pizza *nf* pizza ***pi**tseu*
place *nf* place *pleïsse* • (en ville) square *skouère* • (billet) ticket ***ti**kite* • (siège) seat *si:te* • (parking) space *speïsse*

plage *nf* beach *bi:tche*
plaie *nf* wound *wounde*
plaindre (se) *vb* to complain *tou keumpleïne*
plainte *nf* complaint *keumpleïnnte*
plaire *vb* to please *tou pli:ze* • (séduire) to appeal to *tou eupi:le tou*
plaisanter *vb* to joke *tou djeouke*
plaisir *nm* pleasure *plèjeu*
plan *nm* • (de ville, métro) map *mape* • (projet) plan *plane*
planche *nf* board *bo:rde* ◇ **planche à repasser** ironing board *aïeuninng bo:rde* ◇ **planche à voile** windsurf board *ouinndseufe bo:rde*
plancher *nm* floor *flo:re*
planète *nf* planet *planite*
plante *nf* plant *plannte*
plaque d'immatriculation *nf* number (GB) *neumbeu* ou licence (US) *laïsseunse* plate *pleïte*
plastique *nm* plastic *plastike*
plat(e) *adj* • (sans bosses) flat *flate* • (eau) still *stile*
plat *nm* • (dans un menu) dish *diche* • (assiette) plate *pleïte*
plâtre *nm* plaster *plasteu*
plein(e) *adj* full *foule*
pleurer *vb* to cry *tou kraï*
pleuvoir *vb* to rain *tou reïne*
plomb *nm* • (métal) lead *lède* • (électricité) fuse *fiouze*
plombage *nm* filling *filinng*
plombier *nm* plumber *pleumeu*
plongée sous-marine *nf* diving *daïvinng* • (avec tuba) snorkelling *sno:rklinng* • (avec appareil) scuba diving *skoubeu daïvinng*
plonger *vb* to dive *tou daïve*
plongeur(-euse) *nm/f* diver *daïveu* • (laveur) dishwasher *dichouocheu*
pluie *nf* rain *reïne*
plus *adv* more *mo:re* ◇ **plus... que** more... than *mo:re Vane*
plusieurs *adj* several *sèvreule*
plutôt *adv* • (à la place) instead *innstède* • (assez) rather *raVeu*
pluvieux(-euse) *adj* rainy *reïni*
pneu *nm* tyre *taïeu* ◇ **pneus neige** snow tyres *sneou taïeuz*
poche *nf* pocket *pokite*
poché(e) *adj* (œufs) poached *peoutchte*
poêle *nf* frying pan *fraïinng pane*
poids *nm* weight *oueïte*
poignet *nm* • (corps) wrist *riste* • (de vêtement) cuff *keufe*
poil *nm* hair *Hère*
point *nm* • (symbole) dot *dote* • (score) point *poïnnte*
poire *nf* pear *pèeu*
poireau *nm* leek *li:ke*
pois chiche *nm* chickpea *tchikpi:*
poisson *nm* fish *fiche*
poissonnerie *nf* fishmonger's (shop) *fichmonngeuze (chope)*
poitrine *nf* • (torse) chest *tchèste* • (seins) breast *brèste*
poivre *nm* pepper *pèpeu*
poivron *nm* pepper *pèpeu*
poli(e) *adj* polite *peulaïte*
police *nf* police *peulisse*
policier(-ère) *nm/f* policeman, policewoman *peulissmane, peulisswoumeune* ▪ *nm* (film, livre) thriller *Frileu*
pollen *nm* pollen *poleune*
polluer *vb* to pollute *tou peuloute*
pollution *nf* pollution *peuloucheune*
pommade *nf* ointment *oïnntmeunte*
pomme *nf* apple *apeule* ◇ **pomme de terre** potato *peuteïteou*
pompe *nf* (à vélo) bicycle pump *baïssikeule peumpe* ◇ **pompe à essence** petrol (GB) ou gas (US) station *pètreule - gasse steïcheune*
pompier *nm* fireman *faïeumeune*
ponctuel(le) *adj* punctual *peungktioueule*

pont *nm* bridge *bridje*

porc *nm* • (animal) pig *pigue* • (viande) pork *po:rke*

port *nm* (de bateaux) harbour ***Ha:r**beu*

portable *adj, nm* ◇ **(téléphone) portable** mobile (phone) (GB) *meou**baïle** (feoune)*, cellphone (US) *sèlfeoune* ◇ **(ordinateur) portable** laptop ***lap**tope*

portail *nm* • (barrière) gate *gueïte* • (Internet) portal ***po:r**teule*

porte *nf* • (de bâtiment) door *do:re* • (d'embarquement) gate *gueïte*

porte-bagages *nm* luggage rack ***leu**guidje rake*

portefeuille *nm* wallet (GB) ***ouo:**leute*, billfold (US) ***bill**feoulde*

portemonnaie *nm* purse (GB) *peurse*, coin purse (US) *koïne peurse*

porter *vb* to carry *tou **ka**ri* • (lunettes, vêtement) to wear *tou ouère* (wore, worn *ouo:re, ouo:rne*)

portion *nf* portion ***po:r**cheune*

poser *vb* to put *tou poute* (put, put *poute, poute*) • (une question) to ask *tou a:ske*

position *nf* position *peu**zi**cheune*

posologie *nf* dose *deousse*

possibilité *nf* possibility *possi**bi**liti*

possible *adj* possible ***po**ssibeule*

postal(e) *adj* post *peouste* ◇ **code postal** postcode (GB) ***post**keoude*, zip code (US) *zipe keoude*

poste *nf* • (administration) post *peouste* • (bureau) post office *peouste **o**fisse*

poster *vb* (courrier) to post (GB) *tou peouste*, to mail (US) *tou meïle*

pot *nm* • (récipient) jar *dja:re* • (verre) drink *drinnke* ◇ **pot d'échappement** exhaust pipe (GB) ***igzeouste** païpe*, tail pipe (US) *teïle païpe*

potable *adj* drinkable ***drinn**keubeule*

potage *nm* soup *soupe*

potiron *nm* pumpkin ***peump**kine*

poubelle *nf* dustbin (GB) ***deust**bine*, trash can (US) *trache kane*

poudre *nf* powder ***paou**deu*

poule *nf* hen *Hène* • (viande) chicken ***chi**keune*

poulet *nm* chicken ***chi**keune*

poulpe *nm* octopus ***ok**teupeusse*

poumon *nm* lung *leungue*

poupée *nf* doll *dole*

pour *prép* for *fo:re*

pourboire *nm* tip *tipe*

pousses de soja *nfpl* beansprouts ***bi:n**spraoutsse*

pousser *vb* • (appuyer) to push *tou pouche* • (déplacer) to move *tou mouve* • (croître) to grow *tou greou* (grew, grown *grou, greoune*)

poussette *nf* pushchair ***pouch**tchère*

pouvoir *vb* can *kanne* (could *koude*), to be able to *tou bi: **eï**beule to*

pratique *adj* convenient *keun**vi:**nieute* ▪ *nf* (expérience) practical experience ***prak**tikeule iks**pi**rieunse*

pratiquer *vb* to practise *tou **prak**tisse*

préféré(e) *adj* favourite (GB), favorite (US) ***feï**vrite*

préférer *vb* to prefer *tou pri**feu***

premier(-ère) *adj* first *feurste* ▪ *nm/f* first one *feurste ouone*

prendre *vb* to take *tou teïke* (took, taken *touke, **teï**keune*)

prénom *nm* first name *feurste neïme*

préparer *vb* to prepare *tou pri**pè**re* ◇ **se préparer** to get ready *tou guète **rè**di*

près (de) *adv, prép* near *nire*

prescrire *vb* to prescribe *tou pris**kraïbe***
présenter *vb* to present *tou prizènnte* • (personne) to introduce *tou inntreu**diousse*** ◇ **se présenter** to introduce oneself *tou inntreu**diousse** ouones**èlfe***
préservatif *nm* condom ***keun**deume*
presque *adv* almost ***o:l**meouste*
presse *nf* press *prèsse*
pressé(e) *adj* ◇ **être pressé** to be in a hurry *tou bi: ine e **Heu**ri*
presse-agrume *nm* lemon squeezer (GB) ***lè**meune **skoui:**zeu*, reamer (US) ***ri:**meu*
pressing *nm* dry cleaner's *draï **kli:**neuze*
pression *nf* pressure ***prè**cheu* • (bière) draught beer *dra:fte bi:re*
prêt(e) *adj* ready ***rè**di*
prêter *vb* to lend *tou lènnde* (lent, lent *lènnte, lènnte*)
prêtre *nm* priest *pri:ste*
prévenir *vb* to warn *tou ouo:rne*
prévoir *vb* (projeter) to plan *tou planne*
primaire *adj, nf* primary ***praï**meuri* ◇ **(école) primaire** primary school ***praï**meuri skoule*
primeurs *nfpl* early fruit and vegetables *eurli froute eunde **vèdj**teubeulze*
prince *nm* prince *prinnse*
princesse *nf* princess *prinn**sèsse***
principe *nm* principle ***prinn**sipeule*
printemps *nm* spring *sprinngue*
priorité *nf* priority *praï**eu**riti* • (sur route) right of way *raïte ofe oueï*
prise *nf* ◇ **prise (électrique)** • (femelle) socket ***so**kite* • (mâle) plug *pleugue* ◇ **prise de sang** blood test *bleude tèste*
privé(e) *adj* private ***praï**veute*
prix *nm* • (tarif) price *praïsse* • (transport) fare *fère* • (récompense) prize *praïze*
problème *nm* problem ***pro**bleume*
prochain(e) *adj* next *nèkste*
proche *adj* close *kleousse*
production *nf* production *pro**deuk**cheune*
produire *vb* to produce *tou preu**diousse***
produit *nm* product ***pro**deukte*
professeur *nmf* teacher ***ti:**tcheu*
profession *nf* occupation *okioupe**ï**cheune*
professionnel(le) *adj, nm/f* professional *preu**fè**cheuneule*
profiter de *vb* • (jouir de) to enjoy *tou ènn**djoï***, to make the most of *tou meïke Ve meouste ofe* • (tirer avantage de) to take advantage of *tou teïke eud**vann**teïdje ofe*
profond(e) *adj* deep *di:pe*
profondément *adv* deeply ***di:**pli*
profondeur *nf* depth *dèpFe*
programme *nm* program(me) ***preou**grame*
promenade *nf* walk *ouo:ke*
promener (se) *vb* to go for a walk *tou gueou fo:re e ouo:ke*
prononcer *vb* to pronounce *tou preu**naounse*** ◇ **comment ça se prononce ?** how do you pronounce it? *Haou dou iou preu**naounse** ite*
proposer *vb* to suggest *tou seu**djèste***
proposition *nf* proposal *preu**peou**zeule*
propre *adj* clean *kli:ne*
propreté *nf* cleanliness ***klènn**linèsse*
propriétaire *nmf* owner ***eou**neu*
protection *nf* protection *preu**tèk**cheune*
protéger *vb* to protect *tou preu**tèkte***
protestant(e) *adj, nm/f* Protestant ***pro**tisteunte*
prouver *vb* to prove *tou prouve*
proximité (à) *loc* nearby ***ni:r**baï*
prune *nf* plum *pleume*
pruneau *nm* prune *proune*

public(-que) *adj* public ***peu**blike* ▪ *nm* (spectateurs) audience ***o:**dieunse*
publicité *nf* publicity *peu**bli**ssiti*, advertising ***ad**veutaïzinng* • (annonce) advertisement *ad**veu**tissmeunte*
pull-over *nm* pullover ***pou**leuveu*, sweater ***souè**teu*, jumper ***djeum**peu*
purée *nf* (de pommes de terre) mashed potatoes *machte peu**teï**teouze*
pyjama *nm* pyjamas *pi**dja:**meuze*, pajamas (US) *peu**dja:**meuze*
quai *nm* • (de train) platform ***platt**fo:rme* • (de port) quay *ki:*, dock *doke*
qualité *nf* quality ***kouo**lity* • (point positif) good point *goude poïnte*
quand *adv, conj* when *ouène*
quarante *adj num* forty ***fo:r**ti*
quarantième *adj num* fortieth ***fo:r**tiFe*
quart *nm* quarter ***kouo:**teu* ◇ **quart d'heure** quarter of an hour ***kouo:**teu ove eune **a**oueu*
quartier *nm* area ***è**rieu*, district ***dis**trikte*
quatorze *adj num* fourteen *fo:r**ti:ne***
quatre *adj num* four *fo:re*
quatre-vingt *adj num* eighty ***eï**ti*
quatrième *adj num* fourth *fo:rFe*
que *pron, conj* that *Vate* ▪ *pron interr* what *ouate*
quel(le) *pron, adj* which *ouitche*
quelque chose *loc* something ***somm**Finng* • (dans question, négation) anything ***è**niFinng* ◇ **quelque chose d'autre** something else ***somm**Finng èlsse*
quelques *adj indef* some *some*, a few *e fiou*
quelqu'un *pron* someone ***som**ouane*, somebody ***somm**bodi* • (dans question, négation) anyone ***è**niouane*, anybody ***è**nibodi*
question *nf* • (interrogation) question ***kouès**tcheune* • (sujet) topic ***to**pike* ◇ **pas question !** no way! *neou oueï*
queue *nf* • (d'animal, d'avion) tail *teïle* • (file d'attente) queue (GB) *kiou*, line (US) *laïne*
qui *pron* • (personne) who *Hou* • (animal, objet) which *ouitche*
quinzaine *nf* fortnight ***fo:rtt**naïte*
quinze *adj num* fifteen *fif**ti:ne***
quitter *vb* to leave *tou li:ve* (left, left *lèfte, lèfte*)
quoi *pron* what *ouate*
quotidien(ne) *adj* daily ***deï**li* ▪ *nm* • (vie) daily life ***deï**li laïfe* • (journal) daily newspaper ***deï**li **niouz**peïpeu*
quotidiennement *adv* daily ***deï**li*
rabbin *nm* rabbi ***ra**baï*
raccompagner *vb* (à domicile) to take home *tou teïke Heoume*
raccourci *nm* shortcut ***cho:rt**keute*
racine *nf* root *route*
raconter *vb* to tell *to tèle* (told, told *teoulde, teoulde*)
radar *nm* radar ***reï**deu*
radiateur *nm* radiator ***reï**dièteu* • (électrique, au gaz) heater ***Hi**teu*
radio *nf* radio ***reï**dieou*
radiographie *nf* X-ray *èkse-reï*
radis *nm* raddish ***ra**diche*
rage *nf* • (maladie) rabies ***reï**bi:ze* • (colère) anger ***ann**gueu*
ragoût *nm* stew *stiou*
raie *nf* • (poisson) ray *reï* • (ligne) stripe *straïpe*
raisin *nm* grape(s) *greïp(s)e*
raison *nf* reason ***ri:**zeune*
raisonnable *adj* reasonable ***ri:**zeuneubeule*
rallonge (électrique) *nf* extension lead *iks**tènn**cheune li:de*
ramasser *vb* to pick *tou pike*
rame *nf* (aviron) oar *o:re*

FRANÇAIS-ANGLAIS

randonnée *nf* • (activité) hiking ***Haï****kinng* • (excursion) hike *Haïke*
randonner *vb* to go hiking *tou gueou* ***Haï****kinng*
ranger *vb* • (objet) to put away *tou poute eu****oueï*** • (pièce) to tidy *tou* ***taï****di*
rapatriement *nm* repatriation *ri:patri****eï****cheune*
rapatrier *vb* to repatriate *tou ri:****pa****trieïte*
râpe *nf* ◇ **râpe à fromage** cheese grater ***tchi:****ze* ***greï****teu*
rapide *adj* fast *fa:ste*, quick *kouike*
rapidement *adv* quickly ***koui****kli*
rappeler *vb* • (au téléphone) to call back *tou ko:le bake* • (souvenir) to remind *tou ri:****maïnde*** ◇ **se rappeler** to remember *tou ri****mèmm****beu*
rapport *nm* report *ri****po:rte*** • (relation) relationship *ri****leï****cheunchipe*
raquette *nf* • (de tennis, de neige) racket ***ra****kite* • (de ping-pong) bat (GB) *bate*, paddle (US) ***pa****deule*
rarement *adv* rarely ***rè****euli*
raser (se) *vb* to shave *tou cheïve*
rasoir *nm* razor ***reï****zeu*
rater *vb* (avion, train) to miss *tou misse*
ravi(e) *adj* delighted *di****laï****tide*
rayé(e) *adj* striped *straïpte*
rayon *nm* (de magasin) department *di****pa:rt****meunte*
réaction *nf* reaction *ri:****ak****cheune*
réception *nf* reception (GB) *ris****sèp****cheune*, front desk (US) *fronnte dèske*
réceptionniste *nmf* receptionist *ri****sèp****cheuniste*
recette *nf* recipe ***rè****ssipi*
recevoir *vb* to receive *tou ri****ssi:ve***
rechange (de) *loc* spare *spère*
recharger *vb* to charge *tou tcha:rdje*
réchauffer *vb* to heat (up) *tou Hi:te (eupe)*
recherche *nf* research *ri****seurtche***
rechercher *vb* to look for *tou louke fo:re*
réclamation *nf* complaint *keum****pleïnnte***
réclamer *vb* (demander) to ask for *tou a:ske fo:re*
recommandé(e) *adj* recommended *rèkeu****mènn****dide* ▪ *nm* (lettre, colis) recorded delivery *ri****ko:r****dide dé****li****veuri*
recommander *vb* to recommend *tou rikeu****mènnde***
reconnaître *vb* to recognize *tou* ***rè****keugnaïz*
recours *nm* resort *ri****zo:rte*** ◇ **en dernier recours** as a last resort *aze e la:ste ri****zo:rte***
récréation *nf* break *breïke*
rectangle *nm* rectangle ***rèk****tanngueule*
rectangulaire *adj* rectangular *rèk****tann****guiouleu*
reçu *nm* receipt *ri****ssi:te***
récupérer *vb* • (retrouver) to get back *tou guète bake* • (se reposer) to recover *tou ri****keou****veu*
recycler *vb* to recycle *tou ris****saï****keule*
réduction *nf* decrease ***di:****kri:sse* • (de prix) discount ***dis****kaounte*
réduit(e) *adj* (prix) reduced *ri****diouste***
réel(le) *adj* real ***ri****eule*
réfléchir *vb* to think *tou Finnke* (thought, thought *Fo:te, Fo:te*)
réflecteur *nm* reflector *ri****flèk****teu*
regarder *vb* to look (at) *tou louke (ate)*
régime *nm* (alimentaire) diet ***daï****eute*
région *nf* region ***ri****djieune*
règle *nf* • (règlement) rule *roule* • (pour mesurer) ruler ***rou****leu*
régler *vb* • (un appareil) to adjust *tou eu****djeuste*** • (payer) to pay *tou peï* (paid, paid *peïde, peïde*)
regretter *vb* • (occasion manquée) to regret *tou ri****grète*** • (erreur) to be sorry (about) *tou bi:* ***so****ri (eu****baoute****)*

rehausseur *nm* booster seat *bousteu si:te*
reine *nf* queen *kouine*
rein *nm* kidney *kidni*
rejoindre *vb* to join *tou djoïne*
religion *nf* religion *rilidjeune*
remarque *nf* remark *rima:rke*
remarquer *vb* (voir) to notice *tou neoutisse*
rembourser *vb* to reimburse *tou ri:immbeurse*
remerciements *nmpl* thanks *Fannksse*
remercier *vb* to thank *tou Fannke*
remettre *vb* • (replacer) to put back *tou poute bake* • (reporter) to postpone *tou peoustpeoune* • (donner) to hand over *tou Hannde eouveu*
remise *nf* (rabais) discount *diskaounte*
remontée mécanique *nf* ski lift *ski lifte*
remorquer *vb* to tow *tou teou*
remplaçant(e) *nm/f* substitute *seubstitioute*
remplir *vb* • (réservoir) to fill *tou file* • (formulaire) to fill in *tou file ine*
rencontrer *vb* to meet *tou mi:te* (met, met *mète, mète*)
rendez-vous *nm* • (d'affaires, médical) appointment *eupoïnntmeunte* • (d'amoureux) date *deïte* ◇ **lieu de rendez-vous** meeting place *mi:tinng pleïsse*
rendre *vb* to give back *tou guive bake*
renseignement *nm* (piece of) information *(pi:sse ofe) innfo:rmeïcheune* ◇ **(service des) renseignements** directory inquiries *daïrèkteuri innkouaïeuriz*
rentrer *vb* (chez soi) to go back home *tou gueou bake Heoume*
renverser *vb* • (liquide) to spill *tou spile* • (piéton) to knock over *tou noke eouveu*
réparations *nfpl* repairs *ripèrze*
réparer *vb* to repair *tou ripère*
repas *nm* meal *mi:le*
repasser *vb* • (passer à nouveau) to come back *tou kome bake* • (un vêtement) to iron *tou aïeune*
répéter *vb* to repeat *tou ripi:te*
répondeur *nm* answering machine *annseurinng meuchi:ne* ◇ **je suis tombé sur un répondeur** I got a recorded message *aï gote e riko:rdide mèssidje*
répondre *vb* to answer *tou annseure*
réponse *nf* answer *annseu*, reply *riplaï*
reporter *nm* to postpone *tou peoustpeoune*
repos *nm* rest *rèste*
reposer (se) *vb* to rest *tou rèste*
reprendre *vb* • (objet) to take back *tou teïke bake* • (se resservir) to have some more *tou Have some mo:re*
représentation *nf* show *cheou*
requin *nm* shark *cha:rke*
réseau *nm* network *nètoueurke* ◇ **je n'ai pas de réseau** (au téléphone) I have no signal *aï Have neou signeule*
réservation *nf* booking *boukinng*, reservation *rizeurveïcheune*
réserve *nf* (stock) stock *stoke*
réserver *vb* to book *tou bouke*
réservoir *nm* tank *tannke*
résider *vb* to live *tou live*
respect *nm* respect *rispèkte*
respecter *vb* to respect *tou rispèkte* • (délais) to keep to *tou ki:pe tou*
respirer *vb* to breathe *tou bri:Ve*

ressembler à *vb* to look like *tou louke laïke*
ressources *nfpl* resources *risso:rsize*
restaurant *nm* restaurant *rèssteureunte*
rester *vb* to stay *tou steï*
retard *nm* delay *dileï* ◇ **être en retard** to be late *tou bi: leïte*
retardé(e) *adj* (vol, train) delayed *dileïde*
retirer *vb* to withdraw *tou **ouiV**dro:* (withdrew, withdrawn *ouiV**drou**, ouiV**dro:ne***) • (récupérer) to collect *tou kolèkte*
retour *nm* return *ri**teurne*** ◇ **billet (de) retour** return ticket *ri**teurne ti**kite*
retourner *vb* ◇ **retourner à** (aller de nouveau à) to go back to *tou gueou bake tou* ◇ **se retourner** to turn round *tou teurne raounde*
retraite *nf* retirement *ri**taï**eumeunte*
retrouver *vb* (rejoindre) to meet *tou mi:te* (met, met *mète, mète*) ◇ **se retrouver** to meet
rétroviseur *nm* rear-view mirror ***ri:***rviou ***mi**reu*
réunion *nf* meeting ***mi:**tinng*
réussir *vb* to succeed *tou seu**ksi:de***, to manage *tou **ma**nidje* • (examen) to pass *tou pa:sse*
rêve *nm* dream *dri:me*
réveil *nm* (horloge) alarm clock *eu**la:**rme kloke*
réveiller *vb* to wake up *tou oueïke eupe* (woke, waken *ouoke, **oué**keune*) ◇ **se réveiller** to wake up *tou oueïke eupe*
revenir *vb* to come back *tou kome bake*
rêver *vb* to dream *tou dri:me*
revoir *vb* to see again *tou si: eu**guène*** ◇ **au revoir !** goodbye! ***goude**baï*
revue *nf* magazine *magueu**zi:ne***
rez-de-chaussée *nm* ground floor (GB) *graounde flo:re*, first floor (US) *feurste flo:re*
rhubarbe *nf* rhubarb ***rou**ba:be*
rhum *nm* rum *reume*
rhumatisme *nm* rheumatism ***rou**meutizeume*
rhume *nm* cold *kolde*
riche *adj* rich *ritche*
rideau *nm* curtain ***keur**teune*
rien *pron* nothing ***no**Finng* ◇ **de rien !** you're welcome! *ioure **ouèl**keume*
rire *vb* to laugh *tou la:Fe* ▪ *nm* laugh *la:Fe*
risque *nm* risk *riske*
risqué(e) *adj* risky ***ris**ki*
risquer *vb* to risk *tou riske*
rive *nf* bank *bannke*
rivière *nf* river ***ri**veu*
riz *nm* rice *raïsse* ◇ **riz au lait** rice pudding *raïsse **pou**dinng*
robe *nf* dress *drèsse*
robinet *nm* tap (GB) *tape*, faucet (US) ***fo:**ssète*
rocher *nm* rock *roke*
roi *nm* king *kinng*
rôle *nm* role *reoule*
roman *nm* novel ***no**veule*
roman(e) *adj* (art) Romanesque *reoumeu**nèske***
romantique *adj* romantic *reou**mann**tike*
rond(e) *adj* round *raounde*
rond-point *nm* roundabout (GB) ***raoun**deubaoute*, traffic circle (US) ***tra**fike **seur**keule*
rose *adj, nf* rose *reouze*
rosé(e) *adj* rosy ***reou**zi* • (vin) rosé ***reou**zeï*
rôti(e) *adj* roast *reouste*
roue *nf* wheel *oui:le* ◇ **roue de secours** spare wheel *spère oui:le*
rouge *adj* red *rède*
rougeole *nf* measles ***mi:**zeulz*
rougir *vb* (personne) to blush *tou bleuche*
rouler *vb* to drive *tou draïve* (drove, driven *dreouve, **dri**veune*)

route *nf* road *reoude*
roux(-sse) *adj* • (cheveux) red *rède*, ginger ***djinn**dje*
royal(e) *adj* royal ***roï**eule*
Royaume-Uni *npr* United Kingdom *iou**naï**tide **kinng**deume*
rue *nf* street *stri:te*
ruines *nfpl* ruins *rouinnze*
rural(e) *adj* rural ***rou**reule*
rustine *nf* patch *patche*
sa *adj poss* • (d'un homme) his *Hize* • (d'une femme) her *Heure* • (d'une chose, d'un animal) its *itse*
sable *nm* sand *sannde*
sac *nm* bag *bague* ◇ **sac à dos** backpack ***bak**pake* ◇ **sac à main** handbag (GB), ***Hannd**bague* purse (US) *peurse* ◇ **sac poubelle** bin bag *bine bague*
sachet *nm* bag *bague*
safran *nm* saffron ***sa**freune*
saignant(e) *adj* (viande) rare *rère*
saigner *vb* to bleed *tou bli:de* (bled, bled *blède, blède*)
sain(e) *adj* healthy ***HèlFi***
saint(e) *nm/f* saint *seïnte* ▪ *adj* holy ***Heou**li*
Saint-Sylvestre *nf* New Year's Eve *niou yirze i:ve*
saison *nf* season ***si:**zeune* ◇ **fruit de saison** seasonal fruit ***si:**zeuneule froute* ◇ **haute/basse saison** high/low season *Haï/leou **si:**zeune* ◇ **hors saison** off-season *ofe **si:**zeune*
salade *nf* • (légume) lettuce ***lè**tisse* • (plat) salad ***sa**leude*
salaire *nm* salary ***sa**leuri*, wages ***oueï**djize*
sale *adj* dirty ***deur**ti*
salé(e) *adj* • (contenant du sel) salty ***so:**lti* • (avec ajout de sel) salted ***so:**ltide* • (opposé à sucré) savoury (GB), savory (US) ***seï**veuri*
salière *nf* salt shaker *so:lte **cheï**keu*
salle *nf* room *roume* ◇ **salle à manger** dining room ***daï**ninng roume* ◇ **salle d'attente** waiting room ***oueï**tinng roume* ◇ **salle de bain** bathroom ***ba:F**roume*
salon *nm* living room ***li**vinng roume*
saluer *vb* to greet *tou gri:te*
salut ! *interj* • (bonjour) hi! *Haï*, hello! ***Hè**leou* • (au revoir) bye! *baï*
samedi *nm* Saturday ***sa**teudè*
SAMU *nm* ambulance service ***amm**bioulannse **seur**visse*
sandale *nf* sandal ***sann**deule*
sang *nm* blood *bleude*
sanglier *nm* wild boar *ouaïlde bo:re*
sanitaires *nmpl* bathroom ***ba:F**roume*
sans *prép* without *oui**Vaoute***
santé *nf* health *HèlFe*
soûl(e) *adj* drunk *dreunke*
sardine *nf* sardine *sa:r**dine*** • (de tente) peg *pègue*
satisfaire *vb* to satisfy *tou **sa**tisfaï*
satisfaisant(e) *adj* satisfying ***sa**tisfaïinng*
satisfait(e) *adj* satisfied ***sa**tisfaïde*
sauce *nf* sauce *so:sse* • (de viande) gravy ***greï**vi*
saucisse *nf* sausage ***so:**ssidje*
saucisson *nm* dry sausage *draï **so:**ssidje*
saumon *nm* salmon ***sa:**meune*
sauna *nm* sauna ***so:**neu*
sauter *vb* to jump *tou djeumpe*
sauvage *adj* wild *ouaïlde*
sauver *vb* to save *tou seïve*
saveur *nf* flavour (GB), flavor (US) ***fleï**veu*
savoir *vb* to know *tou neou* (knew, known *niou, neoune*)
savon *nm* soap *seoupe*
scanner *nm* scanner ***ska**neu*

FRANÇAIS-ANGLAIS

science *nf* science *saïeunse*
scientifique *adj* scientific *saïeuntifike* ▪ *nmf* scientist *saïeuntiste*
scolaire *adj* school *skoule*
scooter *nm* scooter *skouteu*
score *nm* score *sko:re*
sculpture *nf* (objet) sculpture *skeulptcheu*
séance *nf* • (réunion) meeting *mi:tinng*, • (spectacle) performance *peufo:rmeunnse*
seau *nm* bucket (GB) *beukite*, pail (US) *peïle*
sec, sèche *adj* dry *draï*
séché(e) *adj* dried *draïde*
sèche-cheveux *nm* hair dryer *Hère draïeu*
sèche-linge *nm* tumble dryer *teumbeule draïeu*
sécher *vb* to dry *tou draï*
second(e) *adj, nm/f* second *sèkeunde*
seconde *nf* (temps) second *sèkeunde*
secouriste *nmf* first-aid worker *feurste eïde oeurkeu*
secours *nm* aid *eïde* ◊ **premiers secours** first aid *feurste eïde*
secrétaire *nmf* secretary *sèkreutri*
secrétariat *nm* • (bureau) secretary's office *sèkreutrize ofisse* • (travail) secretarial work *sékreutérieule oueurke*
sécurité *nf* security *sèkiouriti* • (de personnes) safety *seïfti*
sein *nm* breast *brèste*
seize *adj num* sixteen *siksti:ne*
séjour *nm* stay *steï*
sel *nm* salt *so:lte*
selle *nf* saddle *sadeule*
semaine *nf* week *oui:ke*
semelle *nf* sole *seoule* • (intérieure) insole *innseoule*
séminaire *nm* seminar *sèmina:r*
sens *nm* • (direction) direction *dirèkcheune* • (signification) meaning *mi:ninng*
sensible *adj* sensitive *sènnsitive*
sentier *nm* path *pa:Fe* ◊ **sentier de randonnée** hiking trail *Haïkinng treïle*
sentiment *nm* feeling *fi:linng*
sentir *vb* • (odeur) to smell *tou smèle* • (sentiment) to feel *tou fi:le* (felt, felt *fèlte, fèlte*) ◊ **ça sent le brûlé** there is a smell of burning *Vère ize e smèle ofe beurninng*
séparé(e) *adj* separate *sèpeureïte*
sept *adj num* seven *sèveune*
septembre *nm* September *sèptèmmbeu*
septième *adj num* seventh *sèveunFe*
sérieux(-euse) *adj* serious *sirieusse*
séropositif(-ive) *adj* HIV-positive *Heïtche aï vi: pozitive*
serpent *nm* snake *sneïke*
serré(e) *adj* (vêtement) tight *taïte*
serrure *nf* lock *loke*
serrurier *nm* locksmith *loksmiFe*
serveur(-euse) *nm/f* • (homme) waiter *oueïteu* • (femme) waitress *oueïtrèsse*
service *nm* service *seurvisse*
serviette *nf* • (de table) napkin *napkine* • (de toilette) towel *taoueule* • (sac) briefcase *bri:fkeïsse*
servir *vb* to serve *tou seurve* ◊ **se servir** to help oneself *tou Hèlpe ouonesèlfe*
ses *adj poss* • (d'un homme) his *Hize* • (d'une femme) her *Heure* • (d'une chose, d'un animal) its *itse*
seul(e) *adj* alone *euleoune*
seulement *adv* only *onnli*
sexe *nm* sex *sèkse*
shampoing *nm* shampoo *chammpou*
short *nm* shorts *cho:rtse*
si *conj* • (au cas où) if *ife* • (oui) yes *ièsse*
sida *nm* AIDS *eïdze*
siècle *nm* century *sènntcheuri*
siège *nm* seat *si:te* ◊ **siège arrière** back seat *bake si:te* ◊ **siège avant** front

seat *fronnte si:te* ◇ **siège social** headquarters ***Hèd**koueuteuze*

sien(ne) *poss* ◇ **le sien, la sienne** • (d'homme) his *Hize* • (de femme) hers *Heurz* • (d'objet, d'animal) its *itse*

sieste *nf* nap *nape*

signaler *vb* to point out *tou poïnte aoute* • (à la police) to report *tou ripo:rte*

signalisation *nf* (panneaux) signs *saïnz* ◇ **feux de signalisation** traffic lights ***tra**fike laïtse*

signature *nf* signature ***sig**neutcheu*

signer *vb* to sign *tou saïne*

signification *nf* meaning ***mi:**ninng*

signifier *vb* to mean *tou mi:ne* (meant, meant *mènnte, mènnte*)

s'il vous plaît *loc* please *pli:ze*

silence *nm* silence ***saï**leunse*

silencieux(-euse) *adj* silent ***saï**leunte*, quiet ***kouaï**eute*

simple *adj* simple ***simm**peule* • (facile) easy ***i:**zi*

sinon *conj* otherwise ***o**Veuouaïze*

sinusite *nf* sinusitis *saïneu**ssaï**tisse*

sirop *nm* • (boisson) fruit squash *froute skouoche* • (médicament) syrup ***si**reupe*

site *nm* • (lieu) site *saïte* • (Internet) website ***ouèb**saïte*

situer *vb* to locate *tou leou**keï**te*, to place *tou pleïsse*

six *adj num* six *sikse*

sixième *adj num* sixth *sikFe*

ski *nm* • (planche) ski *ski* • (sport) skiing ***ski**inng*

skier *vb* to ski *tou ski*

slip *nm* • (d'homme) briefs *bri:Fse* underpants ***eun**deupanntse* • (de femme) pants (GB) *panntse*, panties (US) ***pann**tize*

SMS *nm* text message *tèkste **mè**ssidje* ◇ **envoyer un SMS** to text *tou tèkste*

soda *nm* soda ***seou**deu*

sœur *nf* sister ***sis**teu*

sofa *nm* sofa ***seou**feu*

soie *nf* silk *silke*

soif *nf* thirst *Feurste* ◇ **avoir soif** to be thirsty *tou bi: **Feur**sti*

soir *nm* evening ***iv**ninng*

soirée *nf* • (soir) evening ***iv**ninng*, night *naïte* • (réception) party ***pa:**rti*

soixante *adj num* sixty ***sik**sti*

soixante-dix *adj num* seventy ***sè**veunti*

soja *nm* soya (GB) *soïa*, soy (US) *soï*

sol *nm* ground *graounde*

solaire *adj* solar ***seou**leu*

solde *nm* (argent) balance ***ba**leunse*

soldes *nmpl* (rabais) sales *seïlze*

sole *nf* sole *seoule*

soleil *nm* sun *seune* ◇ **il fait soleil** the sun is shining *Ve seune ize **chaï**ninng*

solution *nf* solution *seu**lou**cheune*

sommeil *nm* sleep *sli:pe* ◇ **avoir sommeil** to be sleepy *tou bi: **sli:**pi*

somnifère *nm* sleeping pill ***sli:**pinng pile*

son, sa *adj poss* • (d'homme) his *Hize* • (de femme) her *Heure* • (d'objet, d'animal) its *itse*

sonner *vb* to ring *to rinng* (rang, rung *ranng, reunng*)

sorbet *nm* sorbet ***so:r**beï*

sortie *nf* exit ***èk**ssite*, way out *oueï aoute*

sortir *vb* to go out *tou gueou aoute*

sot(te) *adj* silly ***si**ly*

soufflé *nm* soufflé ***sou**fleï*

souhaiter *vb* to wish *tou ouiche*

soûl(e) *adj* drunk *dreunke*

soupe *nf* soup *soupe*

source *nf* • (origine) source *so:rsse* • (point d'eau) spring *sprinng*

sourcil *nm* eyebrow ***aï**braou*

FRANÇAIS-ANGLAIS

sourd(e) *adj* deaf *dèfe*

sourire *vb* to smile *tou smaïle*

souris *nf* mouse (pl mice) *maousse, maïsse*

sous *prép* under *eundeu*

sous-sol *nm* basement *beïssmeunte*

sous-titré(e) *adj* subtitled *seubtaïteulde*

sous-titres *nmpl* subtitles *seubtaïteulz*

sous-vêtements *nmpl* underwear *eundeuouère*

soutenir *vb* to support *tou seupo:rt*

soutien-gorge *nm* bra *bra:*

souvenir *nm* • (mémoire) memory *mèmeuri* • (objet) souvenir *souveunire* ▪ *vb* **se souvenir de** to remember *tou rimèmmbeu*

souvent *adv* often *ofeune*

spa *nm* spa *spa:*

sparadrap *nm* plaster *pla:steu*

spécialiser (se) *vb* to specialise *tou spècheulaïze*

spécialiste *nmf* specialist *spècheuliste*

spectacle *nm* show *cheou*

spectateur(-trice) *nm/f* spectator *spèkteïteu*

sport *nm* sport *spo:rte*

sportif(-ive) *adj* sporty *spo:rti* ▪ *nm/f* sportsman, sportswoman *spo:rtsmeune, spo:rtswoumeune*

spray *nm* spray *spreï*

stade *nm* stadium *steïdieume*

stage *nm* training course *treïninng ko:rse* • (en entreprise) work placement *oueurke pleïsmeunte*, internship (US) *innteurnchipe*

station *nf* station *steïcheune* ◇ **station-essence** petrol (GB) ou gas (US) station *pètreule - gasse steïcheune* ◇ **station de métro** tube (GB) ou subway (US) station *tioube - seubweï steïcheune* ◇ **station de ski** ski resort *ski risso:rte* ◇ **station de taxis** taxi rank (GB) ou stand (US) *taksi rannke - stannde*

stationnement *nm* parking *pa:rkinng*

stationner *vb* (véhicule) to park *tou pa:rke*

statue *nf* statue *statiou*

steak *nm* steak *steïke*

stocker *vb* to stock *tou stoke*

stress *nm* stress *strèsse*

stressant(e) *adj* stressful *strèssfoule*

stressé(e) *adj* stressed *strèste*

stretching *nm* stretching *strètchinng*

studio *nm* studio *stioudieu*

style *nm* style *staïle*

stylo *nm* pen *pènne*

succursale *nf* branch *branntche*

sucette *nf* lollipop *lolipope*

sucre *nm* sugar *chougueu*

sucré(e) *adj* sweet *souite*

sucreries *nfpl* sweets (GB) *souitse*, candy (US) *kanndi*

sud *nm* south *saouFe*

suffire *vb* to be enough *tou bi: ineufe*

suffisamment *adv* enough *inofe*

suffisant(e) *adj* sufficient *seuficheunte*

Suisse *npr* Switzerland *souitzeulannde*

suivant(e) *adj* next *nèkste*

suivre *vb* to follow *tou foleou*

super *adj* great *greïte* ▪ *nm* (essence) four-star petrol *fo:re sta:re pètreule*

superficiel(le) *adj* superficial *soupeuficheule*

supermarché *nm* supermarket *soupeuma:rkite*

supplément *nm* (argent) extra charge *èkstreu tcha:rdje*

supplémentaire *adj* additional *eudicheuno:le*

supporter *vb* to bear *tou bère* (bore, born *bo:re, bo:rne*)

suppositoire *nm* suppository *seupozitri*

sur *prép* on *one*

sûr(e) *adj* • (certain) certain *seurteune* • (sécurisé) safe *seïfe*

surclasser *vb* (transport) to upgrade *tou **eup**greïde*
surf *nm* surfing ***seurf**innq*
surfer *vb* to surf *tou seurfe*
surgelé(e) *adj* frozen ***freou**zeune*
surnom *nm* nickname ***nik**neïme*
surprenant(e) *adj* surprising *seu**praï**zinng*
surprendre *vb* to surprise *tou seu**praïze***
surprise *nf* surprise *seur**praïze***
surveiller *vb* to watch *tou ouotche*
survêtement *nm* tracksuit ***trak**soute*, sweat suit (US) *souète soute*
suspendre *vb* to suspend *tou seuss**pènnde*** • (accrocher) to hang up *tou Hanng eupe* (hung, hung *Heung, Heung*)
sympa *adj* nice *naïsse*
sympathique *adj* friendly ***frènnd**li*
synagogue *nf* synagogue ***si**neugogue*
syndicat d'initiative *nm* tourist (information) office ***tou**rist (innfo:r**meï**cheune) **o**fisse*
tabac *nm* tobacco *teu**ba**keou*
table *nf* table ***teï**beule*
tableau *nm* painting ***peïnn**tinng*
tablette *nf* • (ordinateur) tablet ***ta**blète* • (dans un avion) tray table *treï **teï**beule*
tabouret *nm* stool *stoule*
tâche *nf* task *ta:ske*
tache *nf* stain *steïne* ◇ **tache de naissance** birthmark ***beurF**ma:rke* ◇ **taches de rousseur** freckles ***frè**keulz*
tacher *vb* to stain *tou steïne*
taie d'oreiller *nf* pillow case ***pi**leou keïsse*
taille *nf* • (grandeur) size *saïze* • (ceinture) waist *oueïste*
talon *nm* heel *hi:le*
tambour *nm* drum *dreume*
Tamise *npr* ◇ **la Tamise** the Thames *Ve tèmmze*
tampon *nm* (hygiénique) tampon ***ta:mm**pone*
tante *nf* aunt *annte*
taper *vb* • (frapper) to beat *tou bi:te* (beat, beaten *bi:te, **bi:**teune*) • (sur un clavier) to type *tou taïpe*
tapis *nm* rug *reugue* ◇ **tapis roulant** conveyor belt *keun**veï**eu bèlte*
tard *adv* late *leïte*
tarif *nm* fare *fère* ◇ **plein tarif** full price
tarte *nf* tart *ta:rte*
tasse *nf* cup *keupe*
taux *nm* rate *reïte* ◇ **taux de change** exchange rate *ikst**cheïnn**dje reïte*
taxe *nf* tax *takse*
taxi *nm* taxi ***ta**ksi*
taximètre *nm* taxi meter ***ta**ksi **mi:**teu*
tee-shirt *nm* t-shirt *ti:-cheurte*
télécharger *vb* to download *tou **daounn**leoude*
télécommande *nf* remote control *ri**meoute** keun**treoule***
téléconférence *nf* conference call ***konn**feureunse ko:le*
téléphone *nm* phone *feoune* ◇ **téléphone à carte** card phone *ka:rde feoune* ◇ **téléphone fixe** landline ***lannd**laïne* ◇ **téléphone portable** mobile (phone) (GB) ***meou**baïle (feoune)*, cellphone (US) ***sèl**feoune*
téléphoner *vb* to phone *tou feoune*
téléphonique *adj* phone *feoune*
télésiège *nm* ski lift *ski lifte*
télévision *nf* television ***tè**lèvijeune*

tellement *adv* • (si) so *seou* • (tant, nom singulier) so much *seou meutche* • (tant, nom pluriel) so many *seou **mè**ni*
température *nf* temperature *t**èmm**preutcheu*
tempête *nf* storm *sto:rme*
temple *nm* temple *t**èmm**peule*
temps *nm* • (durée) time *taïme* • (météo) weather ***ouè**Veu*
tendance *nf* trend *trènnde*
tenir *vb* to hold *tou Heoulde* (held, held *Hèlde, Hèlde*)
tennis *nm* (sport) tennis *t**è**nisse* ◇ **(chaussures de) tennis** trainers *tre**ï**neuze*
tension *nf* (artérielle) blood pressure *bleude **prè**cheu*
tente *nf* tent *tènnte*
tenter *vb* • (essayer) to try *tou traï* • (donner envie) to tempt *tou tèmmpte*
terminal *nm* terminal ***teur**mineule*
terminer *vb* to end *tou ènnde*, to finish *tou **fi**niche*
terminus *nm* terminus ***teur**mineusse* ◇ **terminus !** last stop! *la:ste stope*
terrain *nm* ground *graounde*, site *saïte* ◇ **terrain de basket** basketball court ***bas**kètebo:le ko:rte* ◇ **terrain de camping** campsite ***kammp**saïte* ◇ **terrain de football** football pitch ***foutt**bo:le pitche* ◇ **terrain de golf** golf course *golfe ko:rse*
terrasse *nf* terrace *t**è**reusse*
terre *nf* • (matière) soil *soïle* • (sol) ground *graounde* • (planète) earth *eurFe*
terrible *adj* dreadful ***drèd**foule* (super) terrific *teu**ri**fike*
tes *adj poss* your *ioure*
tétanos *nm* tetanus *t**è**teuneusse*
tête *nf* head *Hède*
tétine *nf* (sucette) dummy (GB) ***deu**mi*, pacifier (US) ***pa:**ssifaïeu*
TGV *nm* high-speed train *Haï spi:de treïne*

thé *nm* tea *ti:*
théâtre *nm* theatre ***Fieu**teu*
théière *nf* teapot ***ti:**pote*
thermomètre *nm* thermometer *Feu**mo**miteu*
Thermos *nm* Thermos flask ***Feur**meusse fla:ske*
thon *nm* tuna ***tiou**neu*
thym *nm* thyme *taïme*
tiède *adj* warm *ouo:rme* (trop froid) lukewarm ***louk**ouo:rme*
tien(ne) *poss* ◇ **le tien, la tienne, les tiennes** yours *iourz*
tiers *nm* third *Feurde*
tilleul *nm* • (arbre) lime tree *laïme tri:* • (tisane) lime herbal tea *laïme **Heur**beule ti:*
timbre *nm* stamp *stammpe*
tire-bouchon *nm* corkscrew ***ko:rk**skrou*
tirer *vb* • (ouvrir) to pull (open) *tou poule (**eou**peune)*, to draw *tou dro:* (drew, drawn *drou, dro:ne*) • (remorquer) to tow *tou teou* • (faire feu) to fire *tou faïeu*
tiroir *nm* drawer ***dro:**eu*
tisane *nf* herbal tea ***Heur**beule ti:*
tissu *nm* material *meu**ti**rio:le*, fabric ***fa**brike*
toi *pron pers* you *iou*
toile *nf* (tableau) painting ***peïnn**tinng* ◇ **la Toile** the Web *Ve ouèbe*
toilettes *nfpl* toilet ***toï**leute*, bathroom (US) ***ba:**Froume* • (publiques) public lavatory ***peu**blike **la**veutri*
toit *nm* roof *roufe*
tomate *nf* tomato *teu**ma:**teou*
tomber *vb* to fall *tou fo:le* (fell, fallen *fèle, **fo:**leune*)
ton, ta *adj poss* your *ioure*
tong *nf* flip-flop (GB) *flipe flope*, thong (US) *Fonng*
tonnerre *nm* thunder ***Feun**deu*
torchon *nm* tea towel *ti: **taou**eule*

tordre *vb* to twist *tou touiste* ◇ **se tordre de douleur** to writhe in pain *tou raïVe ine peïne*
tort *nm* wrong *ronng* ◇ **avoir tort** to be wrong *tou bi: ronng*
tôt *adv* early ***eur**li*
touche *nf* (de clavier) key *ki:*
toucher *vb* to touch *tou teutche*
toujours *adv* • (tout le temps) always ***o:**loueïze* • (encore) still *stile*
tour *nm* (parcours) turn *teurne* ◇ **faire le tour de** to go round *tou geou raounde*
tour *nf* (bâtiment) tower ***ta**oueu*
tourisme *nm* tourism ***tou**rizeume*
touriste *nmf* tourist ***tou**riste*
touristique *adj* • (attraction) tourist ***tou**riste* • (lieu) touristy ***tou**risti*
tournée *nf* (dans un bar) round *raounde*
tourner *vb* to turn *tou teurne*
tournesol *nm* sunflower ***seun**flaoueu*
tous, toutes *adj* all *o:le* ◇ **tous les jours** every day *èvri deï*
tousser *vb* to cough *tou kofe*
tout(e) *adj* all *o:le*
toux *nf* cough *kofe*
trace *nf* • (empreinte) print *prinnte* • (marque) trace *treïsse*
traditionnel(le) *adj* traditional *treu**di**cheuneule*
traduire *vb* to translate *tou trann**sleïte***
train *nm* train *treïne* ◇ **train direct/express** through/fast train *Frou/fa:ste treïne*
traitement *nm* treatment ***tri:**tmeunte*
traiter *vb* to treat *tou tri:te*
trajet *nm* journey ***djeur**ni*
tramway *nm* tramcar (GB) ***tramm**ka:r*, streetcar (US) *stri:te ka:r*
tranche *nf* slice *slaïsse* ◇ **tranche de pain** slice of bread *slaïsse ofe brède*
tranquille *adj* quiet ***kouaï**eute*
transat *nm* deckchair ***dèk**tchère*
transférer *vb* to transfer *tou trann**sfeure***
transmettre *vb* to transmit *tou trann**smite***
transport *nm* transport ***trann**spo:rte*, transportation (US) *trannspo:r**teï**cheune* ◇ **moyens de transport** means of transport *mi:nnze ofe **trann**spo:rte*
travail *nm* work *oueurke*
travailler *vb* to work *tou oueurke*
travailleur(-euse) *adj* hard-working *Harde **oueur**kinng* ▪ *nm/f* worker ***oueur**keu*
travaux *nmpl* (chantier) works *oueurkse*
traversée *nf* crossing ***kro**ssinng*
traverser *vb* to cross *tou krosse*
trèfle *nm* • (plante) clover ***kleou**veu* • (carte) clubs *kleubz*
treize *adj, nm* thirteen *Feur**ti:ne***
tremblement de terre *nm* earthquake ***eurF**koueïke*
trembler *vb* to shake *tou cheïke* (shook, shaken *chouke, **cheï**keune*) • (de froid, de fièvre) to shiver *tou **chi**veu*
trente *adj num* thirty ***Feur**ti*
trentième *adj num* thirtieth ***Feur**tiFe*
très *adv* very ***vè**ri*
triangle *nm* triangle ***traï**anngueule*
triangulaire *adj* triangular *traï**ann**guleu*
tricycle *nm* tricycle ***traï**ssikeule*
tripes *nfpl* tripes *traïpse*
triste *adj* sad *sade*
tristesse *nf* sadness ***sadd**nèsse*
trois *adj num* three *Fri:*
troisième *adj num* third *Feurde*

FRANÇAIS-ANGLAIS

tromper (se) *vb* to be wrong *tou bi: ronng* ◇ **se tromper de date/numéro** to get the date/number wrong *tou guète Ve deïte/**neum**beu ronng*
tronc *nm* trunk *treunke*
trop *adv* • (+ nom singulier) too much *tou meutche* • (+ nom pluriel) too many *tou **mèni***
tropical(e) *adj* tropical ***tro**pikeule*
trottinette *nf* scooter ***skou**teu*
trottoir *nm* pavement (GB) ***peïv**meunte*, sidewalk (US) ***saïd**ouoke*
trou *nm* hole *Heoule*
trouver *vb* to find *tou faïnnde* (found, found *faounde, faounde*)
truc *nm* thing *Finng*
truffe *nf* (champignon) truffle ***treu**feule*
truite *nf* trout *traoute*
tu *pron* you *iou*
tuba *nm* (de plongée) snorkel ***sno:r**keule*
tuer *vb* to kill *tou kile*
tulipe *nf* tulip ***tiou**lipe*
tumeur *nf* tumour ***tiou**meu*
tunnel *nm* tunnel ***teu**neule*
turista *nf* traveller's tummy ***tra**veuleuz teumi*
turquoise *adj, nf* turquoise ***teur**kouoïze*
tuyau *nm* pipe *païpe*
TVA *nf* VAT *vi: eï ti:*
tympan *nm* eardrum ***ir**dreume*
type *nm* • (sorte) type *teïpe* • (homme) guy *gaï*
typique *adj* typical ***ti**pikeule*
ulcère *nm* ulcer ***eul**sseu*
un(e) *art* a *e* • (devant voyelle ou h muet) an *eune* ▪ *num* one *ouone*
uni(e) *adj* • (solidaire) close *kleousse* • (régulier) smooth *smouVe* • (d'une seule couleur) plain *pleïne*
uniforme *adj* even ***i:**veune* ▪ *nm* uniform ***iou**nifo:rme*
unique *adj* unique *iou**ni:ke***
universitaire *adj* academic *euka**dé**mike*, university *iouni**veur**sity*
université *nf* university *iouni**veur**sity*
urbanisation *nf* urbanisation *eurbeunaï**zeï**cheune*
urgence *nf* emergency *i**meur**djènnsi* ◇ **les urgences** (à l'hôpital) Accident and Emergency ***ak**sideunte eunde i**meur**djènnsi*
urgent(e) *adj* urgent ***eur**djeunte*
urine *nf* urine ***iou**rine*
usager(-ère) *nm/f* user ***iou**zeu*, customer ***keus**teumeu*
usine *nf* factory ***fak**teuri*
utile *adj* useful ***iouss**foule*
utilisation *nf* use *iousse*
utiliser *vb* to use *tou iouze*
vacances *nfpl* holiday(s) (GB) ***Ho**lideï(z)*, vacation (US) *veu**keï**cheune* ◇ **partir en vacances** to go on holiday ou vacation *tou gueou one **Ho**lideï/veu**keï**cheune*
vaccin *nm* vaccine ***vak**sine*
vacciné(e) *adj* vaccinated *vakssi**neï**tide*
vache *nf* cow *kaou*
vague *adj* vague *veïgue* ▪ *nf* wave *oueïve*
vaisselle *nf* • (plats) crockery ***kro**kri* • (à laver) dishes ***di**chiz* • (lavage) washing-up ***ouoch**inng-eupe*
valable *adj* valid ***va**lide*
valise *nf* suitcase ***soutt**keïsse*
vallée *nf* valley ***va**li*
valoir *vb* to be worth *tou bi: oueurFe*
vanille *nf* vanilla *veu**ni**leu*
vapeur *nf* steam *sti:me* ◇ **à la vapeur** steamed ***sti:**mmde*
varicelle *nf* chickenpox ***tchi**keunpokse*
variole *nf* smallpox ***smo:l**pokse*
veau *nm* calf *ka:fe*
végétalien(ne) *nm/f, adj* vegan ***vi:**gueune*
végétarien(ne) *nm/f, adj* vegetarian *vèdji**tè**rieune*
veine *nf* vein *veïne*
vélo *nm* bike *baïke* ◇ **faire du vélo** to ride a bike (rode, ridden *reoude, **ri**deune*)

vendeur(-euse) *nm/f* shop assistant *chope eussisteunte*
vendre *vb* to sell *tou sèle* (sold, sold *seoulde, seoulde*)
vendredi *nm* Friday ***fraïdè***
venir *vb* to come *tou kome* (came, come *keïme, kome*)
vent *nm* wind *ouinnde*
ventilateur *nm* fan *fane*
ventre *nm* stomach ***sto**meuke*
verglas *nm* (black) ice *(blake) aïsse*
verre *nm* glass *gla:sse*
vers *prép* towards *teu**ouordz***
verser *vb* • (liquide) to pour *tou po:re* • (argent) to pay *tou peï* (paid, paid *peïde, peïde*)
vert(e) *adj* green *gri:ne*
vertèbre *nf* vertebra ***veur**tibreu*
vertige *nm* vertigo ***veur**tigo*
vessie *nf* bladder ***bla**deu*
veste *nf* jacket ***dja**kète*
vestiaire *nm* (de théâtre, musée) cloakroom ***kleouk**roume*
vestiges *nmpl* remains *ri:**meïnnz***
vêtements *nmpl* clothes *kleouVze*
vétérinaire *nmf* vet *vète*
veuf, veuve *adj* widowed ***oui**deoude*
viande *nf* meat *mi:te*
vidange *nf* oil change *oïle tcheïnndje*
vide *adj* empty ***èmm**pti*
vidéo *nf* video ***vi**dieou*
vidéoconférence *nf* video conference ***vi**dieou **konn**feureunse*
vider *vb* to empty *tou **èmm**pti*
vie *nf* life (pl lives) *laïfe, laïvz* ◇ **en vie** alive *eu**laïve***
vieux, vieille *adj* old *eoulde*
vigne *nf* vineyard ***vi**nieurde*
ville *nf* • (petite) town *taoune* • (grande) city ***si**ti*
vin *nm* wine *ouaïne* ◇ **vin blanc** white wine *ouaïte ouaïne* ◇ **vin rouge** red wine *rède ouaïne*
vinaigre *nm* vinegar ***vi**nigueu*
vinaigrette *nf* French dressing *frènnche **drè**ssinng*, vinaigrette *viné**grète***
vingt *adj num* twenty ***touènn**ti*
vingtième *adj num* twentieth ***touènn**ti:Fe*
viol *nm* rape *reïpe*
violet(te) *adj* purple ***peur**po:le*
violette *nf* violet ***vaï**euleute*
violon *nm* violin *vaï**eu**line*
violoncelle *nm* cello ***tchè**leou*
violoniste *nmf* violin player *vaïeuline **pleï**eu*
virage *nm* (tournant) bend *bènnde*
virement *nm* (bancaire) transfer ***trannsf**eu*
virus *nm* virus ***vaï**reusse*
visa *nm* visa ***vi:**zeu*
visage *nm* face *feïsse*
visite *nf* visit ***vi**zite* ◇ **visite guidée** guided tour ***gaï**dide toure*
visiter *vb* to visit *tou **vi**zite*
vite *adv* fast *fa:ste*, quickly ***koui**kli*
vitesse *nf* speed *spi:de*
vitre *nf* window ***ouinn**deou*
vitrine *nf* (shop) window *(chope) **ouinn**deou*
vivant(e) *adj* alive *eu**laïve***
vivre *vb* to live *tou live*
vœu *nm* wish *ouiche*
voie *nf* way *oueï*, lane *leïne* • (rails) rails *reïlz*
voile *nm* (tissu) veil *veïle*
voile *nf* (de bateau) sail *seïle*
voilier *nm* sailboat ***seïl**beoute*
voir *vb* to see *tou si:* (saw, seen *so:, si:ne*)
voisin(e) *nm/f* neighbour (GB), neighbor (US) ***neï**beu*

voiture *nf* car *ka:re* ◇ **en voiture** by car *baï ka:re*
voiturette *nf* (de golf) cart *ka:rte*
voix *nf* voice *voïsse*
vol *nm* • (avion) flight *flaïte* • (larcin) theft *Fèfte*
volaille *nf* poultry ***peoul**tri*
volant *nm* (de voiture) steering wheel ***sti:**rinng oui:le*
volcan *nm* volcano *vol**keï**neou*
voler *vb* • (oiseau, avion) to fly *tou flaï* (flew, flown *flou, fleoune*) • (dérober) to steal *tou sti:le* (stole, stolen *steoule, **steou**leune*)
volet *nm* shutter ***cheu**teu*
voleur(-euse) *nm* thief (pl thieves) *Fi:fe, Fi:vz*
volontiers *adv* gladly ***glad**li*
volt *nm* volt *veoulte*
vomi *nm* vomit ***vo**mite*
vomir *vb* to vomit *tou **vo**mite*, to be sick *tou bi: sike*
vos *adj poss* your *ioure*
votre *adj poss* your *ioure*
vôtre *poss* ◇ **le (la) vôtre, les vôtres** yours *iourz*
vouloir *vb* to want *tou ouannte*
vous *pron* you *iou*
voyage *nm* journey ***djeur**ni*, trip *tripe*
voyager *vb* to travel *tou **tra**veule*
voyageur(-euse) *nm/f* traveller (GB), traveler (US) ***tra**veule*
vrai(e) *adj* true *trou*
vraiment *adv* really ***ri**li*
VTT *nm* mountain bike ***maounn**teïne baïke*
vue *nf* view *viou*
wagon *nm* (de voyageurs) carriage (GB) ***ka:**ridje*, car (US) *ka:re* ◇ **wagon-couchettes** sleeping car ***sli:**pinng ka:re* ◇ **wagon-restaurant** dining car ***daï**ninng ka:re*
watt *nm* watt *wote*
webcam *nf* webcam ***ouèb**kame*
week-end *nm* weekend ***oui:**kènnde*
whisky *nm* whisky ***oui**ski*
wifi *nm* wifi *ouaïfaï* ◇ **borne wifi** hotspot ***Hot**spot*
yaourt *nm* yoghurt ***io**gueute*
yoga *nm* yoga *iogueu*
zéro *nm* zero ***zi**reou*
zone *nf* area *èrieu* • (transport) travel zone ***tra**veule zeoune*
zoo *nm* zoo *zou*
zoom *nm* zoom lens *zoume lènnse*

LE MOT QU'IL VOUS FAUT

a, an *e, eune art* un(e)
abbey *abi n* abbaye
able *eïbeule adj* capable ◇ **to be able to do** pouvoir faire
abortion *eubo:rcheune n* avortement
about *eubaoute adv* sur, environ
abroad *eubreoude adv* à l'étranger
absolutely *abseuloutli adv* absolument
absurd *abseurde adj* absurde
academic *eukadémik adj* universitaire
accelerate *aksèleureïte vb* accélérer
accelerator *aksèleureïteu n* accélérateur
accept *euksèpte vb* accepter
accessory *aksèsseuri n* accessoire
accident *aksideunte n* accident ◇ **Accident and Emergency** les urgences
accommodate *eukomeudeïte vb* héberger, loger
accommodation *eukomeudeïcheune n* logement, hébergement
accompany *eukeumpeuni vb* accompagner
account *eukaounnte n* compte
accountant *eukaounteunte n* comptable
accuse *eukiouze vb* accuser
ache *eïke vb* faire mal ▪ *n* douleur
acquaintance *eukoueïnteunse n* connaissance
act *akte vb* agir ▪ *n* acte
active *aktive adj* actif(-ve)
activity *aktivity n* activité
actor *akteu n* acteur, comédien
actress *aktrèsse n* actrice, comédienne
acute *eukioute adj* aigu, aiguë
ad *ade n* annonce ◇ **small ads** petites annonces
adaptor *eudapteu n* adaptateur
add *ade vb* ajouter
additional *eudicheuno:le adj* supplémentaire
address *eudrèsse n* adresse ▪ *vb* adresser
addressee *adrèssi: n* destinataire
adjust *eudjeuste vb* régler, ajuster
admission *eudmicheune n* admission, entrée ◇ **with an admission charge** payant(e)
admit *eudmite vb* admettre
adult *adeulte adj, n* adulte
advance *eudva:nnse n* avance
advantage *eudva:nntidje n* avantage ◇ **to take advantage of** profiter de
advertisement *adveurtissmeunte n* annonce publicitaire, publicité
advertising *adveutaïzinng n* publicité
advice *eudvaïsse n* conseil(s)
advise *eudvaïze vb* conseiller
affectionate *eufèkcheunite adj* affectueux(-euse)
afford *afo:rde vb* se permettre ◇ **I can't afford to buy it** je n'ai pas les moyens de l'acheter
affordable *afo:rdeubeule adj* abordable
afraid *afrède adj* ◇ **to be afraid** avoir peur
after *a:fteu adv, prép, conj* après (que)
afternoon *a:fteunoune n* après-midi

after-shave *a:fteu cheïve* *n* après-rasage
again *euguène* *adv* encore
age *eïdje* *n* âge ◇ **to be of age** être majeur ◇ **to be under age** être mineur
agency *eïdjeunsi* *n* agence
agent *eïdjeunte* *n* agent(e)
aggressive *eugrèssive* *adj* agressif(-ve)
agree *eugri:* *vb* être d'accord ◇ **to agree on** convenir de, se mettre d'accord sur
agreement *eugri:meunte* *n* accord
aid *eïde* *n* aide, secours
AIDS *eïdze* *n* sida
aim *eïme* *n* objectif
air *ère* *n* air ◇ **air bed** matelas pneumatique ◇ **air-conditioned** climatisé(e) ◇ **air conditioning** climatisation
aircraft *èrkrafte* *n* avion, appareil
airport *èrpo:rte* *n* aéroport
aisle *aïle* *n* allée • (d'avion) couloir
alarm *eula:rme* *n* alarme ◇ **alarm clock** réveil
alcohol *alkeuhole* *n* alcool
alcoholic *alkeuholike* *adj* • (boisson) alcoolisé(e) • (personne) alcoolique
alive *eulaïve* *adj* vivant(e), en vie
all *o:le* *adj, pron* tout(e), tous, toutes
allergic *aleurdjike* *adj* allergique
allow *eulaou* *vb* permettre, autoriser
almond *a:meunde* *n* amande
almost *o:lmeouste* *adv* presque
alone *euleoune* *adj* seul(e)
already *o:lrèdi* *adv* déjà
altitude *altitioude* *n* altitude
always *o:loueïze* *adv* toujours
ambulance *ammbiouleunse* *n* ambulance
America *eumèrikeu* *npr* Amérique
American *eumérikeune* *adj* américain(e) ▪ *n* Américain(e)
among *eumonng* *prép* parmi
amount *eumaounte* *n* montant ▪ *vb* ◇ **to amount to** s'élever à
amusing *eumiouzinng* *adj* amusant(e)
anaesthetic *anisFètike* *n* anesthésiant
analgesic *aneuldji:zik* *n* antalgique
analysis *eunalississe* *n* analyse
anchovy *anntcheuvi* *n* anchois
ancient *eïnncheunte* *adj* ancien(ne)
and *ènnde, eunde* *conj* et
anger *anngueu* *n* colère
angry *ènngri* *adj* en colère, fâché(e)
animal *animeule* *n* animal
ankle *annkeule* *n* cheville
anniversary *aniveurseuri* *n* anniversaire (d'événement)
announce *eunaounse* *vb* annoncer
announcement *eunaounsmeunte* *n* annonce
annual *anioueule* *adj* annuel(le)
another *eunoVeu* *adj* autre ◇ **another one** un(e) autre
answer *annseu* *n* réponse ▪ *vb* répondre
answering machine *annseurinng meuchi:ne* *n* répondeur
ant *annte* *n* fourmi
antibiotic *anntibaïotik* *n* antibiotique
antihistaminic *anntiHistami:nike* *n* antihistaminique
antique *annti:ke* *n* antiquité
antiquity *anntikouiti* *n* antiquité
antiseptic *anntisèptike* *adj* antiseptique
anxiety *anngzaïeuti* *n* anxiété
anybody *ènibodi* *pron* quelqu'un, n'importe qui
anyone *èniouane* *pron* quelqu'un, n'importe qui
anything *èniFinng* *loc* quelque chose, n'importe quoi

apartment *eupa:rtmeunte* n (US) appartement ◇ **apartment block** résidence
apologize *eupoleudjaïze* vb s'excuser
apology *eupoleudji* n excuse
apparently *eupareuntli* adv apparemment
appeal to *eupi:le tou* vb plaire à
appear *eupire* vb paraître, apparaître, sembler
appendicitis *eupènndissaïtisse* n appendicite
appetite *apitaïte* n appétit
apple *apeule* n pomme
appliance *euplaïeunse* n appareil (électrique)
applicant *aplikeunte* n candidat(e)
application *aplikeïcheune* n candidature
apply *euplaï* vb (à un poste) postuler, candidater
appoint *eupoïnnte* vb nommer (à un poste)
appointment *eupoïnntmeunte* n rendez-vous
apprentice *euprènntisse* n apprenti(e)
apprenticeship *euprènntissechipe* n apprentissage
approximate *euproksimeute* adj approximatif(-ive)
approximately *euproksimeutli* adv approximativement
apricot *eïprikote* n abricot
April *eïpreule* n avril
archeological *a:rkieulodjikeule* adj archéologique
architecture *a:rkitèktcheu* n architecture
area *èrieu* n quartier, zone, aire
arena *euri:neu* n arène
arm *a:rme* n bras • (fusil etc) arme
armchair *a:rmtchère* n fauteuil
armed *a:rmde* adj armé(e)
around *euraounde* adv, prép autour (de), environ
arrange *eureïnndje* vb arranger
arrival *euraïveule* n arrivée
arrive *euraïve* vb arriver
art *a:rte* n art
artichoke *a:rtitcheouke* n artichaut
article *a:rtikeule* n article
artist *a:rtiste* n artiste
ashtray *achtreï* n cendrier
ask *a:ske* vb demander ◇ **to ask a question** poser une question ◇ **to ask for** réclamer, demander
asleep *eusli:pe* adj endormi(e)
asparagus *euspareugueusse* n asperge
aspect *aspèkte* n aspect
aspirin *asprine* n aspirine
assistance *eussisteunse* n assistance, aide
assistant *eusisteunte* n assistant(e)
assure *euchoure* vb assurer
asthma *asmeu* n asthme
asthmatic *asmatike* nmf, adj asthmatique
at *ate* prép à ◇ **good/bad at languages** bon/mauvais en langues
atheist *eïFiiste* adj, n athée
athlete *aFli:te* n athlète
Atlantic *eutlanntike* npr Atlantique
atlas *atleusse* n atlas
ATM *eï ti: ème* n (US) distributeur (de billets)
atmosphere *atmeusfire* n ambiance, atmosphère
attack *eutake* n attaque ▪ vb attaquer ◇ **terrorist attack** attentat

attend *eutènnde* vb assister à
attendance *eutènndeunsse* n présence, assiduité • (personnes) assistance
attention *eutènncheune* n attention
attitude *atitioude* n attitude
attract *eutrakte* vb attirer
attraction *eutrakcheune* n attraction
aubergine *eoubeujine* (GB) n aubergine
audience *o:dieunse* n public
audio guide *o:dieou gaïde* n audioguide
August *ogueuste* n août
aunt *annte* n tante
Australia *ostreïlieu* npr Australie
Australian *ostreïlieune* adj australien(ne)
authentic *o:Fènntike* adj authentique
author *o:Feu* n auteur(e)
authorisation *o:Feuraïzeïcheune* n autorisation
authorise *o:Feuraïze* vb autoriser
automatic *o:teumatike* adj automatique
autumn *o:teume* n (GB) automne
availability *euveïleubiliti* n disponibilité
available *euveïleubeule* adj disponible
average *avridje* adj moyen(ne) ▪ n moyenne
avocado *aveuka:deou* n avocat (fruit)
awful *aoufoule* adj affreux(-euse)
baby *beïbi* n bébé
back *bake* adj arrière ▪ n arrière • (d'une personne, d'un document) dos
backpack *bakpake* n sac à dos
bad *bade* adj mauvais(e)
bag *bague* n sac • (petit) sachet
baggage *baguidje* n bagage(s)
baker *beïkeu* n boulanger(-ère) ◇ **baker's (shop)** boulangerie
baking tin *beïkinng tine* n moule
balance *baleunse* n équilibre • (de compte) solde
balcony *balkeuni* n balcon
bald *bo:lde* adj chauve
ball *bo:le* n balle, ballon, boule
banana *beuna:neu* n banane
band *bènnde* n bande, groupe
bandage *bènndidje* n bandage, pansement
bank *bènnke* n banque • (de rivière) rive
banking *bannkinng* adj bancaire
banknote *bannke neoute* n (GB) billet de banque
bar *ba:re* n • (lieu) bar • (objet) barre, barreau
bargain *ba:rguine* vb marchander ▪ n (bonne) affaire
bark *ba:rke* vb aboyer
basement *beïssmeunte* n sous-sol
basil *bazeule* n basilic
basilica *beuzilikeu* n basilique
basket *ba:sskite* n panier
bass *ba:sse* n (poisson) bar
bat *bate* n (GB) (pour jouer) raquette
bath *ba:Fe* n bain • (GB) baignoire ◇ **to have a bath** se baigner
bathroom *ba:Froume* n salle de bain • (toilettes) sanitaires ◇ **bathroom sink** (US) lavabo
batter *bateu* n pâte à crêpe
battery *bateuri* n batterie, pile (électrique)
be *bi:* (was, were, been *ouo:ze, ouère, bi:ne*) vb être
beach *bi:tche* n plage
bean *bi:ne* n haricot ◇ **broad bean** fève ◇ **French beans** (GB), **string beans** (US) haricots verts
beansprouts *bi:nspraoutsse* npl pousses de soja
bear *bère* (bore, born *bo:re, bo:rne*) vb supporter

beard *birde* *n* barbe
beat *bi:te* (beat, beaten *bi:te, bi:teune*) *vb* frapper, taper
beautiful *bioutifoule* *adj* beau, belle
because *bikoze* *loc* parce que
bed *bède* *n* lit ◊ **double bed** lit double
bedroom *bèdroume* *n* chambre
bee *bi:* *n* abeille
beef *bi:fe* *n* bœuf
beer *bi:re* *n* bière
beetroot *bi:troute* *n* betterave
before *bifo:re* *adv* avant
begin *biguine* (began, begun *biguane, bigueune*) *vb* commencer
beginner *biguineu* *n* débutant(e)
beginning *biguinninng* *n* début
behind *biHaïnnde* *adv, prép* derrière
Belgian *bèldjeune* *adj* belge
Belgium *bèldjeume* *npr* Belgique
believe *bili:ve* *vb* croire
believer *bili:veu* *n* croyant(e)
belong to *bilonngue tou* *vb* appartenir à
below *bileou* *adv* dessous ▪ *prép* sous, au-dessous de
belt *bèlte* *n* ceinture ◊ **seat belt** ceinture de sécurité
bench *bènnche* *n* banc
bend *bènnde* *n* virage ▪ *vb* (bent, bent *bènnte, bènnte*) plier ◊ **to bend down** se baisser
best *bèste* *adj* meilleur(e) ◊ **the best one** le/la meilleur(e)
bet *bète* *n* pari ▪ *vb* (bet, bet *bète, bète*) parier
better *bèteu* *adv* mieux ▪ *adj* meilleur(e)
between *bitoui:ne* *prép* entre
beverage *bèvridje* *n* boisson
bicycle *baïssikeule* *n* bicyclette
◊ **bicycle pump** pompe à vélo
big *bigue* *adj* gros(se), fort(e), grand(e)
bike *baïke* *n* vélo ◊ **bike lock** antivol
bill *bile* *n* facture, addition, note • (US) billet de banque
billfold *billfeoulde* *n* (US) portefeuille
billion *bilieune* *n* milliard
binoculars *binokiouleuze* *npl* jumelles
bird *beurde* *n* oiseau
birth *beurFe* *n* naissance
birthday *beurFdeï* *n* anniversaire
birthmark *beurFma:rke* tache de naissance
biscuit *biskite* *n* biscuit
bite *baïte* (bit, bitten *bite, biteune*) *vb* mordre, piquer ▪ *n* morsure, piqûre
bitter *biteu* *adj* amer(-ère) ▪ *n* bière brune
black *blake* *adj* noir(e)
blackcurrant *blakkeureunte* *n* cassis
bladder *bladeu* *n* vessie
blanket *blannkite* *n* couverture
bleed *bli:de* (bled, bled *blède, blède*) ▪ *vb* saigner
bleeding *bli:dinng* *n* saignement, hémorragie
blister *blisteu* *n* ampoule (sur la peau)
block *bloke* *n* bloc • (US : de maisons) pâté de maisons ▪ *vb* bloquer
blond *blonnde* *adj* blond(e)
blood *bleude* *n* sang ◊ **blood pressure** tension (artérielle) ◊ **blood test** prise de sang
blue *blou* *adj* bleu(e)
blueberry *bloubeuri* *n* myrtille
blush *bleuche* *vb* rougir

board *bo:rde* *n* panneau • (en bois) planche ◇ **on board** à bord (d'un avion, d'un bateau) ◇ **to go on board** embarquer
boarding ***bo:rd**inng* *n* embarquement ◇ **boarding pass** carte d'embarquement ◇ **boarding gate** porte d'embarquement ◇ **boarding house** pension
boat *beoute* *n* bateau
body ***bo**di* *n* corps
boil *boïle* *vb* bouillir
boiler ***boï**leu* *n* chaudière
bone *beoune* *n* os
bonnet ***bo**neute* *n* (GB) capot
book *bouke* *n* livre ▪ *vb* réserver
booking ***bou**kinng* *n* réservation
bookshop (GB) ***bouk**chope*, **bookstore** (US) ***bouk**sto:re* *n* librairie
booster seat ***bou**steu si:te* *n* rehausseur
boot *boute* *n* botte • (GB : de voiture) coffre
booth *bouFe* *n* kiosque
border ***bo:r**deu* *n* frontière
bored *bo:rde* *adj* ◇ **to be** ou **get bored** s'ennuyer
boring ***bo:r**inng* *adj* ennuyeux(-euse)
born *bo:rne* *adj* ◇ **to be born** naître
borrow ***bo**reou* *vb* emprunter
boss *bosse* *n* chef
bother ***bo**Veu* *vb* gêner, embêter
bottle ***bo**teule* *n* bouteille ◇ **(baby's) bottle** biberon ◇ **bottle opener** décapsuleur
bottom ***bo**teume* *n* fond • (de personne) fesses
box *bokse* *n* boîte
boxer shorts ***bok**seu cho:rtse* *n* (GB) caleçon
Boxing Day ***bok**ssinng deï* *n* lendemain de Noël
boy *boï* *n* garçon
boyfriend ***boï**frènnde* *n* copain, petit ami
bra *bra:* *n* soutien-gorge
bracelet ***breïs**lite* *n* bracelet
braces ***breï**ssize* *npl* appareil dentaire • (GB) bretelles
brake *breïke* *n* frein *breïke* ▪ *vb* freiner
branch *branntche* *n* branche • (de banque) succursale
brand *brannde* *n* marque
bread *brède* *n* pain ◇ **sandwich bread** pain de mie
breaded ***brè**dide* *adj* pané(e)
break *breïke* (broke, broken *breouke*, ***breou**keune*) *vb* casser ◇ **to break down** être ou tomber en panne ◇ **to break open** fracturer ▪ *n* pause
breakdown ***breïk**daoune* *n* panne ◇ **breakdown lorry** (GB) dépanneuse
breakfast ***breïk**feuste* *n* petit-déjeuner
breast *brèste* *n* poitrine • (de femme) sein
breathe *bri:Ve* *vb* respirer ◇ **to breathe in** inspirer ◇ **to breathe out** expirer
bride *braïde* *n* mariée
bridegroom *n* ***braïd**groume* marié
bridge *bridje* *n* pont
briefcase ***bri:f**keïsse* *n* sacoche, serviette
briefs *bri:Fse* *n* slip
bright *braïte* *adj* lumineux(-euse) • (personne) intelligent(e)
brilliant ***bri**lieunte* *adj* génial(e)
bring *brinng* (brought, brought *bro:te*, *bro:te*) *vb* apporter, amener
British ***bri**tiche* *adj* britannique
broccoli ***bro**keuli* *n* brocoli
broken ***breou**keune* *adj* cassé(e)
bronchitis *bronnk**aï**teusse* *n* bronchite
bronze *bronnze* *n* bronze
broom *broume* *n* balai
broth *broFe* *n* bouillon

brother *broVeu* *n* frère ◇ **brother-in-law** beau-frère
brown *braoune* *adj* marron
browse *braouze* *vb* parcourir • (Internet) surfer, naviguer
browser ***braou**seu* *n* (Internet) navigateur
bruise *brouze* *n* hématome, bleu
brush *breuche* *vb* brosser ▪ *n* brosse
bucket *beukite* *n* seau
buckwheat ***beuk**oui:te* *n* blé noir
buffet ***bou**feï* *n* buffet
build *bilde* (built, built *bilte, bilte*) *vb* construire
building ***bild**inng* *n* construction, bâtiment, immeuble
bumbag ***beum**bague* *n* (sac) banane
bump *beumpe* *n* bosse
bumper ***beum**peu* *n* parechoc
bunk *beunke* *n* couchette ◇ **bunk beds** lits superposés
buoy *boï* *n* bouée
burgle ***beur**gueule* *vb* cambrioler
burn *beurne* (burnt, burnt *beurnte, beurnte*) *vb* brûler ▪ *n* brûlure
bus *beusse* *n* (auto)bus ◇ **bus shelter** abribus ◇ **bus stop** arrêt de bus
business ***biz**nèsse* *n* commerce, affaires
busy ***bi**zi* *adj* occupé(e) • (rue, quartier) animé(e) ◇ **the line is busy** ça sonne occupé
but *beute* *conj* mais
butcher ***bou**tcheu* *n* boucher(-ère) ◇ **butcher's (shop)** boucherie
butter ***beu**teu* *n* beurre
butterfly ***beu**teuflaï* *n* papillon
button ***bo**teune* *n* bouton
buy *baï* (bought, bought *bo:te, bo:te*) *vb* acheter
buyer *baïeu* *n* acheteur(-euse)

by *baï* *prép* par
bye! *baï* *interj* salut !
cabbage ***ka**bidje* *n* chou
cabin ***ka**bine* *n* cabine
cable ***keï**beule* *n* câble
caddy ***ka**di* *n* (US) caddie
café ***ka**feï* *n* café
cake *keike* *n* gâteau ◇ **cake shop** pâtisserie
calculator ***kal**kiouleïteu* *n* calculatrice
calendar ***ka**leundeu* *n* calendrier
calf (pl calves) *ka:fe, ka:vz* *n* (animal) veau • (de la jambe) mollet
call *ko:le* *n* appel ▪ *vb* appeler ◇ **to call back** rappeler
callus ***ka**leusse* *n* durillon, cor
calm *ka:me* *adj* calme
camper ***kamm**peu* *n* (GB) camping-car
campsite ***kammp**saïte* *n* (terrain de) camping
can *kane* *n* bidon • (de boisson) canette
can *kanne* (could *koude*) *vb* pouvoir
cancel ***kann**seule* *vb* annuler
cancellation *kannseu**leï**cheune* *n* annulation
candidate ***kann**dideïte* *n* candidat(e)
candied ***kènn**dide* *adj* confit(e)
candle ***kann**deule* *n* bougie
candy ***kann**di* *n* (US) sucreries
cap *kape* *n* casquette
capital ***ka**piteule* *n* capitale ▪ *adj* ◇ **capital letter** majuscule
car *ka:re* *n* voiture ◇ **by car** en voiture ◇ **car driver** automobiliste ◇ **car park** parking
card *ka:rde* *n* carte
careful ***kèr**foule* *adj* ◇ **to be careful** faire attention

caretaker *kèrteïkeu* n gardien(ne)
carnival *ka:rneuveule* n carnaval
carpet *ka:rpeute* n moquette
carriage *ka:ridje* n (GB) (de train) voiture, wagon
carrot *kareute* n carotte
carry *kari* vb porter
cart *ka:rte* n voiturette • (US) caddie ◇ **luggage cart** (US) chariot à bagages
carton *ka:rteune* n cartouche (de cigarettes)
case *keïsse* n cas, affaire • (bagage) valise
cash *kache* n liquide ◇ **(in) cash** en espèces, en liquide ◇ **cash machine** (GB) distributeur (de billets)
casino *keussineou* n casino
castle *kasseule* n château
cat *kate* n chat
catalogue *kateulogue* n catalogue
catch *ka:tche* (caught, caught *ko:te, ko:te*) vb attraper
cathedral *keuFidreule* n cathédrale
Catholic *kaFeulike* adj, n catholique
cauliflower *koliflaoueu* n chou-fleur
cave *keïve* n grotte
celery *sèleuri* n céleri
cellar *sèleu* n cave
cellphone *sèlfeoune* n (US) (téléphone) portable
centimetre (GB), **centimeter** (US) *sènntimiteu* n centimètre
centre (GB), **center** (US) *sènnteu* n centre
century *sènntcheuri* n siècle
ceramics *siramikse* n céramique
cereals *sirieulze* npl céréales
certain *seurteune* adj certain(e), sûr(e)
certificate *seurtifikeute* n certificat
certified *seurtifaïde* adj certifié(e)
chain *tcheïne* n chaîne
chair *tchère* n chaise
chalk *tcho:ke* n craie
chance *tcha:nse* n hasard, chance ◇ **by chance** par hasard
change *tcheïnndje* n monnaie • (modification) changement ▪ vb changer • (un bébé) langer ◇ **to change (clothes)** se changer
channel *tchaneule* n chaîne
chapel *tchapeule* n chapelle
character *karèkteu* n caractère
charge *tcha:rdje* vb • (un client) facturer • (un appareil) recharger
charger *tcha:rdjeu* n chargeur
charm *tcha:rme* n charme
charming *tcha:rminng* adj charmant(e)
chat *tchate* vb bavarder • (Internet) chatter ▪ n discussion • (Internet) chat
check *tchèke* vb vérifier • (e-mails, etc) consulter ◇ **to check in** enregistrer ▪ n (US) chèque
check-in *tchèkine* n enregistrement (des bagages) ◇ **check-in desk** comptoir d'enregistrement
checkroom *tchèkroume* n (US) consigne
cheek *tchi:ke* n joue
cheese *tchi:ze* n fromage
chemist's *kèmistse* n (GB) pharmacie
cherry *tchèri* n cerise
chess *tchèsse* npl échecs
chest *tchèste* n poitrine ◇ **chest of drawers** commode
chestnut *tchèsneute* n châtaigne, marron
chicken *chikeune* n poulet, poule
chickenpox *tchikeunpokse* n varicelle
chickpea *tchikpi:* n pois chiche
chicory *tchikeuri* n (GB) endive
child (pl children) *tchaïlde, tchildreune* n enfant
chimney *tchimni* n cheminée
chin *tchine* n menton
chips *tchipse* npl • (GB) frites • (US) chips

chocolate *tchoklite* *n* chocolat ◊ **dark/milk chocolate** chocolat noir/au lait
choice *tchoïsse* *n* choix
choose *tchouze* (chose, chosen *tcheouze*, ***tcheou**zeune*) *vb* choisir
chop *tchope* *n* côtelette
Christian ***krist**cheune* *adj* chrétien(ne)
Christmas ***kris**meusse* *n* Noël ◊ **Merry Christmas!** Joyeux Noël !
church *tcheurtche* *n* église
cider *saïdeu* *n* cidre
cigar *siga:re* *n* cigare
cigarette ***si**gueurète* *n* cigarette
cinema ***si**neumeu* *n* cinéma
cinnamon ***si**neumeune* *n* cannelle
circle ***seur**keule* *n* cercle
circuit ***seur**kite* *n* circuit ◊ **circuit breaker** disjoncteur
circus ***seur**keusse* *n* cirque
city ***si**ti* *n* ville
clam *klame* *n* palourde ◊ **clam chowder** soupe de palourdes
claret ***kla**rète* *n* bordeaux
class *kla:sse* *n* classe, leçon
classic ***kla**ssike* *adj* classique
classical ***kla**ssikeule* *adj* classique
classy ***kla:**ssi* *adj* élégant(e), classe
clean *kli:ne* *adj* propre ▪ *vb* nettoyer
cleaning ***kli:**ninng* *n* nettoyage
cleanliness ***klènn**linèsse* *n* propreté
clementine ***klè**meuntaïne* *n* clémentine
clever ***klè**veu* *adj* intelligent(e)
client ***klaï**eunte* *n* client(e)
cliff *klife* *n* falaise
climate ***klaï**meute* *n* climat
climb *klaïmm* *vb* escalader ◊ **to climb down/up** descendre/monter
climbing ***klaïmm**inng* *n* escalade
cloakroom ***kleouk**roume* *n* vestiaire
clogged *klogde* *adj* bouché(e)
close *kleouze* *vb* fermer
close *kleousse* *adj* proche ◊ **close-fitting** cintré(e)
closed ***kleou**zde* *adj* fermé(e)
closing ***kleou**zinng* *n* fermeture
clothes *kleouVze* *npl* vêtements
cloud *klaoude* *n* nuage
cloudy ***klaou**di* *adj* nuageux(-euse)
clover ***kleou**veu* *n* trèfle
club *kleube* *n* club ◊ **clubs** (cartes) trèfle
clutch *kleutche* *n* embrayage
coast *keouste* *n* côte
coat *keoute* *n* manteau ◊ **coat hanger** cintre ◊ **coat rack** portemanteau
cockerel ***ko**keureule* *n* coq
cockroach ***kok**reoutche* *n* cafard
cod *kode* *n* morue
coffee ***ko**fi* *n* café
coin *koïne* *n* pièce ◊ **coin purse** (US) portemonnaie
cold *kolde* *adj* froid(e) ▪ *n* froid • (maladie) rhume
coley ***ko**li* *n* colin
collar ***ko**leu* *n* col
colleague ***ko**li:gue* *n* collègue
collect *ko**lèkte*** *vb* ramasser, rassembler • (passe-temps) collectionner • (personne) aller chercher
college ***ko**lidje* *n* établissement d'enseignement supérieur, université • (partie d'université) (GB) collège • (US) faculté
colloquium *keu**leou**kouieume* *n* colloque
colour (GB), **color** (US) ***ko**leu* *n* couleur

column *koleume n* colonne
comb *keuoume n* peigne ▪ *vb* peigner
combination *kommbineïcheune n* combinaison
come *kome* (came, come *keïme, kome*) *vb* venir ◇ **to come back** revenir, repasser **to come in** entrer ◇ **to come out** sortir
comedian *keumi:dieune n* humoriste, comique
comedy *komèdi n* comédie
comfortable *kommfteubeule adj* confortable
common *komeune adj* courant(e)
company *kommpeuni n* compagnie, entreprise
compartment *keumpa:rtmeunte n* compartiment
compass *kommpeusse n* boussole
compatibility *keumpateubiliti n* compatibilité
compatible *keumpatibueule adj* compatible
competence *kommpéteunsse n* compétence
competent *kommpéteunte adj* compétent(e) ◇ **to be competent in** avoir des compétences en
competitive exam *kommpètitive igzame n* concours
complain *keumpleïne vb* se plaindre
complaint *keumpleïnte n* réclamation, plainte
complete *keumpli:te adj* entier(-ère)
compress *keumprèsse n* compresse
compulsory *keumpeulseuri adj* obligatoire
computer *kommpiouteu n* ordinateur ◇ **computer engineer** informaticien(ne) ◇ **computer science** informatique
concrete *konnkri:te n* béton
concussion *keunkeucheune n* commotion cérébrale
condom *keundeume n* préservatif
conference *konnfèreunse n* conférence ◇ **conference call** téléconférence
confirm *keunfeurme vb* confirmer
congratulate *keungratiouleïte vb* féliciter
congratulations *keungratiouleïcheunz npl* félicitations
conjunctivitis *keundjeunkivaïtisse n* conjonctivite
connect *keunèkte vb* connecter ◇ **to connect to the Internet** se connecter à internet
connection *konèkcheune n* • (transport) correspondance, changement • (Internet) connexion
consommé *konnsomeï n* consommé
constipated *konnstipeïtide adj* constipé(e)
consul *konnseule n* consul(e)
consulate *konnsiouleute n* consulat
consult *keunseulte vb* consulter
consumption *keunseummcheune n* consommation
contact *konntakte n* contact ◇ **contact details** coordonnées ◇ **contact lens** lentille de contact ▪ *vb* contacter
contagious *konnteïdjeusse adj* contagieux(-euse)
contaminate *keuntamineïte vb* contaminer
contemporary *konntèmmpeuri adj* contemporain(e)
continental *konntinènnteule adj* continental(e)
continuation *keuntinioueïcheune n* continuation
contract *konntrakte n* contrat
convenient *keunvi:nieute adj* pratique commode
convent *konnveunte n* couvent

convertible *keunveurteubeule* *adj* (voiture) décapotable
conveyor belt *keunveïeu bèlte* *n* tapis roulant
cook *kouke* *vb* cuire, cuisiner ▪ *n* cuisinier(-ière)
cooked *koukte* *adj* cuit(e), cuisiné(e) ◇ **cooked pork meats** charcuterie
cooker *koukeu* *n* (GB) cuisinière
cooking ***kouk**inng* *n* cuisine **cooking book** livre de recettes
copper ***ko**peu* *n* cuivre
copy ***ko**pi* *n* copie ▪ *vb* copier
copybook ***ko**pibouke* *n* cahier
coriander *kori**a:nn**deu* *n* coriandre
cork *ko:rke* *n* bouchon
corked *ko:rkte* *adj* bouchonné(e)
corkscrew ***ko:rk**skrou* *n* tire-bouchon
corn *ko:rne* *n* • (GB) blé • (US) maïs ◇ **corn on the cob** épi de maïs
corner ***ko:r**neu* *n* coin
correct *ko**rèkte*** *adj* correct(e) ▪ *vb* corriger
corridor ***ko**ridore* *n* couloir
cost *koste* (cost, cost *koste, koste*) *vb* coûter ▪ *n* coût
costume ***kos**tioume* *n* costume
cotton ***ko**teune* *n* coton
cough *kofe* *n* toux ▪ *vb* tousser
count ***ka**ounte* *vb* compter
counter ***kaoun**teu* *n* comptoir, guichet
country ***keun**tri* *n* pays
countryside ***keun**trisaïde* *n* campagne
couple ***keu**peule* *n* couple ◇ **a couple of things** deux ou trois choses
courgette *kour**jète*** *n* (GB) courgette
course *ko:rse* *n* • (leçon) cours • (de golf) terrain
court *ko:rte* *n* cour • (de sport) court, terrain
courtyard ***ko:rt**ia:rde* *n* cour
cousin ***keu**zeune* *n* cousin(e)
cover ***ko**veu* *vb* couvrir • (distance) parcourir ▪ *n* couverture
covered ***ko**veude* *adj* couvert(e)
cow *kaou* *n* vache
crab *krabe* *n* crabe
cracked *krakte* *adj* fêlé(e)
craftsman ***kra:fts**meune* *n* artisan
craftsmanship ***kra:fts**meunchipe* *n* artisanat
cramp *krammpe* *n* crampe
crane *kreïne* *n* grue
crash *krache* *n* collision
crate *kreïte* *n* cageot
crave for *kreïve fore* *vb* désirer
crazy ***kreï**zi* *adj* fou, folle
cream *kri:me* *n* crème
creamy ***kri:**mi* *adj* crémeux(-euse)
credit ***krè**dite* *n* crédit
crew *krou* *n* équipage
crisis ***kraï**ssisse* *n* crise
crisps *krispsse* *npl* (GB) chips
critical ***kri**tikeule* *adj* critique
criticism ***kri**tissizeume* *n* critique
crockery ***kro**kri* *n* vaisselle
croquette *kreou**kète*** *n* croquette
cross *krosse* *n* croix ▪ *vb* traverser
crossing ***kro**ssinng* *n* traversée ◇ **pedestrian crossing** passage piétons
crossroads ***kross**reoudz* *n* carrefour
cruise *krouze* *n* croisière
crunchy ***kreun**chi* *adj* croquant(e)
crust *kreuste* *n* croûte
cry *kraï* *vb* pleurer

crystal *kristeule n* cristal
cucumber *kioukeumbeu n* concombre
cuff *keufe n* (de vêtement) poignet
culprit *keulprite n* coupable
cultivated *keultiveïtide adj* cultivé(e)
cup *keupe n* tasse
cure *kioure n* remède, guérison ▪ *vb* guérir
curious *kiourieusse adj* curieux(-euse)
curly *keurli adj* bouclé(e)
currency *keureunssi n* monnaie, devise
current *keureunte n* courant ▪ *adj* actuel(le)
currently *keureuntli adv* actuellement
curtain *keurteune n* rideau
cushion *koucheune n* coussin
custom *keusteume n* coutume ◇ **customs** (à la frontière) douane
customer *keussteumeu n* client(e), usager(-ère)
cut *keute* (cut, cut *keute, keute*) *vb* couper
cute *kioute adj* mignon(ne)
cutlery *keutleuri npl* couverts
CV *si: vi: n* (GB) curriculum vitae, CV
cycling *saïklinng n* cyclisme
cyclist *saïkliste n* cycliste
daily *deïli adj* quotidien(ne) ▪ *adv* quotidiennement
dairy product *dèri prodeukte n* laitage
dam *dame n* barrage
damage *damidje vb* abîmer
damp *dammpe adj* humide
dampness *dammpnèsse n* humidité
dance *da:nnse n* danse ▪ *vb* danser
dancer *da:nnseu n* danseur(-euse)
dandruff *danndreufe npl* pellicules
danger *dènnjeu n* danger
dangerous *dènnjeureusse adj* dangereux(-euse)
dark *da:rke adj* obscur(e), foncé(e) ◇ **dark-haired** brun(e) ▪ *n* obscurité
darkness *da:rknèss n* obscurité
darts *da:rtse npl* fléchettes
date *deïte n* rendez-vous • (jour) date • (fruit) datte
datebook *deïttbouke n* (US) agenda
daughter *do:teu n* fille ◇ **daughter-in-law** belle-fille
dawn *do:ne n* aube
day *deï n* jour, journée ◇ **every day** tous les jours ◇ **the day after** le lendemain
dead *dède adj* mort(e)
deaf *dèfe adj* sourd(e)
deal *di:le n* opération, transaction ▪ *vb* ◇ **to deal with** s'occuper de
dear *di:re adj* cher(-ère)
death *dèFe n* mort
decaffeinated *dikafineïtide adj* décaféiné(e)
December *dissèmmbeu n* décembre
decide *dissaïde vb* décider
deckchair *dèktchère n* transat
declaration *dikleureïcheune n* déclaration
declare *diklère vb* déclarer
decrease *di:kri:sse n* réduction
deep *di:pe adj* profond(e)
deeply *di:pli adv* profondément
defect *di:fèkte n* défaut
deflate *difleïte vb* dégonfler
delay *dileï n* retard ▪ *vb* retarder
delicatessen *dèlikeutèsseune n* épicerie fine
delicious *dèlicheusse adj* délicieux (-euse)
delighted *dilaïtide adj* ravi(e), enchanté(e)
deliver *dèliveu vb* livrer
demonstration *dimeunstreïcheune n* manifestation

denounce *dinaounnse vb* dénoncer
dental cavity *dènnteule kaviti n* carie
dentist *dènntiste n* dentiste
denunciation *dèneunsieïcheune n* dénonciation
deodorant *dieoudeureunte n* déodorant
depart *dipa:rt vb* partir ◇ **trains departing from London** les trains au départ de Londres
department *dipa:rtmeunte n* département • (de magasin) rayon
departure *dipa:rtcheu n* départ
depend *dipènnde vb* dépendre
dependable *dipènndeubeule adj* sur qui (ou quoi) on peut compter
deposit *dipozite n* acompte, caution
depth *dèpFe n* profondeur
dermatologist *deurmeutoleudjiste n* dermatologue
describe *diskraïbe vb* décrire
desert *dèzeute n* désert
desire *dizaïeu n* envie ▪ *vb* désirer
desk *dèske n* bureau
dessert *dizeurte n* dessert
detour *di:toure n* détour • (US) déviation
develop *to divèleupe vb* développer
development *divèleupmeunte n* développement, évolution
device *divaïsse n* appareil
diabetes *daïeubi:ti:ze n* diabète
diabetic *daïeubètike adj* diabétique
dial *daïeule vb* composer (un numéro)
dialling code *daïeulinng keoude n* indicatif
diaper *daïeupeu n* (US) couche (de bébé)
diarrhea *daïeurieu n* diarrhée
diary *daïeuri n* (GB) agenda
diced *daïste adj* en dés ◇ **diced bacon** lardons ◇ **diced mixed fruit** macédoine de fruits
dictionary *dikcheuneuri n* dictionnaire
die *daï vb* mourir
die (pl dice) *daï, daïsse n* dé
diesel *dizeule n* diesel ◇ **diesel fuel** gazole
diet *daïeute n* alimentation, régime
different *difreunte adj* différent(e)
differently *difreuntli adv* autrement, différemment
difficult *difikeulte adj* difficile
digestive *daïdjèstive adj* digestif (-ive) ▪ *n* (GB : biscuit) sablé
dine *daïne vb* dîner ◇ **dining car** wagon-restaurant
dinner *dineu n* dîner
diploma *dipleoumeu n* diplôme
direct *daïrèkte adj* direct(e)
direction *dirèkcheune n* sens, direction
directly *daïrèktli adv* directement
director *daïrèkteu n* directeur (-trice)
directory *daïrèkteuri n* annuaire **directory inquiries** (service des) renseignements
dirty *deurti adj* sale ▪ *vb* salir
disabled *disseïbeulde adj* handicapé(e)
disappear *disseupire vb* disparaître
discount *diskaounte n* remise, réduction
discover *diskoveu vb* découvrir
discovery *diskoveuri n* découverte
dish *diche n* plat ◇ **to do the dishes** faire la vaisselle

dishwasher *dichouocheu* n lave-vaisselle • (personne) plongeur(-euse)
disinfect *dissinnfèkte* vb désinfecter
disinfectant *dissinnfèkteunte* adj désinfectant(e)
disposable *dispeouzeubeule* adj jetable
disposal *dispeouzeule* n ◇ **at your disposal** à votre disposition
dispose of *dispeouze ove* vb se débarrasser de
dissertation *disseurteïcheune* n (GB) mémoire
distance *disteunnse* n distance ◇ **in the distance** au loin
district *distrikte* n quartier
disturb *disteurbe* vb déranger
dive *daïve* vb plonger
diver *daïveu* n plongeur(-euse)
diversion *daïveurcheune* n (GB) déviation
divide *divaïde* vb diviser
diving *daïvinng* n plongée sous-marine ◇ **diving suit** combinaison de plongée
division *divijeune* n division
divorced *divo:rste* adj divorcé(e)
do *dou* (did, done *dide, done*) vb faire
dock *doke* n quai
doctor *dokteu* n docteur, médecin
document *dokioumeunnt* n document
documentary *dokioumènnteuri* n documentaire
documentation *dokioumeunteïcheune* n documentation
dog *dogue* n chien(ne)
doll *dole* n poupée
dollar *doleu* n dollar
domestic *domèsstike* adj intérieur(e)
done *done* adj fait(e) • (viande) cuit(e)
donkey *donngki* n âne
door *do:re* n porte
dose *deousse* n posologie
dot *dote* n point
double *deubeule* adj double ◇ **double-decker** autobus à impériale
doubt *daoute* n doute ▪ vb douter
dough *deou* n pâte
doughnut *deouneute* n beignet (sucré)
download *daounnleoude* vb télécharger
downstairs *daounestèrz* adv en bas
draught *dra:fte* n courant d'air **draught beer** bière (à la) pression
draw *dro:* (drew, drawn *drou, dro:ne*) vb tirer, dessiner
drawback *dro:bake* n inconvénient
drawer *dro:eu* n tiroir
drawing *dro:inng* n dessin
dreadful *drèdfoule* adj terrible
dream *dri:me* n rêve ▪ vb rêver
dress *drèsse* n robe ▪ vb s'habiller
dressing *drèssinng* n • (de plat) assaisonnement, sauce • (bandage) pansement ◇ **French dressing** vinaigrette ◇ **dressing rooms** (US) cabines d'essayage
dried *draïde* adj séché(e)
drink *drinnke* (drank, drunk *drannke, dreunke*) vb boire ▪ n boisson, consommation
drinkable *drinnkeubeule* adj buvable • (eau) potable
drive *draïve* (drove, driven *dreouve, driveune*) vb conduire, rouler
driver *draïveu* n conducteur(-trice)
driving *draïvinng* n conduite ◇ **driving licence** permis de conduire
drop *drope* n goutte ▪ vb laisser tomber
drown *draoune* vb noyer (se)
drug *dreugue* n médicament, drogue
drugstore *dreugsto:re* n (US) pharmacie
drunk *dreunke* adj soûl(e) ◇ **drunk driving** conduite en état d'ivresse

dry *draï* *adj* sec, sèche ◊ **dry cleaner's** pressing ◊ **dry sausage** saucisson ▪ *vb* sécher
duck *deuke* *n* canard
dumb *deume* *adj* muet(te) • (US) stupide
dummy ***deu**mi* *n* (GB : de bébé) tétine
during ***diou**rinng* *prép* pendant
dustbin ***deust**bine* *n* (GB) poubelle
duty ***diou**ti* *n* devoir ◊ **on duty** de garde ◊ **duty-free** hors taxes
each *i:tch* *adj* chaque ◊ **each (one)** chacun(e)
ear *ire* *n* oreille ◊ **ear infection** otite
eardrum ***ir**dreume* *n* tympan
early ***eur**li* *adv* tôt • (de manière anticipée) en avance ◊ **to arrive early** arriver en avance
earring ***i**rinng* *n* boucle d'oreille
earth *eurFe* *n* terre
earthquake ***eurF**koueïke* *n* tremblement de terre
ease (at) *ate i:ze* *loc* à l'aise
easily ***i:**zili* *adv* facilement
east *i:ste* *n* est
East (the) *i:ste (Vi)* *n* l'Orient
Easter ***i:**steu* *npl* Pâques
eastern ***i:**steurne* *adj* de l'est, oriental(e)
easy ***i:**zi* *adj* simple, facile
eat *i:te* (ate, eaten *eïte*, ***i:**teune*) *vb* manger
ecological *i:keou**lo**djikeule* *adj* écologique
edge *èdje* *n* bord
education *èdiou**keï**cheune* *n* éducation
eel *i:le* *n* anguille
effect *i**fèkte*** *n* effet ◊ **to take effect** faire effet
egg *ègue* *n* œuf
eggplant ***èg**plan:nnte* *n* (US) aubergine
eight *eïte* *adj num* huit
eighteen *eï**ti:ne*** *adj num* dix-huit
eighth *eïtFe* *adj* huitième
eighty ***eï**ti* *adj num* quatre-vingt
elbow ***èl**beou* *n* coude
eldest *èldeuste* *adj* aîné(e) ◊ **the eldest** l'aîné(e)
electrical *i**lèk**trikeule* *adj* électrique
electronic *ilèk**tro**nike* *adj* électronique
elevator ***è**lèveïteu* *n* (US) ascenseur
eleven *i**lè**veune* *adj num* onze
email ***i:**meïle* *n* e-mail, courrier électronique, courriel
embassy ***èmm**beusi* *n* ambassade
emergency *i**meur**djènnsi* *n* urgence
employee *èmmploï**i:*** *n* employé(e)
employer *èmm**ploï**eu* *n* employeur
empty ***èmm**pti* *adj* vide ▪ *vb* vider
end *ènnde* *vb* finir, terminer ▪ *n* fin
endive ***ènn**daïve* *n* (US) endive
engaged *inn**gueï**dje* *adj* • (ligne) occupé(e) • (personne) fiancé(e)
engine ***ènn**djine* *n* moteur
engineer *ènndji**ni:re*** *n* ingénieur
England ***inng**leunde* *npr* Angleterre
English ***inng**liche* *adj* anglais(e) ◊ **the English Channel** la Manche ▪ *n* Anglais(e)
enjoy *ènn**djoï*** *vb* profiter de ◊ **enjoy your meal!** bon appétit !
enough *i**neu**Fe* *adv, adj* suffisamment, assez ◊ **it's enough** ça suffit
enter ***ènn**teu* *vb* entrer
entrance ***ènn**treunsse* *n* entrée
entry ***ènn**tri* *n* entrée

ANGLAIS-FRANÇAIS

environment *invaïreunmeunte* *n* environnement
epidemic *èpidèmike* *n* épidémie
epileptic *èpilèptike* *adj* épileptique
equal *i:koueule* *adj* égal(e)
equipment *èkouipmeunte* *n* matériel, équipement
error *èrreu* *n* erreur, faute
espresso *èsprèsseou* *n* expresso
establish *èstabliche* *vb* installer
euro *ioureou* *n* euro
European *ioureupieune* *adj* européen(ne)
even *i:veune* *adj* uniforme ▪ *adv* même
evening *ivninng* *n* soir, soirée
event *ivènnte* *n* événement, manifestation
every *èvri* *adj* chaque
everyone *èvriouone* *pron* tout le monde
everywhere *èvriouère* *adv* partout
exam *igzame* *n* examen ◇ **to take/to pass an exam** passer/réussir un examen
examination *igzamineïcheune* *n* examen
example *ègzammpeule* *n* exemple
exceed *iksi:de* *vb* excéder
excess *èksèsse* *n* excédent
exchange *èkstcheïnndje* *n* échange **exchange rate** (taux de) change ▪ *vb* échanger
executive *igzékioutive* *n* cadre
exhaust *igzeouste* *n* ◇ **exhaust pipe** (GB) pot d'échappement
exhibit *ègzibite* *n* • (objet) pièce exposée • (US) exposition
exhibition *ègzibicheune* *n* exposition
exit *èkssite* *n* sortie
expect *èkspèkte* *vb* attendre, s'attendre à
expectation *èkspèkteïcheune* *n* attente
expensive *èkspènnsive* *adj* cher(-ère)
experience *ikspirieunse* *n* expérience
experiment *ikspérimeunte* *n* expérience
expire *ikspaïeu* *vb* expirer
explain *èkspleïne* *vb* expliquer
express *èksprèsse* *vb* exprimer
extension lead *ikstènncheune li:de* *n* rallonge (électrique)
extra *èkstreu* *adj* en plus ◇ **extra charge** supplément
extraordinary *ikstro:dineuri* *adj* extraordinaire
eye *aï* *n* œil
eyebrow *aïbraou* *n* sourcil
eyedrops *aïdropse* *n* collyre
eyelashes *aïlachize* *npl* cils
eyelid *aïlide* *n* paupière
fabric *fabrike* *n* tissu
face *feïsse* *n* figure, visage ▪ *vb* faire face à
facilities *feussilitiz* *npl* installations
factory *fakteuri* *n* usine
fail *feïle* *vb* échouer (à)
failure *feïlieur* *n* échec
faint *feïnnte* *vb* s'évanouir
fair *fèrr* *adj* juste • (cheveux) blond(e)
fake *feïke* *adj* faux, fausse
fall *fo:le* *n* chute • (US) automne ▪ *vb* (fell, fallen *fèle, fo:leune*) tomber
family *famili* *n* famille
famous *feïmeusse* *adj* célèbre
fan *fane* *n* éventail • (électrique) ventilateur
far *fa:re* *adv* loin ◇ **far away** loin ◇ **as far as** jusque ◇ **far end** fond, bout
fare *fère* *n* (transport) prix, tarif
farm *fa:rme* *n* ferme
farmer *fa:rmeure* *n* agriculteur (-trice)
fashion *facheune* *n* mode
fast *fa:ste* *adj* rapide ▪ *adv* vite

fasten *fa:sseune* *vb* attacher, boucler
fat *fate* *adj* gros(se), gras(se) ▪ *n* graisse, gras
father *fa:Veu* *n* père ◇ **father-in-law** beau-père
faucet *fo:ssète* *n* (US) robinet
fault *fo:lte* *n* défaut, faute
fauna *fo:neu* *n* faune
favourite (GB), **favorite** (US) *feïveurite* *nm/f, adj* favori(te)
fear *fire* *n* peur ▪ *vb* craindre
feather *FèVeu* *n* plume
February *Fèbroueuri* *n* février
feel *fi:le* (felt, felt *fèlte, fèlte*) *vb* sentir, ressentir ◇ **to feel like doing** avoir envie de faire
feeling *fi:linng* *n* sentiment
feminine *fèminine* *adj* féminin(e)
fender *fènndeu* *n* (US) aile (de voiture)
fennel *fèneule* *n* fenouil
festival *fèstiveule* *n* festival
fever *fiveu* *n* fièvre
few *fiou* *adj, pron* peu (de) ◇ **a few** quelques
field *filde* *n* champ
fifteen *fifti:ne* *adj num* quinze
fifth *fifVe* *adj num* cinquième
fiftieth *fiftife* *adj num* cinquantième
fifty *fifti* *adj num* cinquante
fight *faïte* *n* bagarre
file *faïle* *n* dossier
fill (in) *file (ine)* *vb* remplir
fillet *filit* *n* filet
filling *filinng* *n* plombage
film *filme* *n* film ◇ **film camera** caméra ▪ *vb* filmer
final *faïneule* *adj* final(e)
financial *faïnanncheule* *adj* financier(-ère)
find *faïnnde* (found, found *faounde, faounde*) *vb* (re)trouver
fine *faïne* *adj* bien, fin(e) ◇ **fine arts** beaux-arts ▪ *n* amende
finger *finngueu* *n* doigt
finish *finiche* *vb* finir, terminer
fire *faïeu* *n* incendie ◇ **fire extinguisher** extincteur ▪ *vb* faire feu • (personne) licencier
fireman *faïeumeune* *n* pompier
fireplace *faïeupleïsse* *n* cheminée
first *feurste* *adj* premier(-ère) ◇ **first aid** premiers secours ◇ **first-aid worker** secouriste ◇ **first name** prénom
firstly *feurstli* *loc* abord (d')
fish *fiche* *n* poisson ▪ *vb* pêcher
fishbone *fichebeoune* *n* arête (de poisson)
fishing *fichinng* *n* pêche
fishmonger's (shop) *fichmonngeuze (chope)* *n* poissonnerie
fit *adj* (personne) en bonne santé, en forme ▪ *vb* (vêtement) (bien) aller ◇ **fitting rooms** (GB) cabines d'essayage ▪ *n* (médecine) attaque, crise ◇ **fit of laughter** crise de rire
five *faïve* *adj num* cinq
fixed *fikste* *adj* fixe
fizzy *fizi* *adj* gazeux(-euse)
flag *flague* *n* drapeau
flame *fleïme* *n* flamme
flank steak *flannke steïke* *n* bavette
flash *flache* *n* flash
flask *flaske* *n* gourde
flat *flate* *adj* plat(e) ▪ *n* (GB) appartement
flatmate *flattmeïte* *n* (GB) colocataire
flavour (GB), **flavor** (US) *fleïveu* *n* saveur • (de glace) parfum

flight *flaïte n* vol ◇ **first flight** baptême de l'air
flip-flop *flipe-flope n* (GB) tong
flippers ***fli**peuze npl* palmes
floor *flo:re n* plancher • (de bâtiment) étage ◇ **first floor** (GB) premier étage • (US) rez-de-chaussée
flora ***flo:**reu n* flore
flour ***flao**ueu n* farine
flower ***flaou**eu n* fleur
flu *flou n* grippe
fly *flaï n* mouche • (de pantalon) braguette ▪ *vb* (flew, flown *flou, fleoune*) voler
fog *fogue n* brouillard
folder ***fold**eu n* dossier
follow ***fo**leou vb* suivre
food *foude n* nourriture, aliments ◇ **food poisoning** intoxication alimentaire
foot (pl feet) *foute, fi:te n* pied
for *fo:re prép* pour • (dans le temps) depuis, pendant
forbidden *feu**bi**deune adj* interdit(e)
force *fo:rse vb* forcer
forehead ***fo:r**Hède n* front
foreign ***fo:**rènn adj* étranger(-ère)
foreigner ***fo:**reuneu n* étranger(-ère)
forest ***fo:**rèste n* forêt
forget *fo:r**guète*** (forgot, forgotten *fo:r**gote**, fo:r**go**teune*) *vb* oublier
fork *fo:rke n* fourchette
form *fo:rme n* forme • (document) formulaire
fortieth ***fo:r**tiFe adj num* quarantième
fortnight ***fo:rtt**naïte n* deux semaines
fortunately ***fo:r**tcheuneutli adv* heureusement
forty ***fo:r**ti adj num* quarante
four *fo:re adj num* quatre ◇ **four-star petrol** super
fourteen *fo:r**ti:ne** adj num* quatorze

fourth *fo:rFe adj num* quatrième
frame *freïme n* cadre
freckles ***frè**keulz npl* taches de rousseur
free *fri: adj* libre • (produit, spectacle, etc) gratuit(e) ◇ **for free** gratuitement
freely ***fri:**li adj* librement
freezer ***fri:**zeu n* congélateur
French *Frènnche adj* français(e) ▪ *n* Français(e)
frequency ***fri**kouènnsi n* fréquence
frequent ***fri**koueunte adj* fréquent(e)
fresh *frèche adj* frais, fraîche ◇ **fresh water** eau douce
Friday ***fraï**deï n* vendredi
fridge *fridje n* frigo
fried *fraïde adj* frit(e)
friend *frènnde n* ami(e), copain, copine
friendly ***frènnd**li adj* sympathique
friendship ***frènnd**chipe n* amitié
fries *fraïze npl* (US) **(French) fries** frites
frighten ***fraï**teune vb* faire peur
fritter ***fri**teu n* beignet
frog *frogue n* grenouille
front *fronnt adj* avant ◇ **front desk** (US) réception ◇ **in front of** devant
frost *froste n* gelée
frozen ***freou**zeune adj* gelé(e) • (nourriture) surgelé(e)
fruit *froute n* fruit ◇ **fruit squash** sirop
fry *to fraï vb* frire ◇ **frying pan** poêle
fuel *fioule n* carburant
full *foule adj* complet(-ète), plein(e)
fun *feune n* ◇ **to have fun** s'amuser
funny ***feu**ni adj* drôle, comique
furious ***fiou**rieusse adj* furieux(-euse)
furnished ***feur**nichte adj* meublé(e)
furniture ***feur**nitcheu n* mobilier, meubles ◇ **a piece of furniture** un meuble
fuse *fiouze n* plomb
future ***fiou**tcheu adj* futur(e) ▪ *n* avenir

gallery *galeuri* n galerie ◇ **art gallery** musée d'art
game *gueïme* n jeu, manche, partie, match
gap *gape* n écart
garage *gara:je* n garage
garbage *ga:rbidje* n (US) ordures
garden *ga:rdeune* n jardin
garlic *ga:rlike* n ail
gas *gasse* n gaz • (US) essence
gate *geïte* n portail, porte
gauze *go:ze* n gaze
gear *guire* n équipement ◇ **gear lever** (GB) levier de vitesses
gearshift *gui:rechifte* n (US) levier de vitesses
gel *djèle* n gel ◇ **shower gel** gel douche
gentle *djènnteule* adj doux(-ouce)
gently *djènntli* adv doucement
genuine *djènoui:ne* adj vrai(e), authentique
get *guète* (got, got(ten) *gote, gote(une)*) obtenir ◇ **to get back** revenir, récupérer ◇ **to get into** (véhicule) monter ◇ **to get off** descendre ◇ **to get on** (véhicule) monter ◇ **to get up** se lever
gherkin *gueurkine* n cornichon
gift *guifte* n cadeau ◇ **gift wrap** papier cadeau
ginger *djinndjeu* n gingembre ◇ **ginger bread** pain d'épice ▪ adj roux, rousse
girl *gueurle* n fille
girlfriend *gueurlfrènnde* n copine, petite amie
give *guive* (gave, given *gueïve, guiveune*) vb donner, offrir ◇ **to give back** rendre
glad *glad* adj content(e)
gladly *gladli* adv volontiers
glass *gla:sse* n verre
glasses *gla:ssize* npl (verres correcteurs) lunettes
glove *glove* n gant
glue *glou* n colle
gluten *glu:teune* n gluten
go *geou* (went, gone *ouènnt, gone*) vb aller ◇ **to go away** partir ◇ **to go down** descendre ◇ **to go in** entrer ◇ **to go out** sortir
goat *gueoute* n chèvre
god *gode* n dieu
goddess *godèsse* n déesse
gold *gueoulde* n or
golden *gueouldeune* adj doré(e)
good *goude* adj bien, bon(ne) ◇ **good afternoon** bonjour ◇ **good morning** bonjour
goodbye *goudebaï* interj au revoir
googles npl lunettes (de protection) ◇ **diving googles** lunettes de plongée
goose (pl geese) *gousse, gi:sse* n oie
GP *dji: pi:* n (GB) (médecin) généraliste
grade *greïde* n calibre • (dans hiérarchie) échelon • (US : sur devoir) note
grain *greïne* n grain
gram(me) *grame* n gramme
grandchildren *granndtchildreune* npl petits-enfants
granddaughter *granndo:teu* n petite-fille
grandfather *granndfaVeu* n grand-père
grandmother *granndmoVeu* n grand-mère
grandparents *granndpèreuntse* npl grands-parents
grandson *granndseune* n petit-fils
grape(s) *greïp(s)e* n(pl) raisin

grapefruit *greïpfroute n* pamplemousse
gravy ***greï**vi n* sauce
gray *greï adj* (US) gris(e)
grease *gri:sse n* graisse
greasy ***gri:**ssi adj* graisseux(-euse)
great *greïte adj* formidable, super ◇ **Great Britain** Grande-Bretagne
green *gri:ne adj* vert(e)
greet *gri:te vb* saluer
grey *greï adj* (GB) gris(e)
greyhound ***greï**Haounde n* lévrier
grilled *grilde adj* grillé(e)
grocer's (shop) ***greou**sseuze (chope) n* épicerie
ground *graounde n* sol, terrain ◇ **on the ground** par terre ◇ **ground floor** (GB) rez-de-chaussée
grow *greou vb* (grew, grown *grou, greoune*) grandir • (plante) pousser
grown-up *graoune eupe adj, n* adulte
guarantee *gareun**ti** n* garantie ▪ *vb* garantir
guava ***goua:**veu n* goyave
guide *gaïde n* guide ◇ **guide book** guide (livre)
guided ***gaï**dide adj* guidé(e) **guided tour** visite guidée
guilty ***gui**lti adj* coupable
gulf *gueulfe n* golfe
guy *gaï n* type
gym(nasium) *djimm(**neï**zieume) n* gymnase
gynaecologist *gaïneu**ko**leudjiste n* gynécologue
habit ***Ha**bite n* habitude
haemorrhage ***hè**meuridje n* hémorragie
hail *Heïle n* grêle
hair *Hère n* poil, cheveu ◇ **he has black hair** il a les cheveux noirs ◇ **hair dryer** sèche-cheveux
haircut ***Hèr**keute n* coupe (de cheveux)
hairdresser ***Hèr**drèsseu n* coiffeur (-euse)
hake ***Heï**ke n* colin
half (pl halves) *Ha:fe adj* demi(e) ◇ **half an hour** une demi-heure ◇ **half full** à moitié plein ▪ *n* moitié
ham *Hame n* jambon ◇ **cured ham** jambon cru ou fumé
hand *Hannde n* main
handbag ***Hannd**bague n* (GB) sac à main
handkerchief ***Hann**keutchife n* mouchoir
handlebar ***Hann**deulba:re n* guidon
handsome ***Hann**seume adj* beau, belle
hang *Hanng* (hung, hung *Heung, Heung*) *vb* accrocher, suspendre ◇ **to hang up** raccrocher
hang-glider *Hanng **glaï**deu n* deltaplane
happen ***Ha**peune vb* arriver, se produire
happy ***Ha**pi adj* heureux(-euse), content(e)
harbour (GB), **harbor** (US) ***Ha:r**beu n* port
hard *Ha:rde adj* dur(e), difficile ◇ **hard cider** (US) cidre ◇ **hard-working** travailleur(-euse)
hat *Hate n* chapeau
hate *Heïte vb* détester
have *Have* (had, had *Hade, Hade*) *vb* avoir **to have to do** devoir faire, être obligé de faire
hazard ***Ha**zeude n* danger ◇ **hazard lights** feux de détresse
hazelnut ***Heï**zeulneute n* noisette
he *Hi pron* il
head *Hède n* tête
headache ***Hèd**eïke n* migraine
headlight ***Hèd**laïte n* phare
headquarters ***Hèd**koueuteuze n* siège social

headset *Hèdsète* *n* casque audio
heal *Hi:le* *vb* cicatriser, guérir
health *HèlFe* *n* santé
healthy *HèlFi* *adj* sain(e), en bonne santé
hear *Hire* (heard, heard *Heurde, Heurde*) *vb* entendre
hearing *Hirinng* *n* ouïe
heart *Ha:rte* *n* cœur ◇ **heart attack** infarctus ◇ **to have a heart condition** être cardiaque
heat *Hi:te* *n* chaleur ▪ *vb* ◇ **to heat (up)** (ré)chauffer
heater *hiteu* *n* radiateur
heating *Hi:tinng* *n* chauffage
hedge *Hèdje* *n* haie
heel *hi:le* *n* talon
height *Haïte* *n* hauteur
hell *Hèle* *n* enfer
hello *Hèleou* *interj* bonjour !, salut ! • (au téléphone) allo !
helm *Hèlme* *n* barre, gouvernail
helmet *Hèlmeute* *n* casque
help *hèlpe* *n* aide ▪ *vb* aider ◇ **help!** au secours ! ◇ **help yourself** servez-vous
hen *Hène* *n* poule
hepatitis *Hèpeutaïtisse* *n* hépatite
her *Heure* *pron pers* elle, la, lui ▪ *adj poss* son, sa, ses
herbal tea *Heurbeule ti:* *n* tisane, infusion
here *Hire* *adv* ici
herring *Hèrinng* *n* hareng
hers *Heurz* *pron poss* le sien, la sienne, les sien(ne)s
hi! *Haï* *interj* salut !
high *Haï* *adj* haut(e), élevé(e) ◇ **high school** (GB) établissement d'enseignement secondaire, lycée • (US) lycée ◇ **high-speed train** TGV
highway *Haïoueï* *n* (US) autoroute
hike *Haïke* *n* randonnée ▪ *vb* randonner
hiking *Haïkinng* *n* randonnée ◇ **hiking trail** sentier de randonnée
hill *Hile* *n* colline
him *Hime* *pron pers* le, lui
hire *Haïeu* *vb* • (véhicule) louer • (personne) engager ▪ *n* location
his *Hize* *adj poss* son, sa, ses ▪ *pron poss* le sien, la sienne, les sien(ne)s
hit *hite* (hit, hit *hite, hite*) *vb* frapper
hitch-hike *Hitche Haïk* *vb* faire de l'auto-stop
hitch-hiking *Hitche Haïkinng* *n* auto-stop
HIV *Heïtche aï vi:* *n* VIH ◇ **HIV-positive** séropositif(-ive)
hobby *Hobi* *n* passe-temps
hockey *Hoki* *n* hockey ◇ **ice hockey** hockey sur glace
hold *Heoulde* (held, held *Hèlde, Hèlde*) *vb* tenir
hole *Heoule* *n* trou
holiday(s) *Holideï(z)* *npl* (GB) vacances, congé ◇ **holiday cottage** gîte rural
hollow *Holeou* *adj* creux(-euse)
holy *Heouli* *adj* saint(e)
home *Heoume* *n* maison, domicile ◇ **to go home** rentrer chez soi ◇ **to take somebody home** raccompagner quelqu'un chez lui
homepage *Heumepeïdje* *n* page d'accueil
honey *Honi* *n* miel
hood *Houde* *n* capuche • (US : de voiture) capot
hoot *Houte* *vb* klaxonner
Hoover *Houveu* *n* aspirateur ▪ *vb* passer l'aspirateur
hope *Heoupe* *n* espoir ▪ *vb* espérer

horn *Ho:rne n* corne • (de véhicule) klaxon

horse *Ho:rse n* cheval ◇ **horse-drawn carriage** calèche ◇ **horse-riding** équitation

hospital *Hospiteule n* hôpital ◇ **to go to hospital** aller à l'hôpital

host *Hoste n* hôte

hostess *Hostèsse n* hôtesse

hot *Hote adj* chaud(e) • (épicé) piquant(e)

hotel *Heoutèle n* hôtel

hotspot *Hotspot n* borne wifi

hour *aoure n* heure ◇ **opening hours** heures d'ouverture

house *Haousse n* maison

housework *Haoussoueurke n* ménage

how *Haou adv* comment ◇ **how many** combien ◇ **how much** combien

humid *Hioumide adj* humide

humour (GB), **humor** (US) *Hioumeu n* humour • (tempérament) humeur

hundred *Heundrède adj num* cent

hundredth *HundrèdFe adj num* centième

hunger *Heungueu n* faim

hungry *Heungri adj* ◇ **to be hungry** avoir faim

hurricane *Heurikeïne n* ouragan

hurry (up) *Heuri eupe vb* se dépêcher

hurt *heurte* (hurt, hurt *heurte, heurte*) *vb* blesser

husband *Heuzbeunde n* mari

I *aï pron* je

ice *aïsse n* glace ◇ **(black) ice** verglas ◇ **ice cream** glace ◇ **ice cube** glaçon ◇ **ice skating** patinage (sur glace)

icon *aïkone n* icône

ID *aï di: n* identité ◇ **ID card** carte d'identité

idea *aïdieu n* idée

identify *aïdènntifaï vb* identifier

identity *aïdènntiti n* identité ◇ **identity card** carte d'identité

if *ife conj* si

ignition *ignicheune n* contact

ill *ile adj* (GB) malade

illness *ilnèsse n* maladie

importance *immpo:rteunse n* importance

important *immpo:rteunte adj* important(e)

impossible *immpossibeule adj* impossible

impressive *immprèssive adj* impressionnant(e)

improve *immprouve vb* (s')améliorer

in *ine prép* dans, à

include *innkloude vb* inclure

included *innkloudide adj* compris(e), inclus(e)

inclusive *innkloudsive adj* tout compris ◇ **inclusive of VAT** incluant la TVA

increase *innkrisse vb* augmenter

increase *innkrisse n* augmentation

incredible *innkrèdibeule adj* incroyable

indicate *inndikeïte vb* indiquer

indicator *inndikeïteu n* indicateur • (de voiture) clignotant

individual *inndividioueule adj* individuel(le)

infect *innfèkte vb* infecter

infection *innfèkcheune n* infection

inflammation *innfleumeïcheune n* inflammation

information *innfo:rmeïcheune n* information(s), renseignement(s) ◇ **a piece of information** une information, un renseignement

ingredient *inngri:dieunte n* ingrédient

initial *inicheule adj, n* initial(e)

injection *indjèkcheune n* piqûre

injured *indjeude adj* blessé(e)

injury *indjeuri n* blessure
ink *innke n* encre
inn *ine n* auberge
inner ***inn**eu adj* intérieur(e)
innocent ***i**neusseunte adj* innocent(e)
insect ***inn**sèkte n* insecte ◇ **insect repellent** antimoustique
insecticide *inn**sèk**tissaïde n* insecticide
inside ***inn**saïde adv* dedans ▪ *prép* dans
insole ***inn**seoule n* semelle (intérieure)
install *inn**sto:le** vb* installer
instead *inn**stède** adv* plutôt ◇ **instead of** à la place de, au lieu de
instructor *inn**streuk**teu n* moniteur(-trice), instructeur(-trice)
instrument ***inn**streumeunte n* instrument
insulin ***inn**siouline n* insuline
insurance *inn**choureunse** n* assurance
insure *inn**choure** vb* assurer
interesting ***inn**trèstinng adj* intéressant(e)
international *innteu**na**cheuneule adj* international(e)
internship ***inn**teurnchipe n* (US) stage (en entreprise)
interval ***inn**teuveule n* entracte
intestine *inn**tès**tine n* intestin
intimacy ***inn**timeussi n* intimité
introduce *inntreu**diousse** vb* présenter ◇ **to introduce oneself** se présenter
inventory ***inn**veunteuri n* inventaire ◇ **inventory check** état des lieux
investigate *inn**vès**tigueïte vb* enquêter
investigation *innvèsti**gueï**cheune n* enquête
invitation *innvi**teï**cheune n* invitation
invite *inn**vaïte** vb* inviter
invoice ***inn**voïsse n* facture
Ireland ***aï**leunde np* Irlande ◇ **Northern Ireland** Irlande du Nord
Irish ***aï**riche adj* irlandais(e)
iron ***aï**reune n* fer • (appareil) fer à repasser ▪ *vb* repasser
irritate ***i**riteïte vb* agacer
Islam ***iz**lame n* Islam
island ***aï**leunde n* île
it *ite pron* • (sujet) il, elle • (objet) lui, le, la ▪ *pron dém* ça
itch *itche vb* démanger
itching ***it**chinng n* démangeaison
item ***aï**teum n* article
its *itse adj poss* son, sa, ses
jack *djake n* cric
jacket ***dja**kète n* veste, blouson
jam *djame n* confiture
January ***dja**noueuri n* janvier
jar *dja:re n* pot
jaw *djo: n* mâchoire
jelly ***djè**li n* gelée
jellyfish ***djè**lifiche n* méduse
jewel ***djou**eule n* bijou
Jewish ***djou**iche adj* juif(-ve)
job *djobe n* travail, emploi, métier
join *djoïne vb* s'inscrire (à), rejoindre
joke *djeouke n* plaisanterie ▪ *vb* plaisanter
journey ***djeur**ni n* trajet, voyage
joy *djoï n* joie
joyful ***joï**foule adj* joyeux(-euse)
judge *djeudje n* juge
jug *djeugue n* carafe, pichet
juice *djousse n* jus

juicy ***djou**ssi* *adj* juteux(-euse)
July ***djou**laï* *n* juillet
jump *djeumpe* *vb* sauter ▪ *n* saut
jumper ***djeum**peu* *n* pullover
junction ***djeunk**cheune* *n* croisement
June *djoune* *n* juin
junior ***djou**nieu* *adj* (plus) jeune • (dans un poste) junior ◇ **junior high school** (US) collège
just *djeuste* *adv, adj* juste
kebab *keu**babe*** *n* brochette
keep *ki:pe* (kept, kept *kèpte, kèpte*) *vb* garder ◇ **to keep calm** rester calme
key *ki:* *n* clé • (de clavier) touche
keyboard ***ki:**bo:rde* *n* clavier
kidney ***kid**ni* *n* rein ◇ **red kidney beans** haricots rouges
kill *kile* *vb* tuer
kind *kaïnde* *adj* gentil, aimable ▪ *n* espèce, sorte
king *kinng* *n* roi
kiss *kisse* *n* baiser, bise ▪ *vb* embrasser
kit *kite* *n* kit
kitchen *kitcheune* *n* cuisine
kite *kaïte* *n* cerf-volant
kiwi ***ki**oui* *n* kiwi
knee *kni:* *n* genou
knife (pl knives) *naïfe, naïvz* *n* couteau
knock *noke* *n* coup ▪ *vb* frapper ◇ **to knock over** renverser
knot *note* *n* nœud
know *neou* (knew, known *niou, neoune*) *vb* connaître, savoir
knowledge ***no**lidje* *n* connaissance
kosher ***keou**cheu* *adj* kasher
label ***leï**beule* *n* étiquette, label
lace *leïsse* *n* lacet ▪ *vb* ◇ **tea laced with whisky** thé arrosé de whisky
lack *lake* *vb* manquer (de) ▪ *n* manque
ladder ***la**deu* *n* échelle
ladle ***leï**deule* *n* louche
lady ***leï**di* *n* dame
lake *leïke* *n* lac
lamb *lame* *n* agneau
lamp *lammpe* *n* lampe
land *lannde* *n* terre ▪ *vb* atterrir • (de bateau) débarquer
landing ***lannd**inng* *n* atterrissage • (de bateau) débarquement
landline ***lannd**laïne* *n* (téléphone) fixe
landscape ***lannd**skeïpe* *n* paysage
lane *leine* *n* file, voie, ruelle
language ***lann**gouidje* *n* langue, langage
last *la:ste* *adj* dernier(-ère) ◇ **at last!** enfin ! ▪ *vb* durer
late *leïte* *adv, adj* tard ◇ **late night opening** nocturne
laugh *la:Fe* *vb, n* rire
laughter ***la:F**teu* *n* rire
laundrette ***lo:nn**drite* *n* (GB) laverie
laundromat ***lo:nn**dreumate* *n* (US) laverie
laundry ***lo:nn**dri* *n* linge
laurel ***lo**reule* *n* laurier
lavatory ***la**veutri* *n* toilettes
law *lo:* *n* loi
lawn *lo:ne* *n* pelouse
layover ***leï**eouveu* *n* (US) escale
lazy ***leï**zi* *adj* paresseux(-euse)
lead *lède* *n* plomb
lead *li:de* (led, led *lède, lède*) *vb* mener
leaf (pl leaves) *li:fe, li:vz* *n* feuille
leaflet ***li:**flète* *n* dépliant, brochure
leak *li:ke* *n* fuite
lean *li:ne* *adj* maigre
learn *leurne* (learnt, learnt *leurnt, leurnt*) *vb* apprendre
learned *leurnède* *adj* cultivé(e)
learning ***leur**ninng* *n* apprentissage
least *li:ste* *adj* moindre, le moins de **the least** le moins
leather ***lè**Veu* *n* cuir

eave *li:ve* (left, left *lèfte, lèfte*) *vb* quitter, partir, laisser ▪ *n* congé
eek *li:ke n* poireau
eft *lèfte n* gauche ◊ **on the left** sur la gauche, à gauche ◊ **left-handed** gaucher(-ère)
eft-luggage (office) *lèfte euguidje (ofisse) n* (GB) consigne
eg *lègue n* jambe • (de poulet) cuisse
eisure *lèjeu n* loisir
emon *lèmeune n* citron ◊ **lemon squeezer** (GB) presse-agrume
emonade *lèmeuneïde n* limonade
end *lènnde* (lent, lent *lènnt, lènnt*) *vb* prêter
ens *lènnze n* objectif ◊ **contact lens** lentille (de contact)
entil *lènntile n* lentille
ess *lèsse adv* moins ◊ **less... than** moins... que
ess(er) *lèss(eu) adj* moindre
esson *lèsseune n* leçon
et *lète* (let, let *lète, lète*) *vb* laisser (appartement) louer ◊ **let's go!** allons-y !
etter *lèteu n* lettre
ettuce *lètisse n* laitue, salade
evel *lèveule n* niveau
ever *li:veu n* levier
ibrary *laïbreuri n* bibliothèque
ie *laï n* mensonge ▪ *vb* mentir
ife (pl lives) *laïfe, laïvz n* vie ◊ **life jacket** gilet de sauvetage
ifebelt *laïfebèlte n* bouée de sauvetage
ifeboat *laïfbeoute n* canot de sauvetage
ift *lifte n* (GB) ascenseur ▪ *vb* soulever, lever
ight *laïte adj* • (couleur) clair(e) (objet) léger(-ère) • (boisson) allégé(e)
ight *laïte* (lit, lit *lite, lite*) *vb* allumer ▪ *n* lumière ◊ **light bulb** ampoule (électrique) ◊ **the light is on/off** la lumière est allumée/éteinte ◊ **traffic lights** feux de signalisation
lighter *laïteu n* briquet
lighthouse *laïttHaouze n* phare
lighting *laïtinng n* éclairage
lightning *laïttninng n* foudre
like *laïke vb* aimer, apprécier ▪ *prép, conj* comme
lime *laïme n* • (fruit) citron vert, lime • (arbre) tilleul
limit *limite n* limite ▪ *vb* limiter
limited *limitide adj* limité(e)
line *laïne n* ligne • (US) queue, file d'attente
linen *lineune n* lin • (draps etc) linge
liner *laïneu n* (bateau) paquebot
link *linnke n* lien
lip *lipe n* lèvre
liquid *likouide adj, n* liquide
listen (to) *lisseune (tou) vb* écouter
literature *litrètcheu n* littérature
litre *liteu n* litre
little *liteule adj* petit(e) ▪ *adv* peu de
live *live vb* vivre, habiter, résider
live *laïve adj* vivant(e)
lively *laïvli adj* animé(e)
liver *liveu n* foie
living room *livinng roume n* salon
lizard *li:zeude n* lézard
load *leoude n* charge ▪ *vb* charger
loan *leoune n* prêt ▪ *vb* prêter
lobby *lobi n* • (de bâtiment) hall, vestibule • (de théâtre) foyer
lobster *lobsteu n* langouste, homard
local *leoukeule adj* local(e)
locate *leoukeïte vb* situer

lock *loke n* serrure ▪ *vb* fermer à clé
locker *lokeu n* casier
locksmith *loksmiFe n* serrurier
login *loguine n* identifiant
lollipop *lolipope n* sucette
long *lonngue adj* long(ue)
look *louke n* air, apparence, regard ▪ *vb* regarder ◇ **to look for** (re)chercher ◇ **to look like** ressembler à
loose *louze adj* large, ample
lorry *lori n* (GB) camion
lose *louze* (lost, lost *loste, loste*) *vb* perdre
loss *losse n* perte
lost *loste adj* perdu(e) ◇ **to get lost** se perdre
lot *lote adv* ◇ **a lot (of)** beaucoup (de)
lotion *leoucheune n* lotion
loud *laoude adj* fort(e) • (personne) bruyant(e) • (couleur) voyant(e)
loudspeaker *laoudspi:keu n* haut-parleur
love *love vb* aimer ▪ *n* amour ◇ **in love** amoureux(-euse)
lover *loeu n* amoureux(-euse)
low *leou adj* bas(se) ◇ **low-fat** allégé(e)
lower *leoueu adj* moindre, plus bas(se) ▪ *vb* baisser
lozenge *lozinndje n* (médicament) pastille
luck *leuke n* chance ◇ **good luck!** bonne chance !
lucky *leuki adj* chanceux(-euse)
luggage *leuguidje n* bagage(s) ◇ **luggage rack** porte-bagages
lukewarm *loukouo:rme adj* tiède
lunch *leunche n* déjeuner ◇ **to have lunch** déjeuner
lung *leungue n* poumon
macaroon *makeuroune n* macaron
machine *meuchine n* machine
mackerel *makreule n* maquereau
mad *made adj* fou, folle
madam *madeum n* madame
made *meïde adj* fabriqué(e)
magazine *magueuzi:ne n* magazine, revue
magnet *magnète n* aimant
magnificent *magnifisseunte adj* magnifique
mail *meïle n* (US) courrier ▪ *vb* poster
maïze *meïze n* (GB) maïs
major *meïdjeu adj* majeur(e)
make *meïke* (made, made *meïde, meïde*) *vb* faire, fabriquer ▪ *n* marque
make-up *meïke eupe n* maquillage ◇ **make-up remover** démaquillant
man (pl men) *mane, mènne n* homme
manage *manidje vb* réussir • (équipe) diriger ◇ **to manage to do** arriver à faire
manager *manadjeu n* cadre, directeur(-trice)
mango *manngueou n* mangue
manual *manioueule adj* manuel(le)
many *mèni adv* beaucoup
map *mape n* plan, carte
March *ma:rtche n* mars
marinade *marineïde n* marinade
mark *ma:rke n* marque • (sur devoir) note
marked *ma:rkte adj* (sentier) balisé(e)
market *ma:rkite n* marché ◇ **flea market** marché aux puces
marriage *maridje n* mariage
masculine *ma:skiouline adj* masculin(e)
mashed *machte adj* écrasé(e) ◇ **mashed potatoes** purée (de pommes de terre)
mask *ma:ske n* masque ◇ **oxygen ma** masque à oxygène
mass *masse n* masse • (cérémonie) mess
massage *massa:je n* massage ▪ *vb* masser

master *ma:steu* n maître
◇ **Master's degree** master
match *ma:tche* n allumette • (sport, jeu) match
material *meutirieule* adj matériel (-elle) ▪ n matière, tissu
mattress *mattrèsse* n matelas
maximum *maksimeume* adj, n maximum
May *meï* n mai
maybe *meïbi* adv peut-être
mayonnaise *meïeuneïze* n mayonnaise
me *mi:* pron moi, me
meadow *mèdeou* n pré
meal *mi:le* n repas
mean *mi:ne* (meant, meant *mènnt, mènnt*) vb signifier
meaning *mi:ninng* n signification, sens
means *mi:nze* n moyen
measles *mi:zeulz* n rougeole
measure *mèjeu* n mesure ▪ vb mesurer
meat *mi:te* n viande
meatball *mi:ttbo:le* n boulette de viande
mechanic *mikanike* n garagiste
mechanical *mikanikeule* adj mécanique
medecine *mèdsine* n médicament • (profession) médecine
Mediterranean *mèditèreïnieune* adj méditerranéen(ne)
meet *mi:te* (met, met *mète, mète*) vb rencontrer • (dans un lieu convenu) retrouver
meeting *mi:tinng* n réunion
◇ **meeting place** lieu de rendez-vous
melon *mèleune* n melon
memory *mèmeuri* n mémoire, souvenir

mend *mènnde* vb raccommoder
menu *mèniou* n menu, carte
message *mèssidje* n message
metal *mèteule* n métal
metre (GB), **meter** (US) *miteu* n mètre
mezzanine *mèzeuni:ne* n (étage) entresol
microphone *maïkreufeoune* n micro
microwave oven *maïkreououeïve oveune* n (four à) micro-ondes
middle *mideule* n milieu ▪ adj du milieu
midnight *midnaïte* n minuit
mileage *maïlidje* n kilométrage
mile *maïle* n mile (1,6 km)
milk *milke* n lait ◇ **powdered milk** lait en poudre
million *milieune* n million
mind *maïnde* n esprit ▪ vb faire attention à
mine *maïne* poss le mien, la mienne, les mien(ne)s
mineral *minnreule* adj, n minéral(e)
minimum *minimeume* adj minimum
minister *ministeu* n ministre • (religieux) pasteur
minor *maïneu* adj mineur(e) • (blessure) léger(-ère)
mint *minnte* n menthe
minute *minite* n minute
mirror *mireu* n miroir, glace
miss *misse* vb rater, manquer
◇ **two bags are missing** il manque deux sacs
Miss *misse* n mademoiselle
mist *miste* n brume
mistake *misteïke* n faute, erreur
mistaken *misteïkeune* adj ◇ **to be mistaken** se tromper

mistress *misstrèsse* *n* maîtresse
misty *misti* *adj* brumeux(-euse)
misunderstanding *misseundeustanndinng* *n* malentendu
mixed *mikste* *adj* mixte ◇ **mixed vegetables** jardinière (de légumes) ◇ **mixed salad** salade composée ou de crudités
mobile *adj, n* mobile ◇ **mobile (phone)** (téléphone) portable
modern *modeune* *adj* moderne
molar *meouleu* *n* molaire
moment *meoumeunte* *n* moment
Monday *monndeï* *n* lundi
money *meuni* *n* argent
monkfish *monnkfiche* *n* lotte
month *monnFe* *n* mois
monument *monioumeunte* *n* monument
moon *moune* *n* lune
more *mo:re* *adv* plus ◇ **more... than** plus... que
morning *mo:rninng* *n* matin
mosque *moske* *n* mosquée
mosquito *meuskiteou* *n* moustique ◇ **mosquito net** moustiquaire
moss *mosse* *n* mousse
mother *moVeu* *n* mère ◇ **mother-in-law** belle-mère
motivated *meoutiveïtide* *adj* motivé(e)
motivation *meoutiveïcheune* *n* motivation
motorbike *meouteubaïke* *n* moto
motorhome *meouteuHeoume* *n* (US) camping-car
motorway *meouteuoueï* *n* (GB) autoroute
mountain *maounteune* *n* montagne ◇ **mountain bike** VTT
mountaineering *maountinieurinng* *n* alpinisme
mouse (pl mice) *maousse, maïsse* *n* souris
mouth *maouFe* *n* bouche
move *mouve* *vb* bouger ▪ *n* mouvement
movie *mouvi* *n* (US) film ◇ **movie theater** cinéma
much *meutche* *adv* beaucoup (de)
mudguard *meude garde* *n* garde-boue
multi-plug *meultipleugue* *n* multiprise
mumps *meumpse* *npl* oreillons
murder *meurdeure* *vb* assassiner ▪ *n* meurtre
muscle *meusseule* *n* muscle
muscular *meusskiouleu* *adj* musclé(e)
museum *miouzieume* *n* musée
mushroom *meuchroume* *n* champignon
music *miouzike* *n* musique
musical *miouzikeule* *adj* musical(e) ▪ *n* comédie musicale
musician *miouzicheune* *n* musicien(ne)
Muslim *meuzlime* *adj* musulman(e)
mussel *meusseule* *n* moule
must *meuste* *vb* devoir ◇ **I must do it** je dois le faire
mustard *meusteude* *n* moutarde
mutton *meuteune* *n* mouton
muzzle *meuzeule* *n* museau
my *maï* *adj poss* mon, ma, mes
nail *naïle* *n* clou • (de doigt) ongle ◇ **nail clippers** coupe-ongles
naked *neïkide* *adj* nu(e)
name *neïme* *n* nom ◇ **family name** nom de famille ▪ *vb* nommer
nanny *nani* *n* nourrice
nap *nape* *n* sieste
napkin *napkine* *n* serviette
nappy *napi* *n* (GB) couche (de bébé)
narrow *neureou* *adj* étroit(e)
nationality *nacheunaliti* *n* nationalité
natural *natchreule* *adj* naturel(le)
nature *neïtcheu* *n* nature
naturist *neïtcheuriste* naturiste
nausea *no:zieu* *n* nausée

near *nire adv, prép* près (de)
nearby ***ni:r****baï loc* à proximité
necessarily *nèsseu****ssè****rili adv* nécessairement
necessary ***nè****ssèsseuri adj* nécessaire
neck *nèke n* cou
necklace ***nèk****leïsse n* collier
nectarine ***nèk****teurine n* nectarine
need *ni:de n* besoin ▪ *vb* avoir besoin de
needle ***ni:****deul n* aiguille
neighbour (GB), **neighbor** (US) ***neï****beu n* voisin(e)
neighbourhood (GB), **neighborhood** (US) ***neï****beuHoude n* voisinage
neither...nor ***neï****Veu...no:re conj* ni... ni
nervous ***neur****veusse adj* nerveux (-euse)
net *nète n* filet
network ***nèt****oueurke n* réseau
never ***nè****veu adv* jamais
new *niou adj* neuf(-ve), nouveau (-elle) ◇ **New Year** Nouvel An ◇ **New Year's Eve** Saint-Sylvestre
news *niouz n* informations, nouvelles ◇ **news bulletin** bulletin d'informations ◇ **a piece of news** une nouvelle
newspaper *niouzpe****ï****peu n* journal
New Zealand *niou* ***zi:****leunde npr* Nouvelle-Zélande
New Zealander *niou* ***zi:****leundeu n* Néo-Zélandais(e)
next *nèkste adj* suivant(e), prochain(e)
nice *naïsse adj* gentil(le), sympa ◇ **nice too meet you** enchanté(e)
nickname ***nik****neïme n* surnom
night *naïte n* nuit • (fin de journée) soirée

nine *naïne adj num* neuf
nineteen *naïnn****ti:ne*** *adj num* dix-neuf
ninth *naïnnFe adj num* neuvième
no *neou adv* non ◇ **"no parking"** "interdiction de stationner" ◇ **no one** personne
nobody ***neou****bodi pron* personne
noise *noïze n* bruit
noisy ***noï****zi adj* bruyant(e)
none *none adj, pron* aucun(e)
noodles ***nou****deulze npl* nouilles
normal ***no:r****meule adj* normal(e)
north *no:rFe n* nord
northern ***no:r****Veune adj* du nord, septentrional(e)
nose *neouze n* nez
not *note adv* pas ◇ **not...many not...much** peu de
notepad ***neoutt****pade n* carnet
nothing ***no****Finng pron* rien
notice ***neou****tisse n* notification ▪ *vb* remarquer
notification *neuoutifi****keï****cheune n* déclaration
novel ***no****veule n* roman
November *neou****vèmm****beu n* novembre
now *naou adv* maintenant
number ***neum****beu n* chiffre, nombre, numéro ◇ **number plate** plaque d'immatriculation
numbered ***neum****beude adj* numéroté(e)
numerous ***niou****mèreusse adj* nombreux(-euse)
nurse *neurse n* infirmier(-ère)
nursery school ***neur****seuri skoule n* (école) maternelle
nutcracker ***neutt****krakeu n* casse-noix
oak *eouke n* chêne

oar *o:re* *n* rame
object *obbjèkte* *n* objet
object *eubjèkte* *vb* objecter
occasion *eukeïjeune* *n* occasion
occupation *okioupeïcheune* *n* profession
ocean *eoucheune* *n* océan
October *okteoubeu* *n* octobre
octopus *okteupeusse* *n* poulpe
off *adj* • (nourriture) avarié(e) • (lumière, machine) éteint(e) • (robinet) fermé(e) • (rendez-vous) annulé(e) ◇ **to be off sick** être en congé maladie ◇ **off-season** hors saison ▪ *prép* (dans l'espace) ◇ **it's off Baker Street** c'est une rue qui donne dans Baker Street ◇ **it's off Portsmouth** c'est au large de Portsmouth ◇ **the hotel is 5km off** l'hotel est à 5 km
offence (GB), **offense** (US) *eufènnse* *n* délit
offer *ofeu* *vb* offrir ▪ *n* offre
office *ofisse* *n* bureau
often *ofeune* *adv* souvent
oil *oïle* *n* huile • (fuel) pétrole ◇ **oil change** vidange
ointment *oïnntmeunte* *n* pommade
OK *eou keï* *adj, excl* OK
old *eoulde* *adj* vieux, vieille, ancien(ne) ◇ **I'm 15 years old** j'ai 15 ans
oldest *oldeuste* *adj* aîné(e)
olive *olive* *n* olive
omelette *omleute* *n* omelette
on *one* *prép* sur, à ◇ **the house is on North Street** la maison est dans North Street ▪ *adv* (lumière, machine) allumé(e) • (robinet) ouvert(e) ◇ **on and off** par intermittence ◇ **it's still on** (film, pièce) ça se joue encore
once *oueunse* *adv* une fois
one *ouone* *num* un(e)
onion *onieune* *n* oignon
only *onnli* *adv* seulement
open *eoupeune* *adj* ouvert(e) ▪ *vb* ouvri[r]
opening *eoupeuninng* *n* ouverture
opera *opreu* *n* opéra ◇ **opera house** opéra
operate *opeureïte* *vb* opérer
operation *opeureïcheune* *n* opération
opinion *eupinieune* *n* avis, opinion
opportunity *opeutiounity* *n* occasion
opposite *opeuzite* *adj, n* contraire ▪ *pré[p]* en face de
optician *opticheune* *n* opticien(ne)
or *ore* *conj* ou
orange *orinndje* *adj, n* orange
orchestra *o:rkèstreu* *n* orchestre
order *o:rdeu* *n* ordre • (au restaurant) commande ▪ *vb* commander, passer commande ◇ **out of order** hors service
organ *o:rgueune* *n* orgue
organic *o:rganike* *adj* bio
organise *o:rgueunaïze* *vb* organiser
origin *oridjine* *n* origine
other *oVeu* *adj* autre
otherwise *oVeuouaïze* *conj* sinon, autrement
our *aoueu* *adj poss* notre, nos
ours *aourz* *poss* le (la) nôtre, les nôtres
out-of-date *aoute ofe deïte* *adj* périmé(e)
outside *aoutesaïde* *adv* dehors, à l'extérieur
oven *oveune* *n* four
overdraft *eouveudra:fte* *n* découvert (bancaire)
oversight *eouveusaïte* *n* oubli
overtake *eouveuteïke* (overtook, overtaken *eouveutouke, eouveuteïkeune*) *vb* dépasser, doubler
owe *eou* *vb* devoir
owner *eouneu* *n* propriétaire
ox (pl oxen) *o:kse, okseune* *n* bœuf
oyster *oïsteu* *n* huître

Pacific *Peussifike* adj, npr pacifique

pacifier *pa:ssifaïeu* n (US) tétine

pack *pake* n paquet ▪ vb faire ses bagages

packet *pakite* n paquet

paddle *padeule* n pagaie • (US : de ping-pong) raquette

padlock *padloke* n cadenas

paediatrician *pi:dieutricheune* n pédiatre

page *peïdje* n page

pail *peïle* n (US) seau

pain *peïne* n douleur ◇ **to be in pain** avoir mal

painkiller *païnnkileu* n analgésique

painter *peïnnteu* n peintre

painting *peïnntinng* n peinture, tableau, toile

pajamas *peudja:meuze* n (US) pyjama

palace *palisse* n palais

pale *peïle* adj pâle

palm tree *pa:me tri:* n palmier

panties *panntize* npl (US) slip

pants *panntse* npl • (GB) culotte, slip • (US) pantalon

panty hose *pannti Heouze* n (US) collants

papaya *peupaïeu* n papaye

paper *peïpeu* n papier • (officiel) document • (dissertation) mémoire

paracetamol *pareussi:teumole* n paracétamol

parachuting *pareuchoutinng* n parachutisme

paragliding *pa:reuglaïdinng* n parapente

parasol *pareusole* n parasol, ombrelle

parcel *pa:rseule* n colis, paquet

parents *pèreuntse* npl parents

park *pa:rke* n parc ◇ **amusement park** parc d'attractions ▪ vb stationner, (se) garer

parking *pa:rkinng* n stationnement ◇ **parking meter** horodateur ◇ **parking ticket** contravention, P.-V.

parsley *pa:rsli* n persil

part *pa:rte* n partie ◇ **to take part (in)** participer (à)

partner *pa:rtneure* n partenaire, associé(e)

party *pa:rti* n soirée, fête • (politique) parti

pass *pa:sse* n (de montagne) col • (abonnement) forfait ▪ vb passer • (un examen) réussir ◇ **to pass out** perdre connaissance

passenger *passinndjeu* n passager(-ère)

passionate *pacheunite* adj passionné(e)

passport *pa:sspo:rte* n passeport

password *pa:ssoueurde* n mot de passe

pasta *pa:steu* n pâtes (alimentaires)

pastry *peïstri* n pâte à tarte • (gâteau) pâtisserie

patch *patche* n rustine

path *pa:Fe* n sentier, chemin, allée

pavement *peïvmeunte* n • (GB) trottoir • (US) chaussée

pay *peï* (paid, paid *peïde, peïde*) vb payer, régler ▪ n paie

payment *peïmeunte* n paiement

peace *pi:sse* n paix

peach *pi:tche* n pêche

peanut *pi:neute* n cacahuète

pear *pèeu* n poire

pebble *pèbeule* n galet

pedal *pèdeule* n pédale

pedestrian *pidèstrieune* *n* piéton(ne) ◇ **pedestrian precinct** zone piétonne

peel *pi:le* *n* écorce, peau, pelure ▪ *vb* éplucher

peg *pègue* *n* épingle à linge • (de tente) piquet

pen *pènne* *n* stylo

pencil ***pènn**seule* *n* crayon

people ***pi**peule* *npl* gens, personnes

pepper ***pè**peu* *n* poivre • (légume) piment, poivron

perfect ***peur**fèkte* *adj* parfait(e)

performance *peu**fo:r**meunnse* *n* (spectacle) représentation

permitted *peur**mi**tide* *adj* permis(e)

pet *pète* *n* animal domestique

petrol ***pè**treule* *n* (GB) essence

phone *feoune* *n* téléphone ▪ *vb* téléphoner ◇ **phone book** annuaire

photo ***feou**teou* *n* photo

photocopy ***feou**teoukopi* *n* photocopie

photography *feu**to**greufi* *n* photographie

physical ***fi**zikeule* *adj* physique

physio ***fi**zieou* *n* kiné

pick *pike* *vb* choisir, cueillir

picnic ***pik**nike* *vb* pique-niquer ▪ *n* pique-nique

picture ***pik**tcheu* *n* photo ◇ **ID photo** photo d'identité

piece *pi:sse* *n* part, morceau ◇ **piece of advice** conseil

pig *pigue* *n* porc, cochon

pile *païle* *n* tas, pile ◇ **piles** (symptôme) hémorroïdes

pill *pile* *n* comprimé, pilule

pillow ***pi**leou* *n* oreiller ◇ **pillow case** taie d'oreiller

PIN *pine* *n* ◇ **PIN number** code confidentiel

pineapple ***païnn**apeule* *n* ananas

pine (tree) *païne (tri:)* *n* pin ◇ **pine nut** pignon (de pin)

pipe *païpe* *n* tuyau • (à fumer) pipe

pistachio *pis**ta:**chieou* *n* pistache

piste *piste* *n* piste

pit *pite* *n* (de fruit) noyau

pity ***pi**ti* *n* pitié ◇ **what a pity!** quel dommage !

place *pleïsse* *n* endroit, lieu, emplacement ▪ *vb* situer, placer

plain *pleïne* *adj* (couleur) uni(e) ▪ *n* plaine

plan *plane* *n* plan ▪ *vb* prévoir

plane *pleïne* *n* avion

plant *plannte* *n* plante

plaster ***plas**teu* *n* plâtre • (bandage) sparadrap

plastic ***plas**tike* *n* plastique

plate *pleïte* *n* plat, assiette

platform ***platt**fo:rme* *n* (de gare) quai

play *pleï* *vb* jouer ▪ *n* pièce de théâtre

player ***pleï**eu* *n* joueur(-euse) ◇ **MP3 player** lecteur MP3

pleasant ***plè**seunte* *adj* agréable

please *pli:ze* *loc* s'il vous plaît ▪ *vb* plaire à

pleasure ***plè**jeu* *n* plaisir ◇ **my pleasure!** de rien !

plug *pleugue* *n* prise (mâle) ▪ *vb* ◇ **to plug in** brancher

plum *pleume* *n* prune

plumber ***pleu**meu* *n* plombier

poached ***peout**chde* *adj* poché(e)

pocket ***po**kite* *n* poche ◇ **pocket knife** canif

point *poïnnte* *n* point ▪ *vb* montrer du doigt ◇ **to point out** signaler, montrer

police *peu**lisse*** *n* police ◇ **police station** commissariat de police

policeman, policewoman *peu**liss**mane, peu**liss**oumeune* *n* policier(-ère)

polish *poliche vb* cirer
polite *peulaïte adj* poli(e)
politeness *polaïtnisse n* politesse
pollute *peuloute vb* polluer
pond *ponnde n* étang, bassin
pool *poule n* bassin, mare
poor *pou:re adj* pauvre • (résultats) mauvais(e)
pork *po:rke n* (viande) porc
portal *po:rteule n* portail
possible *possibeule adj* possible
poste *peouste n* (GB) courrier ◊ **post office** poste ▪ *vb* poster
postcode *postkeoude n* (GB) code postal
poster *posteu n* affiche
postman, postwoman *peoustmeune, peoustoumeune n* facteur(-trice)
postpone *peoustpeoune vb* remettre (à plus tard), reporter
potato *peuteïteuou n* pomme de terre
poultry *peoultri n* volaille
pound *paounde n* livre • (pour voitures) fourrière
pour *po:re vb* verser
powder *paoudeu n* poudre
practice *praktisse n* pratique, expérience
practise *praktisse vb* pratiquer, s'entraîner (à)
practitioner *prakticheune n* ◊ **general practitioner** (médecin) généraliste
prawn *pro:ne n* crevette (rose)
pray *preï vb* prier
prefer *prifeu vb* préférer
pregnant *prègneunte adj* enceinte
premises *prèmissize n* local, locaux
prepare *pripère vb* préparer
prescribe *priskraïbe vb* prescrire
prescription *prèskripcheune n* ordonnance
present *prézeunte n* cadeau
present *prizènnte vb* présenter
preservative *prizeurveutive n* conservateur
press *prèsse n* presse ▪ *vb* appuyer
pressure *prècheu n* pression
pretty *priti adj* joli(e)
price *praïsse n* prix ◊ **price tag** étiquette
priest *priste n* prêtre, curé
primary *praïmeuri adj, n* primaire ◊ **primary school** (école) primaire
prince *prinnse n* prince
princess *prinnsèsse n* princesse
principle *prinnsipeule n* principe
print *prinnte vb* imprimer ▪ *n* trace
printer *prinnteu n* imprimante
priority *praïeuriti n* priorité
private *praïveute adj* privé(e)
prize *praïze n* prix (récompense)
problem *probleume n* problème
produce *preudiousse vb* produire
product *prodeukte n* produit
professional *preufècheuneule adj, n* professionnel(le)
program(me) *preougrame n* programme
pronounce *preunaounse vb* prononcer ◊ **how do you pronounce it?** comment ça se prononce ?
proper *propeu adj* correct(e) ◊ **proper noun** nom propre
property *propeuti n* propriété
proposal *preupeouzeule n* proposition
protect *preutèkte vb* protéger
Protestant *protisteunte adj, n* protestant(e)
prove *prouve vb* prouver

prune *proune* *n* pruneau
public *peublike* *adj* public(-que) ◇ **public holiday** jour férié
publicity *peublissiti* *n* publicité
pumpkin *peumpkine* *n* citrouille, potiron
punctual *peungktioueule* *adj* ponctuel(le)
puncture *peunktcheu* *n* crevaison
punnet *peunite* *n* barquette (de fruits)
pupil *pioupeule* *n* élève
purchase *peurtchisse* *n* achat ▪ *vb* acheter
purple *peurpo:le* *adj* violet(te)
purse *peurse* *n* • (GB) portemonnaie • (US) sac à main
push *pouche* *vb* pousser
pushchair *pouchtchère* *n* poussette
put *poute* (put, put *poute, poute*) *vb* poser, mettre ◇ **to put away** ranger ◇ **to put back** remettre ◇ **to put one's shoes on** se chausser ◇ **to put up** (personne) héberger
pyjamas *pidja:meuze* *n* pyjama
quail *koueïle* *n* caille
quarter *kouo:teu* *n* quart ◇ **quarter of an hour** quart d'heure
quay *ki:* *n* quai
queen *kouine* *n* reine
question *kouèstcheune* *n* question ▪ *vb* questionner, mettre en doute
queue *kiou* *n* (GB) queue, file d'attente ▪ *vb* faire la queue
quick *kouike* *adj* rapide
quickly *kouikli* *adv* rapidement, vite
quiet *kouaïeute* *adj* tranquille, silencieux(-euse) ▪ *n* calme
quince *kouinnse* *n* coing
rabbi *rabaï* *n* rabbin
rabbit *rabite* *n* lapin
rabies *reïbi:ze* *n* rage
race *reïsse* *n* course ▪ *vb* faire la course, courir
racket *rakite* *n* raquette • (bruit) tapage
radar *reïdeu* *n* radar
raddish *radiche* *n* radis
radiator *reïdièteu* *n* radiateur
rails *reïlz* *n* rails, voie
rain *reïne* *n* pluie ▪ *vb* pleuvoir
rainbow *reïnnbeou* *n* arc-en-ciel
raincoat *reïnnkeoute* *n* imperméable
rainy *reïni* *adj* pluvieux(-euse)
range *reïnndje* *n* gamme, choix
rape *reïpe* *n* viol ▪ *vb* violer
rare *rère* *adj* rare • (viande) saignant(e)
rash *rache* *n* éruption cutanée
raspberry *razzbeuri* *n* framboise
rat *rate* *n* rat
rate *reïte* *n* taux ◇ **exchange rate** taux de change
rather *raVeu* *adv* plutôt
raw *ro:* *adj* cru(e) ◇ **raw vegetables** crudités
razor *reïzeu* *n* rasoir
reach *ri:tche* *vb* (re)joindre, atteindre
read *ri:de* (read, read *rède, rède*) *vb* lire
ready *rèdi* *adj* prêt(e) ◇ **to get ready** se préparer
real *rieule* *adj* réel(le) ◇ **real estate** immobilier
really *rili* *adv* vraiment
reamer *rimeu* *n* (US) presse-agrume
rear *ri:r* *n* arrière ◇ **rear-view mirror** rétroviseur
reason *ri:zeune* *n* raison ▪ *vb* raisonner
reasonable *ri:zeuneubeule* *adj* raisonnable
receipt *rissi:te* *n* reçu
receive *rissi:ve* *vb* recevoir
reception *rissèpcheune* *n* réception, accueil
receptionist *risèpcheuniste* *n* réceptionniste
recipe *rèssipi* *n* recette

recognize *rèkeugnaïz* *vb* reconnaître

recommend *rikeumènnde* *vb* recommander

record *rèkeurde* *n* disque

record *riko:rde* *vb* enregistrer ◇ **recorded delivery** envoi (en) recommandé ◇ **I got a recorded message** je suis tombé sur un répondeur

recover *rikoveu* *vb* récupérer • (malade) guérir

rectangular *rèktannguiouleu* *adj* rectangulaire

recycle *rissaïkeule* *vb* recycler

red *rède* *adj* rouge ◇ **to have red hair** être roux(-sse)

redcurrant *rèddkeureunte* *n* groseille

reduced *ridiouste* *adj* réduit(e)

reflector *riflèkteu* *n* réflecteur

register *rèdjisteu* *vb* s'inscrire

registration *rèdjistreïcheune* *n* inscription ◇ **registration number** (numéro d') immatriculation

regret *rigrète* *vb* regretter ▪ *n* regret

reimburse *tou ri:immbeurse* *vb* rembourser

relationship *rileïcheunechipe* *n* relation

relax *rila:kse* *vb* (se) détendre

reliable *rilaïeubeule* *adj* fiable

remain *ri:meïne* *vb* rester

remains *ri:meïnnz* *npl* vestiges

remark *rima:rke* *n* remarque

remember *rimèmmbeu* *vb* se rappeler, se souvenir de

remind *ri:maïnde* *vb* rappeler

remote control *rimeoute keuntreoule* *n* télécommande

remove *rimouve* *vb* ôter, enlever

rent *rènnte* *vb* louer ▪ *n* loyer

repair *ripère* *vb* réparer

repatriate *ri:patrieïte* *vb* rapatrier

repatriation *ri:patrieïcheune* *n* rapatriement

repeat *ripi:te* *vb* répéter

reply *riplaï* *n* réponse ▪ *vb* répondre

report *ripo:rte* *n* rapport ▪ *vb* signaler, déclarer

request *rikouèste* *n* demande ▪ *vb* demander

research *riseurtche* *n* recherche

researcher *riseurtcheu* *n* chercheur(-euse)

reservation *rizeurveïcheune* *n* réservation

resort *rizo:rte* *n* recours ◇ **as a last resort** en dernier recours

resources *risso:rsize* *npl* ressources

respect *rispèkte* *n* respect ▪ *vb* respecter

rest *rèste* *n* repos ▪ *vb* se reposer

restaurant *rèssteureunte* *n* restaurant

résumé *reïzioumeï* *n* (US) curriculum vitae, CV

retire *ritaïeu* *vb* prendre sa retraite

retirement *ritaïeumeunte* *n* retraite

return *riteurne* *n* retour ◇ **return ticket** billet (de) retour ▪ *vb* retourner

reverse-charge call *riveurse tcha:dje ko:le* *n* appel en PCV

review *riviou* *n* révision • (de spectacle) critique

rheumatism *roumeutizeume* *n* rhumatisme

rhubarb *rouba:be* *n* rhubarbe

rib *ribe* *n* côte ◇ **rib steak** entrecôte

rice *raïsse n* riz ◇ **brown/white/fried rice** riz complet/blanc/cantonais ◇ **rice pudding** riz au lait
rich *ritche adj* riche
rickshaw ***rik**cho n* pousse-pousse
ride *raïde* (rode, ridden *reoude, **ri**deune*) *vb* (cheval) monter ◇ **to ride a bike/a motorbike** faire du vélo/de la moto ▪ *n* balade (à cheval, en vélo, à moto)
right *raïte adj* juste, correct(e)
right *raïte n* (direction) droite ◇ **on the right** à droite, sur la droite • (prérogative) droit ◇ **right of way** priorité (sur la route)
rim *rime n* bord • (de roue) jante
ring *rinng n* anneau, bague ▪ *vb* (rang, rung *ranng, reunng*) sonner, appeler (au téléphone)
rip *ripe n* déchirure
ripe *raïpe adj* mûr(e)
rise *raïze n* (de prix) hausse ▪ *vb* (rose, risen *reouze, **ri**zeune*) se lever • (prix) augmenter
risk *riske n* risque ▪ *vb* risquer
risky ***ri**ski adj* risqué(e)
river ***ri**veu n* rivière, fleuve
road *reoude n* route, chaussée
roadblock ***reoud**bloke n* barrage routier
roadside ***reoude**saïde n* bord de la route, bas-côté ◇ **by the roadside** au bord de la route
roast *reoust adj, n* rôti(e)
rock *roke n* rocher
rollerblades ***reou**leubleïdze npl* rollers
Romanesque *reoumeu**nèske** adj* roman(e)
roof *roufe n* toit
room *roume n* pièce, salle ◇ **dining room** salle à manger ◇ **waiting room** salle d'attente
roommate ***roum**meïte n* (US) colocataire
root *route n* racine
rose *reouze adj, n* rose
rosé ***reou**zeï adj* rosé(e)
rosy ***reou**zy adj* rosé(e)
round *raounde adj* rond(e) ▪ *n* tournée
roundabout ***raoun**deubaoute n* (GB) rond-point
route *route n* parcours, itinéraire
rowing ***reou**inng n* aviron
royal ***roï**eule adj* royal(e)
rubber ring ***reu**beu rinng n* bouée
rubbish ***reu**biche npl* (GB) ordures ◇ **rubbish bin** poubelle
rude *roude adj* impoli(e)
ruins *rouinnze npl* ruines
rule *roule n* règle ▪ *vb* (souverain) régner
ruler ***rou**leu n* règle • (personne) souverain(e)
rum *reume n* rhum
run *reune* (ran, run *ranne, reune*) *vb* courir ▪ *n* ◇ **ski run** piste de ski
sad *sade adj* triste
saddle ***sa**deule n* selle
safe *seïfe adj* sûr(e) ▪ *n* coffre-fort
safety ***seïf**ti n* sécurité
saffron ***sa**freune n* safran
sail *seïle n* voile ▪ *vb* naviguer
sailboat ***seïl**beoute n* voilier
saint *seïnte n* saint(e)
salad ***sa**leude n* salade
salary ***sa**leuri n* salaire
sale *seïle n* vente ◇ **on sale** à vendre **sales** soldes
salmon ***sa:**meune n* saumon
salt *so:lte n* sel ◇ **salt shaker** salière
salty *so:lti adj* salé(e)
same *seïme adj* même
sand *sannde n* sable
sandal ***sann**deule n* sandale
sardine *sa:r**dinne** n* sardine

satisfied *satisfaïde adj* satisfait(e)
satisfy *satisfaï vb* satisfaire
satisfying *satisfaïinng adj* satisfaisant(e)
Saturday *sateudeï n* samedi
sauce *so:sse n* sauce
saucepan *seousspeune n* casserole
sauna *so:neu n* sauna
sausage *so:ssidje n* saucisse
save *seïve vb* sauver, sauvegarder • (argent) épargner
savoury (GB), **savory** (US) *seïveuri adj* salé(e)
say *seï* (said, said *sède, sède*) *vb* dire
saying *seïinng n* dicton
scallops *skaleupse npl* coquilles Saint-Jacques
scanner *skaneu n* scanner
scar *ska:re n* cicatrice
scarf (pl scarves) *ska:rfe, ska:rvz n* foulard, écharpe
scent *sènnte n* parfum
schedule *chédioule n* agenda, calendrier, horaire
school *skoule n* école
scientist *saïeuntiste n* scientifique
scissors *sizeusse npl* ciseaux
scoop *skoupe n* boule (de glace)
scooter *skouteu n* trottinette, scooter
score *sko:re n* score ▪ *vb* marquer (des points)
scorpion *sko:rpieune n* scorpion
Scotland *skottleunde npr* Écosse
Scottish *skotiche adj* écossais(e)
scratch *skratche n* griffure, égratignure ▪ *vb* griffer, égratigner
screen *skri:ne n* écran
screw *skrou n* vis
scuba diving *skoubeu daïvinng n* plongée sous-marine
sculpture *skeulptcheu n* sculpture
sea *si: n* mer ◇ **sea bream** daurade ◇ **sea urchin** oursin ◇ **sea front** front de mer
seagull *si:gueule n* mouette
seal *si:le n* phoque
season *si:zeune n* saison ◇ **high/low season** haute/basse saison ▪ *vb* assaisonner
seasonal *si:zeuneule adj* de saison, saisonnier ◇ **seasonal fruit** fruits de saison
seasoning *si:zeuninng n* assaisonnement
seat *si:te n* siège ◇ **back seat** siège arrière ◇ **front seat** siège avant
seated *si:tide adj* assis(e)
seaweed *si:oui:de n* algue(s)
second *sèkeunde adj, n* second(e) ◇ **second-hand** d'occasion ▪ *n* (d'heure) seconde
secondary *sèkeundeuri adj* secondaire ◇ **secondary school** (GB) collège, lycée
secretarial *sékreutérieule adj* de secrétariat
secretary *sèkreutri n* secrétaire **secretary's office** secrétariat
security *sèkiouriti n* sécurité ◇ **security tag** antivol
see *si:* (saw, seen *so:, si:ne*) *vb* voir ◇ **to see again** revoir
seed *si:de n* pépin, graine
seedless *si:dlèsse adj* sans pépins
sell *sèle* (sold, sold *seoulde, seoulde*) *vb* vendre
seminar *sèmina:r n* séminaire
send *sènnde* (sent, sent *sènnte, sènnte*) *vb* envoyer
sender *sènndeu n* expéditeur (-trice)
sensitive *sènnsitive adj* sensible
sentence *sènnteunse n* phrase
separate *sèpeureïte adj* séparé(e)

September *sèptèmmbeu* *n* septembre
serious *sirieusse* *adj* sérieux(-euse) • (blessure) grave
serve *seurve* *vb* servir
service *seurvisse* *n* service
setback *sèttbake* *n* contretemps
settee *séti* *n* canapé
settle *sèteule* *vb* • (problème) arranger, résoudre • (quelque part) s'installer
seven *sèveune* *adj num* sept
seventeen *sèveunti:ne* *adj num* dix-sept
seventh *sèveunFe* *adj num* septième
seventy *sèveunti* *adj num* soixante-dix
several *sèvreule* *adj* plusieurs
sex *sèkse* *n* sexe
shade *cheïde* *n* ombre
shadow *chadeou* *n* ombre
shady *cheïdi* *adj* ombragé • (attitude) louche
shake *cehïke* (shook, shaken *chouk, cheïkeune*) *vb* secouer • (de froid, de peur) trembler
shallot *cheulote* *n* échalote
shame *cheïme* *n* honte ◇ **what a shame!** quel dommage !
shampoo *chammpou* *n* shampoing
shandy *channdi* *n* panaché
shape *cheïpe* *n* forme ▪ *vb* former
share *chère* *vb* partager ▪ *n* part, partie
shark *cha:rke* *n* requin
shave *cheïve* *vb* (se) raser ◇ **shaving foam** mousse à raser
sheep *chi:pe* *n* mouton
sheet *chi:te* *n* drap
shelf (pl shelves) *chèlve, chèlvz* *n* étagère
shell *chèle* *n* coquillage
shellfish *chèlfiche* *n* coquillage, crustacés
shine *chaïne* (shone, shone *chone, chone*) *vb* briller ◇ **the sun is shining** il fait soleil
shirt *cheurte* *n* chemise
shiver *chiveu* *vb* trembler
shock *choke* *n* choc ▪ *vb* choquer
shoe *chou* *n* chaussure ◇ **shoe polish** cirage
shop *chope* *n* (GB) magasin, boutique, commerce ◇ **shop assistant** vendeur (-euse)
shopkeeper *chopki:peu* *n* marchand(e)
short *cho:rte* *adj* court(e) ◇ **short-sighted** myope ◇ **short story** nouvelle
shortcut *cho:rtkeute* *n* raccourci
shorts *cho:rtse* *n* short • (US) caleçon
shoulder *chaouldeu* *n* épaule
shout *chaoute* *n* cri ▪ *vb* crier
show *cheou* *n* spectacle ▪ *vb* montrer
shower *chaoueu* *n* douche
shrimp *chrimmpe* *n* crevette grise
shrub *chreube* *n* arbuste
shutter *cheuteu* *n* volet
shuttle *cheuteule* *n* navette
sick *sike* *adj* malade ◇ **to be sick** (GB) être malade, vomir
side *saïde* *n* côté
sidewalk *saïdouoke* *n* (US) trottoir
sign *saïne* *n* panneau ◇ **road sign** panneau de signalisation ▪ *vb* signer
signal *signeule* *n* signal ◇ **I have no signal** (avec portable) je n'ai pas de réseau
signature *signeutcheu* *n* signature
silent *saïleunte* *adj* silencieux(-euse)
silk *silke* *n* soie
silly *sily* *adj* sot(te)
silver *silveu* *n* argent
simple *simmpeule* *adj* simple
since *sinnse* *prép* depuis
sing *sinngue* (sang, sung *sanngue, seungue*) *vb* chanter
singer *sinngueu* *n* chanteur(-euse)
single *sinngueule* *adj* célibataire ◇ **single room** chambre individuelle

sink *sinnke* *n* évier
sinusitis *saïneussaïtisse* *n* sinusite
sir *seure* *n* monsieur
sister *sisteu* *n* sœur ◇ **sister-in-law** belle-sœur
sit *site* (sat, sat *sate, sate*) *vb* ◇ **to sit down** s'asseoir
site *saïte* *n* emplacement • (web) site
six *sikse* *adj num* six
sixteen *siksti:ne* *adj num* seize
sixth *sikFe* *adj num* sixième
sixty *siksti* *adj num* soixante
size *saïze* *n* taille
skating rink *skeïtinng rinnke* *n* patinoire
skewer *skioueu* *n* brochette
ski *ski* *vb* skier ▪ *n* ski ◇ **ski lift** télésiège, remontée mécanique ◇ **ski resort** station de ski
skin *skine* *n* peau
skinny *skini* *adj* maigre
skirt *skeurte* *n* jupe
sky *skaï* *n* ciel
skyscraper *skaïskreïpeu* *n* gratte-ciel
sledge (GB) *slèdje*, **sled** (US) *slède* *n* luge
sleep *sli:pe* (slept, slept *slèpte, slèpte*) *vb* dormir ▪ *n* sommeil ◇ **sleeping bag** duvet, sac de couchage ◇ **sleeping pill** somnifère ◇ **sleeping car** wagon-couchettes
sleepy *sli:pi* *adj* ◇ **to be sleepy** avoir sommeil
sleeve *sli:ve* *n* manche
slice *slaïsse* *n* tranche ▪ *vb* trancher
slight *slaïte* *adj* petit(e), léger(-ère) • (personne) menu(e) ◇ **the slightest noise** le moindre bruit
slim *slime* *adj* mince
slippery *sliperi* *adj* glissant(e)
slope *sleoupe* *n* côte, pente
slow *sleou* *adj* lent(e) ▪ *vb* ◇ **to slow down** freiner, ralentir
slowly *sleouli* *adv* lentement, doucement
small *smo:l:te* *adj* petit(e)
smallpox *smo:lpokse* *n* variole
smart *sma:rte* *adj* intelligent(e) • (vêtement) chic, élégant(e)
smell *smèle* *n* odeur ▪ *vb* sentir
smile *smaïle* *n, vb* sourire
smoke *smeouke* *vb* fumer ▪ *n* fumée
smoker *smeoukeu* *adj* fumeur (-euse)
smooth *smouVe* *adj* uni(e), lisse
snack *snake* *n* encas, goûter
snail *sneïle* *n* escargot
snake *sneïke* *n* serpent
snatch *snatche* *vb* arracher
sneeze *sni:ze* *vb* éternuer ▪ *n* éternuement
snorkel *sno:rkeule* *n* tuba
snorkelling *sno:rklinng* *n* plongée (avec tuba)
snow *sneou* *n* neige ▪ *vb* neiger
so *seou* *adv* donc, alors • (intensif) si, tellement
soap *seoupe* *n* savon
soccer *so:keu* *n* football
sock *soke* *n* chaussette
socket *seoukète* *n* prise (femelle)
soda *seoudeu* *n* soda
sofa *seoufeu* *n* canapé, sofa
soft *softe* *adj* doux, douce, mou, molle
soil *soïle* *n* terre
solar *seouleu* *adj* solaire
sole *seoule* *n* semelle • (poisson) sole
some *some* *art* du, de la, des ◇ **some wine** du vin ◇ **some apples** des pommes

some *some adj indef* quelques
somebody ***somm**bodi pron* quelqu'un
somehow ***somm**Haou adv* d'une manière ou d'une autre
someone ***somm**ouane pron* quelqu'un
something ***somm**Finng pron* quelque chose ◇ **something else** quelque chose d'autre
sometimes ***somm**taïmz adv* parfois
somewhere ***somm**ouère adv* quelque part
son *seune n* fils ◇ **son-in-law** gendre
song *sonngue n* chanson
soon *soune adv* bientôt
sore *adj* douloureux(-euse) ◇ **to have a sore throat** avoir mal à la gorge
sorrel *soreule n* oseille
sorry *sori adj* ◇ **to be sorry (about)** regretter ◇ **sorry!** pardon !, désolé(e) !
sort *so:rte n* espèce ▪ *vb* trier
soup *soupe n* soupe, potage
sour *saoueu adj* acide, aigre
source *so:rsse n* source
south *saouFe n* sud
southern ***saou**Veune adj* du sud, méridional(e)
soya (GB) *soïa*, **soy** (US) *soï n* soja
space *speïsse n* espace, place
spare *spère adj* de rechange ◇ **spare time** loisir ◇ **spare wheel** roue de secours
spark *spa:rke* étincelle ◇ **spark plug** bougie
speak *spi:ke* (spoke, spoken *speouke, **speou**keune*) *vb* parler
spectator *spèk**teï**teu n* spectateur (-trice)
speed *spi:de n* vitesse, allure ▪ *vb* conduire trop vite, excéder la limitation de vitesse
speeding ***spi:**dinng n* excès de vitesse
speedometer *spi**do**miteu n* compteur

spell *spèle vb* épeler
spend *spènnde* (spent, spent *spènnt, spènnt*) *vb* dépenser • (du temps) passer
spice *spaïsse n* épice
spicy ***spaï**ssi adj* pimenté(e), épicé(e)
spider ***spaï**deu n* araignée
spill *spile vb* renverser
spinach ***spi**nitche npl* épinards
sponge *sponndje n* éponge
spoon *spoune n* cuillère
sporty ***spo:r**ti adj* sportif(-ive)
spot *spote n* endroit • (sur la peau) bouton
sprain *spreïne vb* se fouler *n* entorse
spread *sprède* (spread, spread *sprède*) *vb* étaler ▪ *n* pâte à tartiner
spring *sprinngue n* printemps • (d'eau) source
square *skouère adj, nm* carré(e)
squid *skouide n* calamar
squirrel ***skoui**reule n* écureuil
stabilizing ***steï**beulaïzinng adj* stabilisateur(-trice)
stadium ***steï**dieume n* stade
stain *steïne vb* tacher ▪ *n* tache
staircase ***stèr**keïsse n* escalier
stall *sto:le n* étal ▪ *vb* caler
stamp *stammp n* timbre ▪ *vb* affranchir, oblitérer
stand *stannde n* kiosque ◇ **taxi stand** station de taxis ▪ *vb* (stood, stood *stoude, stoude*) se lever, rester debout • (une attitude) supporter
star *sta:re n* étoile
start *sta:rte vb* démarrer, commencer ▪ *n* démarrage, début
starter ***sta:r**teu n* hors-d'œuvre, entrée
state *steïte n* état ▪ *vb* déclarer
station ***steï**cheune n* station • (de train) gare ◇ **petrol** (GB) ou **gas** (US) **station** station-essence, pompe à essence
stationer's (shop) ***steï**cheuneuz (chope) n* papeterie

stay *steï* *vb* rester ▪ *n* séjour
steal *sti:le* (stole, stolen *steoule, steouleune*) *vb* voler
steam *sti:me* *n* vapeur
steamed *sti:mde* *adj* à la vapeur
steel *sti:le* *n* acier
steering wheel *sti:rinng oui:le* *n* volant ◇ **steering wheel lock** antivol
step *stèpe* *n* pas • (d'escalier) marche ▪ *vb* ◇ **to step on** marcher sur
stepbrother *stèpbroVeu* *n* beau-frère
stepfather *stèpfa:Veu* *n* beau-père
stepmother *stèpmoVeu* *n* belle-mère
stepsister *stèpsisteu* *n* belle-sœur
stew *stiou* *n* ragoût, daube ▪ *vb* faire cuire en ragoût ◇ **stewed fruit** compote de fruits
stick *stike* (stuck, stuck *steuke, steuke*) *vb* coller ▪ *n* baton
sticker *stikeu* *n* autocollant
still *stile* *adj* immobile • (eau) plat(e) ▪ *adv* toujours
sting *stinngue* (stung, stung *steungue, steungue*) *vb* piquer
stock *stoke* *n* réserve ▪ *vb* stocker
stockings *sto:kinngz* *npl* bas
stomach *stomeuke* *n* estomac, ventre
stone *steoune* *n* pierre • (de fruit) noyau
stool *stoule* *n* tabouret ◇ **stools** (excréments) selles
stop *stope* *vb* (s')arrêter ▪ *n* arrêt
stopover *stopeouveu* *n* (GB) escale
store *sto:re* *n* (US) magasin, commerce, boutique ◇ **department store** grand magasin
storey *sto:ri* *n* (GB) étage
storm *sto:rme* *n* orage, tempête
stormy *sto:rmi* *adj* orageux(-euse)
story *sto:ri* *n* histoire • (US : de bâtiment) étage
stove *steouve* *n* (US) cuisinière
straight *streïte* *adj* droit(e) ◇ **to go straight on** aller tout droit
strange *streïnndje* *adj* bizarre, étrange
stranger *streïnndjeu* *n* étranger (-ère)
straw *stro:* *n* paille
strawberry *stro:beuri* *n* fraise
street *stri:t* *n* rue
streetcar *stri:te ka:r* *n* (US) tramway
stressful *strèssfoule* *adj* stressant(e)
strike *straïke* *n* grève ◇ **on strike** en grève ▪ *vb* (struck, struck *streuke, streuke*) frapper
string *strinng* *n* ficelle
stripe *straïpe* *n* rayure, bande
striped *sraïpte* *adj* rayé(e)
strong *stronng* *adj* fort(e)
struggle *streugueule* *n* lutte ▪ *vb* lutter
student *stioudeunte* *n* étudiant(e)
studio *stioudieu* *n* studio
study *steudi* *n* étude ▪ *vb* étudier
stuffing *steufinng* *n* farce
subscriber *seubskraïbeu* *n* abonné(e)
subscribe to *seubskraïbe tou* *vb* s'abonner à
subscription *seubskripcheune* *n* abonnement ◇ **to have a subscription to** être abonné à
substitute *seubstitioute* *n* substitut • (personne) remplaçant(e)
subtitled *seubtaïteulde* *adj* sous-titré(e)
subtitles *seubtaïteulz* *npl* sous-titres

suburbs *seubeubz npl* banlieue

subway ***seu**boueï n* • (GB) passage souterrain • (US) métro

succeed *seu**ksi:de** vb* réussir

sufficient *seu**fi**cheunte adj* suffisant(e)

sugar ***chou**gueu n* sucre ◇ **brown/white sugar** sucre brun/blanc

suggest *seu**djèste** vb* proposer

suit *soute vb* convenir ▪ *n* costume

suitcase ***soutt**keïsse n* valise

summer ***seu**meu n* été

sun *seune n* soleil ◇ **sun cream** crème solaire

Sunday ***seun**deï n* dimanche

sunflower ***seun**flaoueu n* tournesol

sunny ***seu**ni adj* ensoleillé(e)

sunstroke ***seun**streouke n* insolation

support *seu**po:rte** vb* soutenir ▪ *n* soutien

surf *seurf n* vagues ▪ *vb* surfer

surgeon ***seur**djeune n* chirurgien(ne)

surgery ***seur**djeuri n* opération • (de médecin) cabinet médical

surprise *seu**praïze** n* surprise ▪ *vb* étonner, surprendre

surroundings *seu**raound**inngze npl* environs

suspend *seus**spènnde** vb* suspendre

suspenders *seu**spènn**deuz npl* (US) bretelles

swallow ***soua**leou vb* avaler

sweat *souète n* sueur ◇ **sweat suit** (US) survêtement ▪ *vb* suer

sweet *souite adj* sucré(e) ▪ *n* friandise, bonbon

swell (swole, swollen *soueoule, **soueou**leune) souèle vb* enfler

swelling ***souè**linng n* enflure

swim *souime* (swam, swum *souame, soueume) vb* nager, se baigner

swimming ***soui**minng n* natation ◇ **swimming-pool** piscine

◇ **swimming trunks** maillot de bain

swimsuit ***souimm**soute n* maillot de bain

swindle ***souinn**deule n* arnaque ▪ *vb* arnaquer

swing *souinng n* balançoire

switch *souitche n* bouton, interrupteur

swollen ***soueou**leune adj* enflé(e)

synagogue ***si**neugogue n* synagogue

syrup ***si**reupe n* sirop

table ***teï**beule n* table ◇ **table tennis** ping-pong

tablecloth ***teï**beulkloFe n* nappe

tablet ***ta**blète n* cachet • (appareil) tablette

tail *teïle n* queue ◇ **tail pipe** (US) pot d'échappement

take *teïke* (took, taken *touke, **teï**keune) vb* prendre, emmener ◇ **to take back** reprendre ◇ **to take off** décoller

take-off *teïke ofe n* décollage

tale *teïle n* conte

talk *to:ke vb* parler ▪ *n* discussion

tall *to:le adj* grand(e)

tampon ***ta:mm**pone n* tampon (hygiénique)

tan *tane n* bronzage

tangerine *tanndjeri:ne n* mandarine

tank *tannke n* réservoir

tanned *tannde adj* bronzé(e)

tap *tape n* (GB) robinet

tarragon ***ta**reugueune n* estragon

tart *ta:rte n* tarte

task *ta:ske n* tâche

taste *teïste n* goût ▪ *vb* goûter ◇ **to taste like** avoir le goût de

tasteless ***teïst**lèsse adj* fade

tasty ***teï**sti adj* bon(ne), goûteux (-euse)

tax *takse n* taxe, impôt

taxi ***ta**ksi n* taxi ◇ **taxi meter** taximètre ◇ **taxi stand** station de taxis

tea *ti:* n thé ◇ **tea cosy** couvre-théière ◇ **tea towel** torchon
teach *ti:che* (taught, taught *to:te, to:te*) vb enseigner
teacher ***ti:**tcheu* n enseignant(e), professeur
teaching ***ti:**tchinng* n enseignement
team *ti:me* n équipe
teapot ***ti:**pote* n théière
tear *tère* (tore, torn *tore, torne*) vb déchirer ▪ n déchirure
tears *ti:rze* npl larmes
teenager ***ti:ne**ïdjeu* n adolescent(e)
television ***tè**lèvijeune* n télévision
tell *to tèle* (told, told *teoulde, teoulde*) vb dire, raconter
temperature ***tèmm**preutcheu* n température ◇ **to run a temperature** avoir de la fièvre
temple ***tèmm**peule* n temple
tempt *tèmmpte* vb tenter
ten *tène* adj num dix
tenant ***tè**nent* n locataire
tent *tènnte* n tente
tenth *tènnFe* adj num dixième
terminal ***teur**mineule* n terminal
terminus ***teur**mineusse* n terminus
terrace ***tè**reusse* n terrasse
terraced ***tè**riste* adj en terrasses • (GB : maison) mitoyen(ne)
terrific *teu**ri**fike* adj terrible
test *tèste* n essai, test ▪ vb tester
tetanus ***tè**teuneusse* n tétanos
text *tèkste* n texte ◇ **text message** SMS ▪ vb envoyer un SMS (à)
Thames (the) *tèmmze (Ve)* npr la Tamise
thank *Fannke* vb remercier ◇ **thank you** merci
thanks *Fannksse* npl remerciements ▪ interj merci !
that *Vate* adj dém ce, cet, cette ◇ **that one** celui-là, celle-là ▪ pron dém ça ▪ pron, conj que
the *Ve* art le, la, les
theatre (GB), **theater** (US) ***Fieu**teu* n théâtre
theft *Fèfte* n vol
their *Vère* adj poss leur(s)
theirs *Vèrz* pron poss le(s) leur(s), la leur
them *Veume* pron pers eux, les
then *Vène* adv ensuite, alors
there *Vère* adv là ◇ **over there** là-bas ▪ pron ◇ **there is, there are** il y a
thermometer *Feu**mo**miteu* n thermomètre
Thermos flask ***Feur**meusse fla:ske* n Thermos
they *Veï* pron pers ils, eux
thief (pl thieves) *Fi:fe, Fi:vz* n voleur(-euse)
thigh *Faï* n cuisse
thin *Fine* adj fin(e), maigre
thing *Finng* n chose
think *Finnke* (thought, thought *Fo:te, Fo:te*) vb réfléchir, croire, penser
third *Feurde* adj num troisième ▪ n tiers
thirst *Feurste* n soif
thirsty ***Feur**sti* adj ◇ **to be thirsty** avoir soif
thirteen *Feur**ti:ne*** adj num treize
thirtieth ***Feur**tiFe* adj num trentième
thirty ***Feur**ti* adj num trente
this *Visse* adj dém ce, cet, cette ◇ **this is** c'est ◇ **this one** celui-ci, celle-ci
thong *Fonng* n (US) tong
thorn *Fo:rne* n épine
thousand ***Faou**zeunde* n millier ▪ adj num mille

ANGLAIS-FRANÇAIS

thread *Frède n* fil
three *Fri: adj num* trois
thriller ***Fri**leu n* policier
throat *Freoute n* gorge
throw *Freou* (threw, thrown *Frou, Freoune*) *vb* lancer ◇ **to throw away** jeter
thunder ***Feun**deu n* tonnerre
Thursday ***Feurz**deï n* jeudi
thyme *taïme n* thym
ticket ***ti**kite n* billet, ticket ◇ **ticket inspector** contrôleur ◇ **ticket office** guichet, billetterie ◇ **ticket machine** billetterie automatique
tide *taïde n* marée
tidy ***taï**di vb* ranger ▪ *adj* bien rangé(e), ordonné(e)
tight *taïte adj* serré(e)
tights *taïtse npl* (GB) collants
time *taïme n* temps ◇ **two/three times** deux/trois fois ◇ **to be on time** être à l'heure ◇ **time difference** décalage horaire
timetable ***taïmm**teïbeule n* horaire
tin-opener *tine **eou**peuneu n* ouvre-boîtes
tip *tipe n* pourboire ▪ *vb* donner un pourboire à
tire *taïeu vb* fatiguer ▪ *n* (US) pneu
tired ***taï**eude adj* fatigué(e)
tissue ***ti**chou n* mouchoir jetable
to *tou prép* à • (direction) vers
toad *teoude n* crapaud
toaster ***teouss**teu n* grille-pain
tobacco *teu**ba**keou n* tabac
tobacconist's *teu**ba**keunistse n* bureau de tabac
today *teu**deï** adv* aujourd'hui
toe *teou n* orteil
toffee ***to**fi n* caramel
together *tou**guè**Veu adv* ensemble
toilet ***toï**leutse npl* toilettes ◇ **toilet flush** chasse (d'eau)

toll *teoule n* péage ◇ **toll-free** gratuit(e)
tomato *teu**ma**teou n* tomate
tomorrow *teu**mo**reou n* demain ◇ **the day after tomorrow** après-demain
tongue *teungue n* langue
too *tou adv* aussi ◇ **too many, too much** trop (de)
tool *toule n* outil
tooth (pl teeth) *touFe, ti:F n* dent
toothbrush *touFe breuche n* brosse à dents
toothpaste ***touFe**peïste n* dentifrice
toothpick ***touF**pike n* cure-dent
top *n* haut ◇ **on top** au-dessus
topic ***to**pike n* sujet, question
torch *tor:tche n* lampe de poche
touch *teutche n, vb* toucher
tour *toure n* circuit
tourist ***tou**riste n* touriste ▪ *adj* touristique ◇ **tourist (information) office** office de tourisme
touristy ***tou**risti adj* (très) touristique
tow *teou vb* remorquer ◇ **tow truck** (US) dépanneuse
towards *teu**ouordz** prép* vers
towel ***taou**eule n* serviette
towelette *taoueu**lète** n* lingette
tower ***tao**ueu n* tour
town *taoune n* ville ◇ **town hall** mairie
toy *toï n* jouet
trace *treïsse n* trace, marque
track *trake n* piste
tracksuit ***trak**sioute n* survêtement
trade *treïde n* commerce
traditional *treu**di**cheuneule adj* traditionnel(le)
traffic ***tra**fike n* circulation ◇ **traffic circle** (US) rond-point ◇ **traffic lights** feux de signalisation ◇ **traffic jam** embouteillage, bouchon
trail *treïle n* piste, sentier

trailer *treïleu* n remorque • (US) caravane • (de film) bande-annonce
train *treïne* n train ◇ **through/ fast train** train direct/express ▪ vb former
training *treïninng* n formation **training course** stage, formation
tramcar *trammka:r* n (GB) tramway
transfer *trannsfeu* vb transférer ▪ n transfert • (bancaire) virement
translate *trannsleïte* vb traduire
translation *trannsleïcheune* n traduction
transmit *trannzmite* vb transmettre
transport *trannspo:rt* n transport ◇ **means of transport** moyens de transport
transportation *trannspo:rteïcheune* n (US) transport
trash *trache* n (US) ordures ◇ **trash can** poubelle
travel *traveule* vb voyager ▪ n voyage(s)
traveller (GB), **traveler** (US) *traveule* n voyageur(-euse) ◇ **traveller's tummy** turista
tray *treï* n plateau, bac ◇ **tray table** tablette
treat *tri:te* vb traiter
treatment *tri:tmeunte* n traitement
tree *tri:* n arbre
trend *trènnde* n tendance
trendy *trènndi* adj branché(e)
trial *traïeule* n essai ◇ **on trial** à l'essai
trip *tripe* n voyage, excursion
tripes *traïpse* npl tripes
trolley *troli* ▪ n (GB) chariot, caddie ◇ **luggage trolley**
tropical *tropikeule* adj tropical(e)
trousers *traouzeuze* n (GB) pantalon
trout *traoute* n truite
truck *treuke* n (US) camion
true *trou* adj vrai(e)
truffle *treufeule* n truffe
trunk *treunke* n tronc • (US : de voiture) coffre
trust *treuste* n confiance ▪ vb avoir confiance en
try *traï* vb tenter, essayer
tub *teube* n (US) baignoire
tube *tioube* n tube • (GB : transport) métro
Tuesday *tiouzdeï* n mardi
tuition *touïcheune* n cours ◇ **private tuition** cours particuliers
tumble dryer *teumbeule draïeu* n sèche-linge
tuna *tiouneu* n thon
tunnel *teuneule* n tunnel
turkey *teurki* n dinde
turn *teurne* n tour
in turns en alternance vb tourner ◇ **to turn off** éteindre ◇ **to turn on** ouvrir, allumer ◇ **to turn round** se retourner
turnip *teurnipe* n navet
tweezers *toui:zeuze* n pince à épiler
twelve *touèlve* adj num douze
twentieth *touènnti:Fe* adj num vingtième
twenty *touènnti* adj num vingt
twice adv *touaïsse* deux fois
twin *touine* adj, n jumeau(-elle)
twist *touiste* vb tordre
two *tou* adj num deux
type *teïpe* n type ▪ vb taper
typical *tipikeule* adj typique
tyre *taïeu* n (GB) pneu

ugly *eugli adj* laid(e)
ultrasound *eultreusaounde n* échographie
umbrella *eumbrèleu n* parapluie
unavailable *euneuveïleubele adj* indisponible
uncle *eunkeule n* oncle
uncomfortable *eunkeummfeuteubeule adj* inconfortable
under *eundeu prép* sous
underground *eundeugraounde n* (GB) métro
underneath *eundeuni:Fe adv* dessous ▪ *prép* sous
underpants *eundeupanntse n* slip • (US) culotte
underpass *eundeupa:sse n* (US) passage souterrain
understand *eundeustannde* (understood, understood *eundeustoude, eundeustoude*) *vb* comprendre
underwear *eundeuouère npl* sous-vêtements
unemployed *eunèmploïde adj* au chomâge, sans emploi
unemployement *eunèmmploïmeunte n* chômage
unfortunately *eunfo:rtcheuneïtli adv* malheureusement
unhappy *eunHapi adj* malheureux (-euse), mécontent(e)
uniform *iounifo:rme n* uniforme
United Kingdom *iounaïtide kinngdeume npr* Royaume-Uni
United States *iounaïtide steïtse npr* États-Unis
university *iouniveursity n* université
unlimited *eunlimitide adj* illimité(e)
unload *eunleoude vb* décharger
unpleasant *eunplèzeunte adj* désagréable, antipathique
until *euntile prép* jusque
upgrade *eupgreïde vb* surclasser
upstairs *eupstèrz adv* en haut, à l'étage
us *eusse pron* nous
use *iousse n* emploi, utilisation
use *iouze vb* utiliser ◇ **past its use-by date** périmé(e)
used *iouzde adj* usagé(e) ◇ **to be used to (doing)** être habitué à (faire)
useful *ioussfoule adj* utile
useless *iousslèsse adj* inutile
user *iouzeu n* usager(-ère), utilisateur (-trice)
U-turn *iouteurne n* demi-tour
vacancy *veïkeunssi n* (à l'hôtel) chambre libre • (en entreprise) poste vacant
vacant *veïkeunte adj* libre
vacation *veukeïcheune npl* (US) vacances, congé
vaccinated *vakssineïtide adj* vacciné(e)
vaccine *vaksine n* vaccin
vacuum cleaner *vakioume kli:neu n* aspirateur
valid *valide adj* valable
valley *vali n* vallée
van *vanne n* camionnette
vanilla *veunileu n* vanille
VAT *vi: eï ti: n* TVA
vegan *vi:geune adj, n* végétalien(ne)
vegetable *vèdjiteubeule n* légume
vegetarian *vèdjitèrieune nm/f, adj* végétarien(ne)
veil *veïle n* voile
vein *veïne n* veine
vending machine *vènndinng meuchi:ne n* distributeur automatique
vertebra *veurtibreu n* vertèbre
vertigo *veurtigo n* vertige
very *vèri adv* très
vest *vèste n* (US) gilet
vet *vète n* vétérinaire
vicinity *visiniti n* ◇ **in the vicinity** dans les environs

view *viou* *n* vue
vinegar *vinigueu* *n* vinaigre
vineyard *vinieurde* *n* vignoble
violet *vaïeuleute* *n* violette
virus *vaïreusse* *n* virus
visa *vi:zeu* *n* visa
visit *vizite* *n* visite ▪ *vb* visiter
voice *voïsse* *n* voix ◇ **voice mail** messagerie vocale
volcano *volkeïneou* *n* volcan
volunteer *voleunti:re* *n* bénévole ◇ **volunteer work** bénévolat
vomit *vomite* *vb* vomir
waffle *ouafeule* *n* gaufre
wages *oueïdjize* *n* salaire
waistcoat *ouèstekeoute* *n* (GB) gilet
wait *oueïte* *vb* attendre ◇ **waiting list** liste d'attente ▪ *n* attente
waiter *oueïteu* *n* serveur
waitress *oueïtrèsse* *n* serveuse
wake up *oueïke eupe* (woke, woken *ouoke, ouokeune*) *vb* (se) réveiller ◇ **wake-up call** réveil (téléphonique)
Wales *oueïlze* *npr* pays de Galles
walk *ouo:ke* *n* promenade ▪ *vb* marcher
walking *ouokinng* *n* marche **walking stick** canne
wall *ouo:le* *n* mur
wallet *ouo:leute* *n* (GB) portefeuille
walnut *ouo:lneute* *n* noix
want *ouannte* *vb* vouloir, désirer
wardrobe *ouo:rdreube* *n* (meuble) armoire
warm *ouo:rme* *adj* tiède, chaud(e)
warn *ouo:rne* *vb* prévenir
wash *ouoche* *vb* laver
washable *ouocheubeule* *adj* lavable
washbasin *ouochebeïssine* *n* (GB) lavabo
washing *ouochinng* *n* lessive ◇ **washing machine** lave-linge ◇ **washing powder** lessive ◇ **washing-up** vaisselle
wasp *ouaspe* *n* guêpe
watch *ouotche* *vb* surveiller ▪ *n* montre
watchman *ouo:tchmeune* *n* gardien
water *ouoteu* *n* eau ◇ **water-heater** chauffe-eau ▪ *vb* arroser
waterfall *ouoteufo:le* *n* cascade
watermelon *ouoteumèleune* *n* pastèque
waterproof *ouoteuproufe* *adj* imperméable
wave *oueïve* *n* vague ▪ *vb* faire signe (de la main)
way *oueï* *n* chemin, voie ◇ **way in** entrée ◇ **way out** sortie
we *oui* *pron* nous
weak *oui:ke* *adj* faible
weapon *ouèpeune* *n* arme
wear *ouère* (wore, worn *ouo:re, ouo:rne*) *vb* porter
weather *ouèVeu* *n* temps ◇ **weather forecast** météo
website *ouèbsaïte* *n* site Internet
wedding *ouèdinng* *n* mariage
Wednesday *ouènnzdeï* *n* mercredi
week *oui:ke* *n* semaine
weekend *oui:kènnde* *n* week-end
weigh *oueï* *vb* peser
weight *oueïte* *n* poids
welcome *ouèlkeume* *n* accueil ▪ *vb* accueillir ▪ *adj* bienvenu(e) **welcome!** bienvenue ! ◇ **you're welcome!** de rien !
well *ouèle* *adv* bien ◇ **well done!** bravo !
Welsh *oueïlche* *adj* gallois(e)
west *ouèste* *n* ouest

ANGLAIS-FRANÇAIS

West (the) *ouèste (Ve)* n l'Occident
western ***ouè****steurne* adj de l'ouest, occidental(e)
wet *ouète* adj mouillé(e) ▪ vb mouiller
what *ouate* pron quoi ▪ pron interr que
wheat *oui:te* n blé
wheatmeal ***oui:****temi:le* n farine complète ◇ **wheatmeal bread** pain de campagne
wheel *oui:le* n roue
wheelchair n ***oui:l****tchère* fauteuil roulant
when *ouène* adv, conj quand
whenever *ouè****nè****veu* adv, conj quand
where *ouère* adv où
which *ouitche* adj quel(le) ▪ pron lequel(le), lesquel(le)s, qui, que
white *ouaïte* adj blanc(he)
who *Hou* pron qui
wholemeat ***Ho:l****mi:te*, **wholemeal** ***Ho:l****mi:le* adj (pain) complet(-ète)
wide *ouaïde* adj large
widowed ***oui****deoude* adj veuf, veuve
width *ouidF* n largeur
wife (pl wives) *ouaïfe, ouaïvz* n femme
wifi ***ouaï****faï* n wifi
wild *ouaïlde* adj sauvage
win *ouine* (won, won *ouone, ouone*) vb gagner
wind *ouinnde* n vent
windbreaker ***ouinndd****breïkeu* n coupe-vent
window ***ouinn****deou* n fenêtre, vitre ◇ **window-shopping** lèche-vitrines
windscreen ***ouinnd****skri:ne* n (GB) parebrise ◇ **windscreen wiper** essuie-glace
windshield ***ouinnd****childe* n (US) parebrise
windy ***ouinn****di* ad venteux(-euse)
wine *ouaïne* n vin
wing *ouinngue* n aile
winter ***ouinn****teu* n hiver
wipe *ouaïpe* vb essuyer
wish *ouiche* n vœu ▪ vb souhaiter
with *ouiVe* prép avec
withdraw ***ouiV****dro:* (withdrew, withdrawn *ouiV****drou****, ouiV****dro:ne***) vb retirer
without *ouiV****aoute*** prép sans
woman (pl women) ***wou****meune,* ***wi****mine* n femme
wonderful ***oueun****deufoule* adj merveilleux(-euse)
wood *woude* n bois
wool *woule* n laine
word *oueurde* n mot
work *oueurke* n travail, œuvre ◇ **work placement** stage ▪ vb travailler • (appareil) fonctionner
worker ***oueur****keu* n travailleur(-euse)
workshop ***oueurk****chope* n atelier
world *oueurlde* n monde
worry ***oueu****ri* vb (s')inquiéter
worse *oueurse* adj pire ◇ **to make worse** aggraver ◇ **to get worse** empirer
worsen ***oueur****seune* vb (s')aggraver
worship ***oueur****chipe* n culte
worth *oueurFe* n valeur ◇ **to be worth** valoir
wound *wounde* n plaie
wrap *rape* vb emballer ◇ **wrapping paper** emballage
wrist *riste* n poignet
write *to raïte* (wrote, written *reoute, riteune*) vb écrire ◇ **to write down** noter
writer ***raï****teu* n écrivain(e)
writing ***raï****tinng* n écriture
wrong *ronng* n tort ▪ adj faux, fausse ◇ **to be wrong** (personne) avoir tort, se tromper
X-ray *èkse-reï* n radiographie

ear *yire n* an, année
early ***jeur**li adj* annuel(le) ▪ *adv* tous les ans
ellow ***iè**leou adj* jaune
es *ièsse adv* oui, si
esterday ***ìès**teudeï adv* hier ◇ **the day before yesterday** avant-hier
oghurt ***io**gueute n* yaourt
ou *iou pron* tu, toi, vous
oung *ieunngue adj* jeune
oungster ***ieunng**steu n* jeune

your *ioure adj poss* ton, ta, tes, votre, vos
yours *iourz poss* le (la) vôtre, les vôtres, le tien, la tienne, les tien(ne)s
youth *iouFe n* jeunesse
zero ***zi**reou n* zéro
zip *zipe n* fermeture éclair ◇ **zip code** (US) code postal
zoom lens *zoume lènnse n* zoom
zucchini *zou**ki**ni n* (US) courgette

TABLE DES MATIÈRES

N° de projet : 10214511 - février 2016
Imprimé en France par IME by Estimprim - 25110 Autechaux